desde o PRIMEIRO Instante

MHAIRI MCFARLANE

Desde o Primeiro Instante

MHAIRI MCFARLANE

Tradução
Carolina Caires Coelho

Novo Conceito

1ª Impressão — 2014

Produção editorial:
Equipe Novo Conceito
Impressão e Acabamento RR Donnelley 110214

Este livro segue as regras da Nova Ortografia da Língua Portuguesa.

Dados Internacionais de Catalogação na Publicação (CIP)
(Câmara Brasileira do Livro, SP, Brasil)

McFarlane, Mhairi
Desde o primeiro instante / Mhairi McFarlane ; tradução Carolina Caires Coelho. -- 1. ed. -- Ribeirão Preto, SP : Novo Conceito Editora, 2014.

Título original: You had me at hello.
ISBN 978-85-8163-420-3

1. Ficção inglesa I. Título.

14-00985 CDD-823

Índices para catálogo sistemático:
1. Ficção : Literatura inglesa 823

Novo Conceito

Rua Dr. Hugo Fortes, 1885 — Parque Industrial Lagoinha
14095-260 — Ribeirão Preto — SP
www.editoranovoconceito.com.br

Para Jenny,
que conheci na universidade.

Prólogo

— Ah, inferno, que sorte a minha...

— O quê? — perguntei.

Espantei uma vespa persistente e corajosa para longe de minha latinha de Coca-Cola. Ben protegia o rosto com a mão de um modo que o deixava ainda mais em evidência.

— Professor McDonald. Sabe quem é? O McMuffin Cabeça de Ovo. Eu devia a ele um trabalho sobre os Keats há uma semana. Ele me viu?

Olhei para a frente. Do outro lado do gramado coberto pela luz do sol da tarde, o professor tinha parado e apontava o dedo como se imitasse Lorde Kitchener, chegando até a mexer os lábios, sem emitir som, parecendo dizer a palavra "VOCÊ".

— Hum... Sim.

Ben espiou entre os dedos e olhou para mim.

— Talvez sim ou claro que sim?

— Sim do tipo um míssil escocês de mira certeira com as coordenadas perfeitas para acertar você no meio da testa. Sim.

— Certo, OK, pense, pense... — Ben murmurou, olhando para a copa da árvore à sombra da qual estávamos.

— Você vai tentar subir na árvore? Porque o professor McDonald parece ser o tipo de cara que esperaria o corpo de bombeiros chegar.

Ben olhou ao redor, detendo-se nos restos de nosso almoço e nas nossas mochilas no chão, como se dentro delas houvesse uma resposta. Eu não acreditava que um universitário escaparia enfiando a cara dentro de uma mochila. E, então, ele olhou para a minha mão direita.

— Pode me emprestar seu anel?

— Claro. Mas ele não é mágico. — Eu o tirei e o entreguei.

— Fique de pé.

— Oi?

— *De pé.*

Eu me levantei, retirando a grama de minha calça jeans. Ben se equilibrou apoiado em um dos joelhos e segurou a peça de bijuteria gótica que eu havia comprado por quatro libras na feira dos alunos. Comecei a rir.

— Ah... *seu idiota...*

O professor McDonald se aproximou.

— Ben Morgan...!

— Desculpe, professor, mas estou no meio de um evento muito importante aqui. — Ele se virou para mim. — Sei que temos 20 anos e o momento deste pedido pode ter sido antecipado devido a... pressões externas. Mas, independentemente disso, você é maravilhosa. Estou certo de que nunca vou conhecer uma mulher com quem eu me importe tanto quanto me importo com você. Esse sentimento não para de crescer...

O professor McDonald cruzou os braços, mas, por mais inacreditável que seja, ele sorria. Ben, o espertalhão, triunfava de novo.

— Você tem certeza de que essa sensação não é vingança da tortilla de milho e da salsicha que você e Kev prepararam ontem à noite? — perguntei.

— Não! Minha Nossa... Você me conquistou. É a minha cabeça, meu coração, meus sentimentos...

— Calma, rapaz, eu não detalharia tanto a lista — disse o professor McDonald. — O peso da história está sobre você. Pense no legado. É preciso inspirar.

— Obrigado, professor.

— Você não precisa de uma esposa; você precisa de um remédio que interrompa a diarreia — eu disse.

— Eu preciso de *você*. O que me diz? Case-se comigo. Uma cerimônia simples. E você pode se mudar para o meu quarto. Tenho um colchão inflável e uma toalha manchada que pode dobrar e usar como travesseiro. E Kev está aperfeiçoando uma receita de patatas bravas com batatas cozidas em sopa de tomate em lata.

— Que proposta incrível, Ben, mas não, obrigada.

Ben se virou para o professor McDonald.

— Vou precisar de uma licença.

1

Chego em casa ligeiramente tarde e, na porta, a chuva especial de Manchester, vertical e horizontal simultaneamente, me deixa ensopada. Levo tanta água para dentro que parece que a maré transbordou e me deixou encharcada na base da escada como um pedaço de alga marinha.

É um lugar simpático e despretensioso, na minha opinião. Em um passeio de dois minutos no local, poderíamos passar como "profissionais" na faixa dos 30 anos, sem filhos. Gravuras emolduradas de ídolos musicais de Rhys. Chique e pobre, um pouco mais este do que aquele. E tinta azul-escuro nos rodapés que faz minha mãe fungar: "Parece um pequeno projeto de centro comunitário".

A casa está com o cheiro do jantar, apimentado e quente, mas, ainda assim, a tensão permeia o clima. Percebo o mau humor de Rhys antes mesmo de vê-lo. Assim que entro na cozinha, o retesamento nos ombros dele quando se aproxima do fogão confirma minha percepção.

— Boa noite, amor — cumprimento, puxando os cabelos úmidos para cima e tirando o cachecol. Estou tremendo, mas animada para o fim de semana. Tudo fica um pouco mais fácil de enfrentar em uma sexta-feira. Ele resmunga, o que só pode ser um olá, contudo não questiono para não abrir espaço para hostilidades.

— Você pegou o documento do carro? — ele pergunta.

— Ai, merda, eu me esqueci.

Rhys se vira com a faca na mão. Foi um crime passional, Meritíssimo. Ele odiava atrasos em relação aos documentos do carro.

— Eu lembrei você ontem! Já está com um dia de atraso.

— Desculpe; vou cuidar disso amanhã.

— Não é você que vai ter que dirigir ilegal. — Também não fui eu que me esqueci de pegar semana passada, de acordo com o lembrete escrito com a letra de Rhys no calendário. Não digo isso. Objeção: argumentativa. Rhys continua: — Eles guincham o carro para um pátio, sabia? Mesmo que esteja estacionado na frente de casa. Tolerância zero. Não me culpe quando eles amassarem o veículo como se fosse uma latinha de refrigerante e você tiver que andar de ônibus.

Penso em mim parada no ponto de ônibus.

— Amanhã cedo. Não se preocupe.

Rhys se vira e continua atacando um pimentão que pode ou não me simbolizar aos olhos dele. Eu me lembro de que trouxe uma bebida e me abaixo para pegar a garrafa vermelha de dentro da sacola molhada.

Sirvo uma dose e digo:

— Saúde, motorista!

— "Motorista"?

— Ônibus. Deixa pra lá. Como foi seu dia?

— A mesma coisa de sempre.

Rhys trabalha com design gráfico para uma empresa de marketing. Detesta. Odeia ainda mais falar sobre isso. Mas gosta das histórias cabeludas dos processos no Tribunal Manchester Crown.

— Bom hoje, um homem reagiu a um veredicto de prisão perpétua com as seguintes palavras imortais: "Essa porra não está certa".

— Haha. E estava?

— Se estava errada? Não. Ele matou um monte de gente.

— Pode incluir "essa porra não está certa" no *Manchester Evening News*?

— Só com asteriscos. Eu tive que transformar as barbaridades que a família dele dizia em um eufemismo: "gritos e choro emocionado do público". A única palavra sobre o juiz que não o xingava era "velho".

Rindo, Rhys leva o copo para a sala de estar. Eu o sigo.

— Fiz uma pesquisa sobre a música hoje — digo, sentando-me. — Minha mãe está me atormentando dizendo que o sobrinho de "*Margaret Drummond, do clube do bolo, contratou um DJ de boné que tocava coisas 'obscenas e repletas de cacofonia a respeito de bunda e drogas' antes de a dama de honra e os pajens irem dormir*".

— Que *ótimo*. Ela pode pegar o número dele? Mas sem boné.

— Pensei que seria legal um cantor ao vivo. Uma pessoa do meu trabalho contratou um cover do Elvis, Macclesfield Elvis. Parece ótimo.

Rhys ficou sério.

— Não quero um idiota gordo com gel no cabelo cantando *Love me Tender*. Vamos nos casar na prefeitura de Manchester, não na Little McWedding Chapel, em Vegas.

Eu engulo o sapo, apesar de não descer fácil. *Perdoe-me por tentar tornar a coisa divertida.*

— Ah, então está bem. Pensei que seria engraçado, sabe? Mexer com todo mundo. Em que estava pensando?

Ele balança os ombros.

— Sei lá.

A truculência de Rhys, observando de perto, sugere que eu posso estar perdendo alguma coisa.

— A menos que... você queira tocar?

Ele finge considerar a ideia.

— É, acho que pode ser. Vou falar com os caras.

A banda de Rhys. Se alguém chamá-los de SubOasis, ele é capaz de matar a pessoa. Mas há vários detalhes. O que nós dois sabemos, ainda que nunca digamos, é que ele queria que seu grupo anterior, de Sheffield, fizesse sucesso, e o grupo atual é só um hobby de um cara de mais de 30 anos. Sempre aceitei dividir Rhys com a música dele. Só não esperava ter de fazer isso no dia do meu casamento.

— Você poderia tocar na primeira meia hora, talvez, e, então, o DJ faz o resto.

Rhys faz uma careta.

— Não vou fazer todos ensaiarem e tocar só isso.

— Está certo; então, talvez mais tempo. Mas é nosso casamento, não um show.

Sinto as nuvens escuras aproximando-se com um raio entre elas. Conheço o humor de Rhys, esse tipo de argumento, como a palma da minha mão.

— Também não quero um DJ — diz ele.

— Por que não?

— Eles são sempre ruins.

— Você quer tocar todas as músicas?

— Podemos fazer compilações no iPod, no Spotify, sei lá. E colocamos para tocar no modo aleatório.

— Certo. — Eu deveria deixar passar o assunto e retomá-lo quando Rhys estivesse mais bem-humorado, mas continuo insistindo: — Mas vamos incluir Beatles, Abba e músicas para os mais velhos? Porque eles não vão gostar se tudo se resumir a amplificadores e uma postura de "danem-se vocês; não vou fazer o que querem".

— *Dancing Queen*? De jeito nenhum. Ainda que seu primo Alan queira dançar. — Ele contrai os lábios e simula uma dancinha que poderia ser considerada gratuitamente ofensiva.

— Por que você fica se comportando como se isso tudo fosse uma grande chateação?

— Pensei que você quisesse se casar do nosso jeito, com o que concordamos.

— Sim, nosso jeito. Não o seu jeito — retruco. — Quero que você consiga conversar com nossos amigos e com os familiares. É uma festa para todos.

Olho minha aliança de noivado. Por que vamos nos casar mesmo? Alguns meses atrás, estávamos mais pra lá do que pra cá em um restaurante grego, comemorando o bônus que Rhys havia recebido no trabalho. Surgiu como uma das coisas grandes com as quais podíamos gastar. Gostamos da ideia de uma festa, concordamos que provavelmente estava na "hora". Não houve pedido de casamento, apenas Rhys levantou a taça e disse: "Foda-se, não é? Por que não?", e piscou para mim.

Naquela noite, naquela sala de jantar abafada e barulhenta, pareceu uma decisão tão certa e firme, além de *óbvia*. Observamos as mulheres de dança do ventre arrastarem os clientes para girarem com elas, rimos até a barriga doer. Eu amava o Rhys, e acho que em meu acordo foi um tipo de aceitação, como: "Bem, com quem mais vou me casar?". Sim, vivíamos de certo modo insatisfeitos. Mas, assim como as manchinhas de bolor no canto úmido do banheiro, nossos problemas seriam difíceis demais de consertar, por isso nunca começamos.

Apesar de já termos esperado bastante tempo, eu nunca duvidei de que formalizaríamos as coisas. E, ainda que Rhys usasse o cabelo todo despenteado e o eterno uniforme de estudante, com camisetas puídas de bandas de rock, calça desbotada e All Stars, por baixo de tudo aquilo, eu sabia que ele queria o papel antes dos filhos. Telefonamos a nossos pais quando chegamos em casa, ostensivamente dividindo nossa alegria, talvez também para que não pudéssemos voltar atrás quando ficássemos sóbrios de novo. Nada de luz da lua e serenata, mas, como Rhys diria, a vida não era assim.

Agora, eu penso no dia, supostamente o mais feliz de nossa vida, cheio de promessas e irritação disfarçada, Rhys todo exibido com seus amigos da banda, do jeito que estava quando o vi pela primeira vez, quando fazer parte daquele grupo era tudo o que meu coração pouco desenvolvido desejava.

— Por quanto tempo a banda vai ser a terceira pessoa neste relacionamento? Você vai sair para ensaiar quando eu estiver em casa cuidando de um bebê?

Rhys afastou a taça dos lábios.

— Como assim? Como é? Eu vou ter que ser uma pessoa diferente, abrir mão do que gosto para ser bom o bastante para você?

— Eu não disse isso. Só não consigo achar que o fato de você tocar precisa atrapalhar nosso tempo juntos no dia de nosso casamento.

— Ah. Teremos *uma vida inteira* juntos depois disso — ele diz como se fosse uma frase de um condenado à morte, como se mandasse uma mensagem cifrada ao mundo. Não. Vou. Poder. Ir. Ao. Bar...

Respiro fundo e sinto um peso incômodo embaixo de minhas costelas, uma dor que eu poderia tentar afastar com vinho. Já funcionou antes.

— Não sei bem se esse casamento é uma boa ideia.

Pronto. O pensamento irritante que ardia dentro de mim, em meu subconsciente, gerando confusão sem fim, saiu de meus lábios. Fico surpresa quando percebo que não me arrependo de dizê-lo.

Rhys balança os ombros.

— Eu disse para fazermos uma coisa fora do país. Você quis fazer aqui.

— Não é isso; estou dizendo que nos casarmos neste momento não parece uma boa ideia.

— Bem, vai ser bem esquisito se cancelarmos.

— Esse não é um motivo bom para irmos em frente.

Dê um motivo. Talvez eu esteja enviando mensagens em código. Percebo que caí na realidade, acordei, e que Rhys não está percebendo a urgência. Verbalizei o tipo de coisa que não dizemos. A recusa em ouvir não é bem uma resposta.

Ele suspira forte, um suspiro repleto de exaustão não articulada pelas dificuldades de viver comigo.

— Sei lá. Você está tentando arrumar briga desde que chegou em casa.

— Eu não!

— E agora está fazendo drama porque quer me forçar a aceitar um DJ que tocará um monte de lixo para você e seus amigos idiotas quando estiverem entediados. Pode contratar; faça tudo do seu jeito que não vou abrir a boca.

— *Idiotas*?

Rhys toma um gole de vinho e fica de pé.

— Vou continuar o jantar.

— Você não acha que o fato de não conseguirmos concordar com a música sugere alguma coisa?

Ele se senta de novo, soltando o peso do corpo na cadeira.

— Meu Deus, Rachel, não tente transformar isso em um drama, a semana foi difícil. Não tenho energia para um ataque de birra.

Também estou cansada, mas não por causa de cinco dias de trabalho. Estou cansada do esforço de fingir. Estamos prestes a gastar milhares de libras na farsa, diante de todas as pessoas que mais nos conhecem, e essa ideia está me deixando terrivelmente assustada.

Na verdade a incompreensão do Rhys é razoável. Um comportamento normal. *É* o de sempre. Mas aciona-se algo dentro de mim. Uma peça de meu maquinário finalmente pifou, do mesmo jeito que um bom eletrodoméstico sempre funciona até que, um dia, para.

— Não é uma boa ideia nós nos casarmos, ponto-final — digo. — Porque não sei nem se é uma boa ideia estarmos juntos. Não vivemos felizes.

Rhys parece um tanto assustado. E, então, faz uma carranca, uma máscara de provocação de novo.

— Você não está feliz?

— Não, não estou feliz. Você está?

Rhys fecha os olhos, suspira e leva a mão ao nariz.

— Não neste exato momento, veja que engraçado.

— De modo geral? — insisto.

— O que é ser feliz, posso saber? Sair pulando pelos campos, num barato de droga, e ver entre as margaridas azuis? Então, não, não estou feliz. Eu amo você e pensei que você me amasse o bastante para se esforçar. Mas está na cara que não.

— Existe um espaço entre as margaridas e as brigas constantes.

— Cresça, Rachel.

A reação grosseira de Rhys a qualquer uma de minhas dúvidas sempre é esta: "cresça", "sai dessa". Todo mundo sabe que é assim que os relacionamentos são, e você tem expectativas não realistas. Eu gostava da certeza dele. Agora, não sei mais.

— Não é o suficiente — digo.

— O que está dizendo? Quer que eu saia de casa?

— Sim.

— Não acredito nisso.

Nem eu, depois de tanto tempo. Foi bem depressa que tudo ocorreu, em poucos minutos do nada ao rompimento. Semelhante a estar na cabine de um foguete. A pressão. Talvez por isso tenhamos demorado tanto para nos casar. Sabíamos que as coisas meio borradas passariam a ser vistas com mais clareza.

— Vou começar a procurar casas para alugar amanhã.

— É isso o que nosso relacionamento de treze anos vale? — ele pergunta. — "Você não faz o que quero no casamento... então tchau"?

— Não tem bem a ver com o casamento.

— Engraçado como os problemas apareceram agora que você não está conseguindo as coisas que quer. Não me lembro dessa... *introspecção* enquanto eu comprava a aliança.

Ele tem razão. Será que eu fiz Rhys comprar a aliança para ter um motivo? Meus motivos são realmente bons? Fraquejo. Talvez acorde amanhã e pense que minha decisão foi um erro. Talvez esse humor sombrio e apocalíptico de terrível clareza passe como a chuva que ainda está caindo lá fora. Talvez possamos almoçar amanhã, rabiscar as músicas que escolhemos em um guardanapo e retomar o planejamento...

— Certo... Se é para dar certo, precisamos mudar as coisas. Precisamos parar de brigar o tempo todo. Procurar um terapeuta, uma ajuda assim.

Ele pode me oferecer quase nada e eu vou ficar. Minha determinação é totalmente ridícula.

Rhys franze o cenho.

— Não vou ficar sentado num sofá enquanto você fala para um idiota o tremendo babaca que sou com você. Não vou abrir mão do casamento. Ou nos casamos ou nos separamos.

— Estou falando sobre o nosso futuro, se tivermos um, e você só consegue se importar com o que as pessoas dirão se cancelarmos o casamento?

— Você não é a única que pode dar ultimatos.

— Isso é brincadeira?

— Se não tem certeza depois de tanto tempo, nunca terá. Nada mais há para falar.

— Sua escolha — digo, tremendo.

— Não, *sua escolha* — ele retruca. — Como sempre. Depois de todo o sacrifício que fiz por você...

Essas palavras me tiram do sério; explode a raiva.

— Você não abriu mão de nada por mim. Você decidiu se mudar para Manchester! E age como se eu tivesse essa dívida com você que nunca poderia pagar, e isso é idiotice! Aquela banda ia se separar de qualquer jeito! Não me culpe se VOCÊ NÃO TEVE SUCESSO!

— Você é uma menina muito egoísta e mimada — ele rebate, e também fica de pé, porque gritar sentado nunca é tão eficaz. —

Você quer o que quer e nunca pensa nas coisas das quais as pessoas desistem para fazer sua vontade. Está fazendo o mesmo com esse casamento. Você é uma egoísta do pior tipo porque não se considera egoísta. E, quanto à banda, como você ousa dizer que sabe que caminho seguiríamos? Se eu pudesse voltar e fazer tudo diferente...

— Nem me fale! — grito.

Nós dois ficamos ali, ofegantes, uma briga entre duas pessoas com palavras como armas.

— Certo. Beleza — Rhys diz por fim. — Vou até a casa dos meus pais passar o fim de semana. Não quero ficar aqui aguentando esta merda. E procure outro local para morar.

Eu me sento no sofá com as mãos no colo. Escuto quando ele sobe a escada, enche uma mochila de coisas. Lágrimas escorrem por meu rosto e pela gola da camisa, que mal começou a secar. Ouço Rhys na cozinha e percebo que ele está desligando o fogo da panela de chilli. De certo modo, esse pequeno momento de reflexão é pior do que qualquer coisa que ele pudesse dizer. Cubro o rosto com as mãos.

Depois de mais alguns minutos, eu me assusto com a voz dele bem ao meu lado.

— Tem outra pessoa?

Olho-o, assustada.

— O quê?

— Você ouviu. Tem mais alguém?

— Claro que não.

Rhys hesita, e então diz:

— Não sei por que está chorando. É o que você quer.

Ele bate a porta da frente com tanta força que mais parece um tiro.

2

Em meio ao choque de minha solteirice repentina, minha melhor amiga, Caroline, e nossos amigos em comum, Mindy e Ivor, aparecem e fazem a pergunta dos verdadeiramente ridículos:

— Vamos todos sair e ficar bem bêbados?

Rhys não se abstinha em relação a eles: sempre viu meus amigos como *meus* amigos. E costumava dizer que Mindy e Ivor "falam como duas apresentadoras de programa infantil". Mindy, um nome indiano, é um apelido para Parminder. Ela chama de "Mindy" seu eu ocidental. "Consigo ficar entre vocês totalmente sem chamar a atenção. Tirando o fato de eu ser marrom."

Quanto a Ivor, seu pai tinha uma coisa com lendas nórdicas. É meio piada, graças a uma animação infantil que se tornou clássico. Ivor teve de aguentar os jogadores da equipe de rúgbi do prédio onde morávamos na faculdade chamando-o de "máquina", dizendo que ele fazia um som de *pessshhhty-coom*, *pessshhhty-coom* nos momentos íntimos. Esses mesmos jogadores bebiam a urina e o catarro uns dos outros em apostas e levaram Ivor ao andar de cima para conhecer as garotas, e foi assim que nos tornamos um grupo de quatro amigos dos dois sexos. Nossa companhia platônica, unida à cabeça raspada dele, aos óculos de aros grossos e à paixão por tênis japoneses modernos, levava as pessoas a concluírem, com frequência, que Ivor era gay. Ele passou a trabalhar com programação de jogos e, uma vez que quase não existem mulheres nessa profissão, acredita que esse engano pode levá-lo a perder grandes oportunidades.

— É contraintuitivo — ele sempre reclama. — Por que um homem cercado por mulheres tem que ser homossexual? Hugh Hefner, o dono da *Playboy*, não recebe esse tipo de tratamento. Com certeza, eu deveria usar pijama e chinelos o dia todo.

Mas, voltando ao assunto, como não estou pronta para encarar os bares, decido que podemos passar a noite bebendo em ambiente doméstico, invariavelmente mais letal.

A casa de Caroline, em Chorlton, é sempre o lugar onde nos encontramos, já que, ao contrário de nós, ela é casada, e tem uma maravilha de casa (não de marido, sem desrespeitar o Graeme. Ele saiu para um de seus frequentes fins de semana de golfe com os amigos). Caroline trabalha, e ganha muito bem, como contadora de uma grande rede de supermercados, e é uma adulta normal, mas sempre foi. Na faculdade, ela vestia coletes e fazia parte do clube de remo. Quando eu expressava minha surpresa às pessoas, dizendo que minha amiga conseguia acordar cedo e se exercitar depois de uma noite de muita bebedeira, Ivor dizia, meio grogue: "É uma coisa chique. Genes normandos. Ela precisa sair e conquistar coisas".

Ele podia até estar meio certo sobre a ascendência de Caroline. Ela é alta, loira, o perfil aquilino. Costuma dizer que parece uma comedora de formigas; se for assim, é meio uma mistura de "comedora de formigas com Grace Kelly".

Minha tarefa em nosso encontro se resume a fatiar os limões e passar sal na borda dos copos no balcão preto e impecável de Caroline, enquanto ela bate gelo, tequila e cointreau em um mixer vermelho. Entre os barulhos ensurdecedores, de seu berço esplêndido no sofá, Mindy nos brinda com seu Tao da Mindy, tão comum.

A diferença entre 30 e 31 anos equivale à diferença entre um velório e o processo de luto.

Caroline começa a servir a mistura de margarita com uma colher.

— Fazer 30 anos é como um velório?

— O velório de sua juventude. Muita bebida, solidariedade, atenção e flores, e você encontra todo mundo que conhece.

— E por um momento ficamos com receio de a comparação não ter graça — diz Ivor, empurrando os óculos pela ponta do nariz. Ele está sentado no chão, pernas esticadas, um braço esticado na mesma direção, apontando um controle remoto para algo em forma de losango que parece um aparelho de som. — Você tem The Eagles aqui mesmo, Caroline, ou só tem piada de mau gosto?

— Trinta e um é como o luto — Mindy continua. — Porque seguir em frente é muito pior, mas ninguém mais espera que você vá ficar reclamando.

— Ah, nós esperamos que você reclame, Mindy — digo, passando a ela um copo raso que mais parece um pires com cabo.

— As revistas de moda fazem com que eu me sinta tão velha e irrelevante, como se apenas me interessasse em comprar fralda geriátrica. Posso comer isto? — Mindy tira a fatia de limão da lateral de seu copo e a observa.

De modo geral, ela é uma mistura surpreendente de extrema aptidão e estupidez completa. Mindy fez faculdade de Administração e insistiu, ao longo do curso, que era totalmente inútil na área e que com certeza não levaria adiante os negócios da família, que vendia tecidos em Rusholme. Então, quando ela teve a primeira oportunidade, assumiu os negócios por um verão, criou mala-direta e vendas on-line, quadruplicou os lucros e aceitou, a contragosto, que talvez tivesse um certo jeito no ramo e fizesse carreira. Ainda assim, de férias pela Califórnia recentemente, ao ouvir um guia de turismo dizer: "Em um dia de sol, com binóculos, é possível ver as baleias daqui", Mindy retrucou: "Ah, meu Deus, lá de Cardigan Bay?

— Limão? Er... normalmente não se come — respondo.

— Ah, pensei que você o tivesse embebido em alguma coisa.

Pego outro copo e o entrego a Ivor, e, então, Caroline e eu levamos nossos ossos para o sofá.

— Saúde! — digo. — Ao meu noivado desfeito e ao futuro sem amor.

— Ao seu futuro — Caroline comemora.

Nós levantamos os copos, bebemos e fazemos uma careta: a tequila está tão forte que deixa meus lábios dormentes e o estômago quente.

Solteira. Faz muito tempo que essa palavra não se aplica a mim e ainda não me sinto nessa condição. Sou outra coisa, e estou no limbo: andando com cuidado na minha própria casa, dormindo no quarto de hóspedes, evitando meu ex-noivo e sua decepção furiosa e ardente. Ele tem razão: é o que desejo e, portanto, meus motivos para estar triste são bem menos fortes que os dele.

— Como está sendo vocês dois morando juntos? — pergunta Caroline, com cuidado, como se conseguisse me escutar pensando.

— Ainda não estamos nos matando. Tentamos nos manter afastados um do outo. Mas preciso procurar uma casa. Estou inventando desculpas todas as noites para não fazê-lo.

— Como sua mãe recebeu a notícia? — Mindy morde o lábio.

Mindy sabe que, como uma das duas madrinhas convocadas, ela era a única pessoa, além de minha mãe, que se sentia muito animada com o casamento.

— Não muito bem — respondo, praticando minha capacidade de aliviar as coisas.

Foi terrível. O telefonema aconteceu em fases. A parte do "pare de piada". A parte do "você está com medo, é normal". A parte da sugestão do "espere algumas semanas; veja como se sente". Raiva, negação, tentativa de acordo e então — espero — um tipo de aceitação. Meu pai pegou o telefone e me perguntou se o rompimento era pelos custos, afirmando que eles pagariam tudo se fosse preciso. Foi aí que eu chorei.

— Espero que você não se importe por eu estar perguntando, é só que você nunca contou... — Mindy diz. — O que fez você e Rhys terminarem?

— Ah... — eu começo. — Foi Macclesfield Elvis.

Uma pausa. Ridícula nossa situação aqui. Como o fim de meu relacionamento superlongo aconteceu há apenas uma semana, ninguém sabe bem como se comportar. É como quando acontece uma baita tragédia: qual o momento adequado para começar a fazer piada?

— Você transou com Elvis? — Ivor pergunta. — Como foi ser cutucada pelo Rei?

— Ivor! — Mindy grita.

Eu dou risada.

— Ooooh! — Caroline exclama repentinamente, de um modo muito diferente do normal.

— Foi de comum acordo? — Mindy pergunta.

— Eu me esqueci de dizer. Adivinhem quem eu vi esta semana.

Tento pensar em um famoso de quem gosto. A menos que seja alguém sobre o qual já escrevi, ainda que passe o dia todo analisando pessoas que só são celebridades pelos motivos errados. Duvido que um tarado provocaria essa alegria.

— *Coronation Street* ou Man U? — Mindy pergunta. São as duas fontes de pessoas famosas na cidade, é verdade.

— Nenhum dos dois — Caroline diz. — E é uma pergunta para Rachel.

Balanço os ombros, mastigando um pouco de gelo com os dentes do fundo.

— Hum... Darren Day?

— Não.

— Lembit Opik?

— Não.

— Meu pai?

— Por que eu encontraria seu pai?

— Ele poderia ter vindo de Sheffield, mantendo um caso extraconjugal.

— E, nesse caso, eu contaria a coisa toda no meio de uma brincadeira?

— Certo. Eu desisto.

Caroline se recosta com um olhar triunfante.

— Ben, da faculdade.

Sinto frio e calor ao mesmo tempo, como se repente estivesse com gripe. Uma leve náusea acompanha a mudança de temperatura. Sim, com analogia e tudo.

Ivor se vira e olha Caroline.

— Ben da faculdade? Que tipo de apelido é esse?

— Alguma relação com o Big Ben? — Mindy pergunta.

— Ben da faculdade — Caroline repete. — A Rachel sabe de quem estou falando.

Eu me sinto como Alec Guinness em *Guerra nas Estrelas,* quando Luke Skywalker aparece e começa a perguntar sobre Obi Wan Kenobi. *É um nome que não escuto há muito, muito tempo...*

— Onde ele estava? — pergunto.

— Entrando na Biblioteca Central.

— O que acham de contar ao "Ivor de duas pernas" de quem vocês estão falando? — Ivor pergunta.

— Eu queria entender — Mindy diz, e Ivor parece prestes a lhe explicar algo, mas muda de ideia.

— Ele era um amigo da faculdade, vocês se lembram? — pergunto, cobrindo a boca com o copo para o caso de meu rosto estar demonstrando mais do que quero. — Do meu curso. Por isso ele é o *Ben da faculdade.*

— Se ele era amigo seu, por que a Caroline está toda... alegrinha? — Mindy pergunta.

— A Caroline sempre foi a fim dele — explico, feliz por ser verdade, nada mais do que a verdade, juro por Deus.

— Ah — Mindy me lança um olhar. — Você não podia ser a fim dele, porque o seu gosto e o da Caroline em relação a homens nunca combinaram.

Tive vontade de beijar a Mindy por dizer aquilo.

— Verdade — concordo de modo enfático.

— Ele continua *bonito* — Caroline diz, e meu estômago começa a revirar como um crustáceo vivo a caminho da panela na cozinha de um restaurante de frutos do mar. — Ele era bonito, todo bem vestido de terno e gravata.

— Bonito? Aquele homem é fascinante — Ivor diz. — Que presença. Quero conhecê-lo melhor. Ah, não, esperem... não quero.

— Você e ele já...? — Mindy pergunta a Caroline. — Estou tentando localizá-lo...

— Meu Deus, não. Eu não era suficientemente charmosa para ele, e acho que nenhuma de nós, não é, Rach? Ele era meio galinha. Mas lidava bem com isso.

— Sim — concordo.

— Esperem! Eu me lembro do Ben! Todo saidinho, esperto e confiante? — Mindy pergunta. — Nós achávamos que ele era rico, e aí foi tipo, não... ele só toma banho. — Ela olha Ivor, que morde a isca.

— Ah, eu me lembro vagamente. Posudo que era... — Ivor levanta a gola da camisa. — ... *Está bonito aqui ou sou só eu?*

— Ele não era assim! — começo a rir com nervosismo.

— Você perdeu totalmente o contato com o Ben? — Caroline pergunta. — Não são amigos de Facebook nem nada?

Cortei contato com ele. Quebrei ao meio, como se rompe uma faixa no fim de uma corrida.

— Não, quer dizer, sim. Não vejo o Ben desde a faculdade.

E as minhas 781 pesquisas no Google não deram resultado.

— Eu o vi na biblioteca algumas vezes, mas só agora caiu a ficha e eu percebi por que o reconheci. Ele deve estar em Manchester. Quer que eu diga oi se o vir de novo? Quer que lhe passe seu celular?

— Não! — exclamo, com um leve toque de pânico na voz. Então sinto que preciso explicar minha reação e digo: — Vai parecer que estou atrás dele.

— Se vocês só eram amigos, por que ele pensaria isso? — Caroline pergunta, e com razão.

— Estou solteira depois de tanto tempo. Não sei; poderia ser mal interpretada. E não estou querendo... Não quero que pareça algo do tipo aqui está a minha amiga solteira que quer espalhar o número do telefone para todos os homens da rua — explico.

— Bem, eu não ia fazer um cartão de visita! — Caroline diz.

— Eu sei, eu sei, me desculpe. — Dou um tapinha no braço dela. — Estou muito destreinada.

Uma pausa, com sorrisos solidários de Mindy e Caroline.

— Vou apresentar uns gostosões quando você estiver pronta — Mindy dá um tapinha em meu braço.

— Uau! — Ivor exclama.

— O que foi?

— A julgar pelos homens que você *namora*, estou tentando imaginar aqueles que você deixa passar. Meu cérebro manda uma mensagem: *o servidor compreende seu pedido, mas se recusa a obedecer.*

— Ah, levando em consideração as vagabundas feias com quem você sai, isso é *fino*.

— Não, aquele Bruno rapidinho era fino, lembra?

— Arram, e ele tinha uma bela bunda.

— Então, pronto — Caroline interrompe. — Nós animamos você? Está se sentindo melhor?

— Sim. Meio com um brilho nuclear — respondo.

— Sério? — Caroline pergunta.

Eu levanto meu copo.

— Muito mais bebida, por favor.

3

Conheci Ben no fim de nossa primeira semana na Manchester University. No começo, pensei que ele fosse do segundo ou terceiro ano, porque estava com o grupo mais velho que havia montado mesas nos corredores do prédio a fim de entregar nossos cartões de identificação para os quartos. Na verdade, ele era calouro, assim como eu. No que mais tarde reconheci como algo típico de Ben, ele me ofereceu ajuda e pulava as mesas para trabalhar quando o pessoal reclamava que precisava de gente auxiliando.

Eu não estaria acordada, mas minha ressaca me acordou e me disse que precisava desesperadamente de refrigerante. Os corredores continuavam tão desertos às nove horas como estariam se fosse madrugada. Virando a garrafa enquanto voltava das lojas de conveniência no sol do outono, vi uma pequena fila serpenteando para fora das portas duplas do condomínio. Por ser inglesa e por curiosidade, achei melhor entrar nela.

Quando cheguei à frente e o espaço onde Ben atendia foi liberado, eu me aproximei.

Sua expressão um tanto assustada, mas nem um pouco insatisfeita, parecia perguntar com bastante clareza: "Quem é você?".

Isso me assustou, porque não foi uma reação cautelosa. Em um bom dia (que não era o caso), eu achava que disfarçava razoavelmente bem, mas não tinha recebido muito olhares como aquele antes. Foi como se alguém colocasse música para tocar, ajeitasse meu cabelo, iluminando-me por cima e gritasse: "Ação!".

Ben não era meu tipo, nem um pouco. Meio magro demais, meio óbvio, com aqueles olhos castanhos ingênuos e a mandíbula quadrada, meio *pão com ovo*, como Rhys diria. (Ele havia entrado em meu caminho pouco tempo antes, assim como sua visão de vida, que, aos poucos, ia se tornando a minha.) E, pelo que pude ver da parte de cima do corpo de Ben, ele vestia roupas esportivas que indicavam realmente praticar esportes. Caras atraentes, na minha opinião de garota de 18 anos, tocavam guitarra e não jogavam futebol. Eles eram relaxados e meio deprimidos, sempre com a barba por fazer, e tinham — um conhecimento recém-adquirido, devido à pesquisa no campo — peitos cabeludos nos quais era possível perder um ursinho de pelúcia. Ainda assim, minha mente permanecia suficientemente aberta para aceitar que Ben seria o tipo de muitas outras garotas, e me senti lisonjeada pela atenção que ele me dedicava. As nuvens negras de minha ressaca começaram a se dispersar.

Ben disse:

— Olá.

— Olá.

Breve silêncio enquanto nos lembrávamos do que estávamos fazendo ali.

— Nome? — Ben perguntou.

— Rachel Woodford.

— Woodford... W... — Ele começou a procurar na caixa de cartões. — Achei.

Ele pegou um retângulo de papelão com o nome de nosso corredor e uma foto de passaporte colada nele. Eu me esquecera de que havia enviado algumas fotos não muito legais de uma sessão tirada em uma cabine de shopping center. Um dia *bem* ruim, Shopping Meadowhall, de TPM. Eu parecia ter acordado de minha própria autópsia. Talvez soubesse que elas voltariam para me assombrar.

— Não dê risada da foto — eu disse, rapidamente, e quase com certeza causei o efeito contrário.

Ben olhou o retrato.

— Já vi piores hoje.

Em seguida, colocou o cartão na máquina, pegou a versão plastificada e a inspecionou de novo.

— Sei que está feia — eu insisti, estendendo a mão. — Parece que estou tentando defecar um abacaxi.

— Um abacaxi?

— É, todo cheia de espinhos.

— Ah, certo. Acho que espetaria um pouco.

Bem. A conversa tinha sido boa. O básico da sedução: *faça o cara atraente imaginar você fazendo força no banheiro.*

A propósito, as palavras saíram diretamente de meu catálogo de melhores respostas. Rachel básica. O melhor da Rachel. *Simplesmente* Rachel. Quando colocada em evidência, a função linguística de meu cérebro não consegue se expressar. Sai qualquer combinação de palavras.

Ben sorriu para mim, e o sorriso virou risada. Retribuí.

Ele manteve o cartão longe de minha mão.

— Você é do curso de Inglês?

— Sim.

— Eu também. Não faço a menor ideia de onde será a inscrição amanhã. Você sabe?

Fizemos um acordo de que ele passaria no meu quarto no dia seguinte para podermos ir ao bloco de artes juntos. Ben procurou uma caneta. Eu anotei o número de meu quarto para ele na primeira coisa que encontrei, um porta-copo macio. E me arrependi de ter passado a noite anterior inteira pintando as unhas de minhas mãos uma de cada cor, o que parecia bem idiota naquele momento. Grafei "Rachel" com letras separadas, como se estivesse escrevendo meu nome no caderno do ensino fundamental.

— Quanto à foto — ele disse ao pegá-la —, você está bonita, mas pode tentar levantar o traseiro um pouco da próxima vez. Ficou meio baixinha.

Peguei a foto de novo para conferir. Havia uns dois metros de espaço em branco acima da minha cabeça.

Corei e comecei a rir.

— É só girar — Ben disse baixinho, rodando um banquinho imaginário na cabine de fotos. Fiquei mais corada e ri mais ainda. — Sou o Ben. Até amanhã.

Como um policial no trânsito, Ben me afastou com uma das mãos e chamou o seguinte com a outra.

Enquanto eu dava a volta até o fim da fila, fiquei tentando imaginar se a menina bem apresentável do quarto ao lado do meu era fresquinha demais para me acompanhar num café da manhã meio ruim. Num impulso, enquanto me afastava, olhei na direção de Ben, e ele estava me observando partir.

☞ 4

Em alguns ambientes de trabalho, todos exibem fotos emolduradas da família sobre a mesa, mantêm um pote cheio de canetas com penduricalhos na ponta e uma xícara com o nome gravado. De vez em quando, as pessoas choram no banheiro e trocam confidências, e qualquer informação pessoal roda o escritório todo de manhã antes do segundo café. Palavras como "fibroides" e "Tramadol" ou "eu o flagrei experimentando meus vestidos" são passadas em clima de revelação total.

No meu ambiente de trabalho não funciona assim. O Tribunal de Manchester Crown vive repleto de pessoas que caminham depressa e de modo eficiente, vestindo toga e trocando informações essenciais aos sussurros. O clima é definitivamente masculino e, portanto, não incentiva confidências que nada têm a ver com os assuntos aqui tratados. Assim, eu disfarcei as evidências físicas de meu estresse emocional com uma camada extra de maquiagem, endireitei os ombros e estou seguindo para a batalha, parabenizando a mim mesma pela pose bem fingida de competência.

Estou pegando um dos famosos cafés instantâneos com sabor artificial vendidos nas máquinas, servidos em copos de plástico tão finos que queimam as pontas dos dedos, quando escuto:

— Belo fim de semana, não é, Woodford? Você está acabada!

Ahhhh, Gretton. Eu devia saber que ele explodiria minha bolha.

Pete Gretton é um freelancer, um "ponta firme" nas agências, como são chamadas pessoas como ele, sem escrúpulos. Ele analisa as listas procurando os casos mais desagradáveis e ridículos e vende o menor denominador comum ao mais alto investidor, e normalmente me segue e acaba com qualquer chance de um caso exclusivo. Maldades e tristezas representam seu pão de cada dia. Para ser sincera, é o caso de todos os assalariados no prédio, mas a maioria de nós tem o bom senso de não espalhar isso. Gretton, entretanto, nunca se viu diante de um homicídio qualificado de que não tenha gostado.

Eu me viro e lanço-lhe um olhar bem cansado.

— Bom dia para você também, Pete — digo, tensa.

Ele está piscando, como se a luz do dia o irritasse, gesto que sempre me faz lembrar um peixe branco e de guelras cor-de-rosa que meu pai encontrou nadando nas águas turvas no fundo do tanque do jardim. Gretton se desenvolveu a ponto de se ajustar no ambiente dos tribunais, subsistindo apenas de café, cigarro e massa folhada envolta em celofane, sem necessidade da vitamina D do sol.

— Só estou brincando, querida. Você continua sendo a moça mais bonita do prédio. — Depois de conversar com Gretton, você, invariavelmente, sente vontade de se esfregar com uma escova de cerdas duras embaixo da água escaldante. E ele continua: — O que foi? Bebeu muito vinho? Aquele seu carinha está deixando você cansada? — E acrescenta uma piscadela de virar o estômago.

Eu tomo um gole do café com aroma fresco de terra e agricultura.

— Terminei com meu noivo no mês passado.

Os olhos pequenos e caídos dele se fixam em mim, esperando uma gracinha. Nada é dito, e Gretton afirma:

— Ah, querida... Sinto muito.

— Obrigada.

Não sei se Gretton tem vida privada no sentido convencional, ou se nascem um rabo e chifres nele às 5h30. Esse tipo de assunto certamente é um território não desbravado entre nós. Sobre a vida pessoal um do outro apenas sabemos que:

a) tenho um noivo, que agora é passado, e

b) ele é de Carlisle.

E é assim que ambos gostamos de manter o clima entre nós.

Ele remexe os pés.

— Ficou sabendo da operação que descobriu nove homens portando heroína no aeroporto hoje? Dizem que eles esconderam as drogas em sacos de colostomia. — Eu balanço a cabeça. Ele acrescenta: — Pela primeira vez puderam dizer que a merda era da boa!

Ele ri muito, e o assunto do noivado rompido já foi esquecido.

— Eu ia cuidar do assassinato de honra — digo, sem sorrir. — Veja só: você cuida das drogas, eu cuido do assassinato e comparamos as anotações.

Pete me olha com desconfiança, tentando descobrir qual é a tática malvada atrás dessa "diplomacia mutuamente benéfica".

— Sei, certo.

Apesar de não conseguir escapar dos assuntos desagradáveis, eu gosto do meu trabalho. Gosto de estar em um lugar com regras e papéis claros. Apesar das áreas obscuras, o processo é preto no branco. Já aprendi a entender a linguagem dos tribunais, prever as flutuações, interpretar os sussurros maçônicos entre os membros do júri. Estabeleci uma boa relação com certos advogados, fiquei especialista em interpretar a cara dos jurados e a sair depressa antes que pessoas irritadas me sigam e me digam que não querem que a história delas pare no maldito jornal.

Enquanto bebo o resto do café frio, jogo o copo no lixo e sigo na direção do Tribunal 1, escuto a voz tímida de uma moça atrás de mim:

— Com licença; você é a Rachel Woodford? — Viro-me e vejo uma moça baixa com cabelos loiros e armados, o nariz levemente aquilino e uma expressão ansiosa. Usando uniforme escolar, ela aparentaria 12 anos. — Sou a nova jornalista que vai segui-la hoje — ela explica.

— Ah, certo. — Procuro me lembrar do nome dela, e me recordo de uma conversa que tive sobre ela com o pessoal da imprensa, a qual agora parece ter ocorrido há uma era.

— Zoe Clarke — ela diz.

— Zoe, claro, me desculpe. Ando meio confusa hoje. Estou cuidando do caso do assassinato; quer ajudar?

— Sim, obrigada! — Ela sorri alegremente, como se eu tivesse acabado de lhe oferecer uma viagem de fim de semana.

— Vamos ver as pessoas de peruca discutirem umas com as outras, então — digo. Aponto para Gretton, que está se afastando. — E cuidado com o cara ensebado que vem com papinho de amizade e vai embora com a sua história.

Zoe ri. Ela vai aprender.

5

Na hora do almoço, abro meu laptop na sala de imprensa, um nome moderno para uma cela sem janela cheia de marcas de nicotina dentro do Tribunal Crown, decorada com uma mesa de madeira envernizada, algumas cadeiras e um armário-arquivo amassado, e confiro meus e-mails. Uma mensagem chega de Mindy.

VOCÊ PODE FALAR?

Digito SIM e clico em enviar.

Mindy não gosta de mandar e-mails quando pode falar, porque ela ama conversar e não consegue entender fonemas. Ela costumava escrever "Vwalah!" em mensagens para mim e Caroline, e nós pensávamos se tratar de uma palavra em hindu, até descobrirmos, depois de perguntar, que, na verdade, ela queria dizer "Voilà".

Meu telefone começa a tocar.

— Oi, Mind — eu digo, levanto-me e saio pela porta da sala de imprensa.

— Você já achou um apartamento?

— Não. — Suspiro. — Estou procurando no Rightmove e torcendo para que os preços caiam por mágica em uma repentina crise imobiliária.

— Você quer no centro da cidade, certo? Não tem problema se for aluguel?

Rhys vai comprar a minha parte da casa. Decidi usar o dinheiro para comprar um apartamento. A princípio, um apartamento no centro da cidade onde poderei levar uma vida de solteira cosmopolita, mas os preços me chamaram para a realidade. Mindy acha que eu deveria alugar um por seis meses, até me situar. Caroline considera que alugar é jogar dinheiro fora. Ivor diz que posso ficar com o quarto extra dele e, assim, ele terá um motivo para finalmente tirar da casa sua barulhenta colega Katya. Como Mindy diz, ele poderia expulsar a amiga se "tivesse *cojones*".

— Sim? — eu digo cautelosamente. Mindy costuma pegar uma simples premissa e expandi-la para algo bastante intelectual.

— Dê a busca por encerrada. Uma compradora com quem trabalho é podre de rica e está indo para Bombaim por seis meses. Ela tem um lugar no Northern Quarter. Acho que era onde funcionava um moinho de algodão ou coisa assim, e aparentemente é liiindo. Ela quer uma inquilina confiável, e eu disse que você é a pessoa mais confiável do mundo, e ela disse que, nesse caso, pode fechar negócio.

— Hum...

Mindy cita o valor mensal, que é até razoável. Não impraticável, e certamente não é muito para o tipo de lugar de que ela está falando. Mas Mindy está preparando uma loucura. Provavelmente virá com um Maltipoo incontinente chamado Coronel Gad-Faffy que só come caviar e tem de passear quatro vezes por dia.

— Você quer ver a casa comigo depois do trabalho? — Mindy continua. — Ela parte na sexta e um primo dela está interessado. Ela disse que ele é meio monstro do pó e que não confia no sujeito. Então, você tem prioridade, mas terá que ser rápida.

— Monstro do pó?

— É, você sabe, cocaína. O doidão do pó.

— Sei.

Penso bem. Eu estava a fim de um contrato mais longo do que só seis meses. Seis meses com opção de renovação, pensei. Mas pode ser uma maneira de levar uma boa vida enquanto procuro um imóvel mais realista.

— Sim, claro.

— Ótimo! Encontro você no Afflecks às 5h30?

— Até lá.

Quando volto para a sala de imprensa, percebo que, enfim, comecei a me mexer para deixar a casa, por mais desconfortável que seja. Minha decisão de me separar de Rhys está quase saindo da teoria e entrando na prática, e logo será real. Dividir o dinheiro, separar nossos bens mundanos, voltar para casa à noite e encontrá-la vazia, bem como um futuro bem vazio. Uma parte de mim, a parte bem covarde, sente vontade de gritar: "Espere! Não foi bem isso! Quero voltar atrás!". Sinto náuseas.

Mas, então, eu me lembro de uma mensagem que recebi de Rhys alguns dias atrás, a qual mais pareceu tristeza misturada com raiva: "Espero que você esteja procurando um lugar, porque não vejo a hora de mudar essa situação em que estamos".

Abro meu laptop e me pergunto se quero mais um café artificial.

Zoe entra e fica atrás de mim, o que me irrita.

— Fique à vontade para sair e comer alguma coisa. Pode deixar suas coisas aqui, se quiser — eu digo.

— Obrigada. — Ela solta o casaco e a bolsa, e coloca o notebook sobre a mesa com cuidado.

— A menos que queira ir ao pub almoçar — continuo, sem saber de onde essa generosidade saiu. Talvez de tentar reparar o que fiz com Rhys. Nem se eu praticar boas ações pelo resto da vida vou conseguir reverter isso.

— Seria ótimo!

— Espere cinco minutos e vou mostrar a você por que o Castelo ganhou a fama de "o pub mais parecido com um tribunal".

Zoe concorda e se senta para transcrever sua cópia à mão. Olho para ela enquanto digito. Eu sabia. A letra dela é tão redondinha que seria possível fazer cópias e usar em exemplos de manuais.

Gretton entra, apertando os olhos e olhando para Zoe e depois para mim.

— O que é isso? Dia de Traga os Filhos ao Trabalho?

Zoe olha para a frente, assustada.

— Bem-vinda à família — digo a Zoe. — Considere Gretton o tio que faria você brincar de cavalinho.

6

Eu me desculpo com Zoe por não beber nada alcoólico quando chegamos ao barzinho. Parece que estou deixando a profissão decepcionada em momentos assim. Em todos os cantos, ouvimos histórias de feras míticas de tempos idos que podiam beber até cair e ainda assim cumprir o prazo, acordar cedinho no dia seguinte e fazer tudo de novo. Elas são lendas, normalmente porque morreram na faixa dos 50 anos.

— É soporífico no tribunal na maior parte das vezes, ainda mais com o calor e a demora. Se eu beber, vou acabar roncando — digo.

— Ah, tudo bem, eu sou peso-leve mesmo — Zoey afirma. — Vou beber uma Coca-Cola Zero também.

Analisamos o cardápio do bar e desanimamos, claramente escrito por gerentes de marketing que pensam ser superengraçados. Tentamos simplesmente apontar para os itens escolhidos para salvar nossa dignidade. Mas o idiota do garçom não deixa passar.

— Tenho astigmatismo — ele diz, como se fosse problema meu.

— Ah — murmuro, irritada, tentando a última saída: — Nós duas vamos querer o Fazendeiro.

— Pelado, animado ou cobiçado?

Droga.

— Animado — murmuro, derrotada. — E pelado para ela.

— Quer derretido? — ele suspira, de um jeito que sugere que a maior parte dos problemas do mundo se resume a pessoas como nós quererem derretido. Decidimos que sim, mas não pedimos o molho especial do chef, já que não queremos concordar com ele.

Trocamos amenidades, em meio à música da Mariah Carey e diversos televisores, quando dois pratos esquentados no micro-ondas são colocados à nossa frente. Assim que Zoe termina de comer, ela diz:

— Olha o que eu escrevi — batendo as migalhas das mãos e pegando um caderno espiral da bolsa, abrindo a página da direita. — Escrevi à mão.

Sinto-me um pouco irritada por ela esperar a minha orientação enquanto ainda estou comendo, mas engulo o sapo junto com uma bocada de queijo borrachudo. Leio sua história, preparada para, senão uma coisa malfeita, pelo menos feita às pressas. Mas está boa. Na verdade, muito fluida e confiante logo de cara.

— Está boa — balanço a cabeça, aprovando, e Zoe sorri. — Você pegou o ângulo certo de que o pai e o tio não negam que foram ver o namorado.

— E se aparecer alguma coisa melhor hoje à tarde? Você ainda acredita na sua intuição inicial?

— Pode ser, mas acho improvável. As coisas mudam devagar. Provavelmente não chegaremos à evidência do namorado hoje à tarde.

Devolvo o bloco a Zoe.

— Então, há quanto tempo você está aqui? — ela pergunta.

— Há tempo demais. Fiz a faculdade aqui e meu estágio em Sheffield, e então vim para o *Evening News* como estagiária.

— Você gosta do tribunal?

— Gosto. Sempre fui melhor em escrever histórias do que em encontrá-las, então esse trabalho combina comigo. E os casos costumam ser interessantes. — Faço uma pausa, preocupada que esteja parecendo aquelas bitoladas. — Claro que é ruim de vez em quando.

— Como são as coisas aqui? — Zoe pergunta. — O editor de notícias parece meio assustador.

— Ah, sim. — Com a lâmina da faca, eu afasto um monte de salada de repolho que devia estar no prato quando o esquentaram. — Orientar o Ken é meio como brigar com um crocodilo. Todos temos as marcas das mordidas para mostrar. Ele já fez a você a pergunta dos óctuplos? — Zoe nega, balançando a cabeça. — Uma mulher teve óctuplos, nônuplos, sei lá. Você consegue a primeira entrevista no leito do hospital, enquanto ela ainda está chapada. Qual é a única pergunta que você não deixa de fazer?

— Hum... Eu perguntaria se doeu.

— Você vai ter mais filhos? Ela provavelmente vai jogar uma fralda cheia na sua cabeça, mas é isso o que ele quer. Você é jornalista, sempre pense como uma jornalista. Procure a manchete.

— Certo. — Zoe franze a testa. — Vou me lembrar disso.

Eu sinto a vontade incontrolável de poupar uma pessoa das mil bobagens feitas quando se é novo, mesmo sabendo que ela cometerá outras, mas tento poupá-la mesmo assim.

— Seja confiante, não faça besteira e, se errar e vier a público, assuma. Ken vai brigar com você mesmo assim, mas acreditará da próxima vez que você disser que não é sua culpa. Mentir é o pavor dele.

— Certo.

— Não se preocupe — digo a ela. — Pode ser meio pesado no começo, e então, mais cedo ou mais tarde, você começa a reconhecer que toda a experiência humana se encaixa em uma dúzia de tipos diferentes, e você sabe exatamente como o editor vai querer que eles sejam descritos. Nesse momento, você já terá adquirido o cinismo necessário, e aí deve seguir em frente.

— Por que você quis ser jornalista? — Zoe pergunta.

— Rá! Lois Lane.

— É sério?

— É, sim. A morena é morena. Corajosa, enfrentava o chefe, tinha cobertura própria e camisola de seda azul. E saía com o Superman. Minha mãe costumava assistir aos filmes do Christopher Reeve quando eu estava doente e não ia à escola, e eu assistia a eles um atrás do outro. "Você tem a mim, quem tem você?". Brilhante.

— Não é estranho o fato de tomarmos grandes decisões na vida com base nas ocorrências mais aleatórias? — Zoe pergunta, puxando a Coca-Cola com o canudo até fazer barulho. — Sei lá, se sua mãe assistisse ao *Batman,* nós não estaríamos sentadas aqui agora.

— Hum — murmuro sem ser clara, e mudo de assunto.

☞ 7

Vejo Mindy a um quilômetro de distância usando casaco roxo e sapatos vermelhos. Parece mais um sol bollywoodiano explodindo em contraste com meu filminho preto e branco.

Ela diz que são suas tendências indianas — não consegue resistir a joias coloridas e coisas brilhantes. Mas é sempre o cabelo que mais brilha nela. Desde que conheço Mindy, ela usa um xampu de coco de uma libra que deixa seus fios brilhantes parecendo uma auréola. Eu o usei uma vez e o resultado foi uma juba dura, mas brilhante.

Ela me vê e balança uma chave pendurada em um barbante, como um hipnotizador agitando um relógio.

— Finalmente!

Mindy não estava brincando quando disse que o imóvel ficava no centro. Cinco minutos depois, chegamos lá, diante de um prédio vitoriano de tijolos aparentes que passou de um templo de trabalho árduo para um espaço elegante para os endinheirados.

— Quarto andar — Mindy diz, olhando para cima. — Espero que tenha elevador.

Tem, mas está quebrado, então subimos os vários lances de escada, com os saltos batendo no mesmo ritmo nos degraus.

— Não tem vaga de garagem — Mindy me lembra. — O Rhys vai ficar com o carro?

— Ah, sim. Do jeito que as negociações têm ocorrido até agora, fico feliz por não possuirmos animais de estimação nem filhos.

Minha mente retoma momentos de minha vida que eu pagaria muito bem para que fossem apagados. Nós nos sentamos e conversamos sobre como separar duas vidas muito mescladas, e eu dizia: "Fique com tudo, fique com tudo!", e Rhys me perguntou: "Significa tão pouco assim para você?".

Mindy enfia a chave na fechadura do desconhecido apartamento 21 e abre aporta.

— *Caraca* — ela suspira, admirando o espaço. — Ela disse que era bacana, mas eu não pensei que fosse tanto.

Caminhamos até o meio de uma sala cavernosa com paredes de tijolos aparentes. O chão de madeira clara se estende à nossa frente. Uma luz amarelada ilumina alguns pontos, vinda de luminárias verticais de papel. O sofá em forma de L na sala de estar é bem grande e branquinho como neve, com almofadas em tom de marfim e bege. Mentalmente, penso que qualquer refeição que envolva molho de soja, vinho tinto e chocolate está proibida de chegar perto dele. Ou seja, as refeições das noites de sexta-feira.

Mindy e eu caminhamos por ali, admirando tudo e apontando como zumbis quando descobrimos a sala de banho com um lavatório de vidro, ou a cama *queen-size* com cobre-leito de seda, ou a geladeira Smeg cor-de-rosa. Parece a casa que o personagem de um drama chique habitaria. O tipo de seriado no qual todo mundo é lindo e tem empregos meio fúteis, porém bastante lucrativos, sobrando muito tempo para almoços com amigos e intrigas.

— Não sei bem o que acho dele — digo, apontando para o tapete na frente do sofá. Parece a pele de algum animal que deve ser majestoso em Serengeti, e não mereceria estar embaixo da mesa de centro da marca Heal. As manchas peludas vermelhas me deixam inquieta.

— Tem rabo e tudo. Ai.

— Vou ver se você pode tirá-lo — Mindy concorda.

— Diga que sou alérgica a... bisão? — É falso, digo a mim mesma. Com certeza.

De pé no meio da sala de estar, damos mais uns giros de 360 graus boquiabertas, e sei que Mindy já está planejando uma festa. Para o caso de duvidarmos do propósito principal do apartamento, a palavra "FESTA" está escrita com letras douradas bem grandes presas na parede. Também há um quadro de pop art de Warhol: uma menina indiana cujo rosto é marcado por formas geométricas assustadoras olha para nós em quatro cores diferentes.

— É ela?

Mindy se aproxima de mim.

— Ah, sim. Rupa tem um ego enorme. Está vendo aquele nariz?

— Aquele no meio do rosto dela?

— Isso. Presente de 16 anos. Antes disso... — Mindy coloca um dedo na ponta do nariz e faz um arco no ar, parando no lábio superior.

— É mesmo? — Eu me sinto meio culpada por falar sobre as intervenções estéticas da mulher dentro do próprio apartamento dela.

— É. O pai é um dos maiores cirurgiões plásticos do país, então ela conseguiu um desconto. O que você acha do apartamento? — ela pergunta, um tanto redundante.

— Eu acho que parece aquela propaganda na qual as pessoas viam cenas da vida comum através de uma garrafa de vodca que deixava tudo muito mais interessante.

— Eu me lembro dessa propaganda — Mindy diz. — Fazia a gente pensar nas pessoas com quem dormimos quando enchíamos a cara. Devo dizer a ela que você aceita? Que se muda no sábado?

— O que vou fazer com as minhas coisas? — Mordisco o lábio, olhando ao redor. Eu estragaria a paisagem sentada ali, como estava.

— Tem muita coisa? — Mindy pergunta.

— Roupas e livros. E... utensílios de cozinha.

— E mobília?

— Sim, coisas de três cômodos.

— Você adora essas coisas?

Penso na pergunta. Gosto um pouco delas, afinal, fui eu que as escolhi. Mas, se acontecesse um incêndio, eu não conseguiria me imaginar protegendo uma mesa ou o sofá vermelho da Ikea se as chamas se alastrassem.

— Pergunto porque você poderia fazer um acordo com o Rhys e deixá-las com ele. Você disse que ele vai manter a casa, certo? Vai ficar caro para ele comprar os objetos maiores, além do transtorno. Você poderia receber um dinheiro por eles e comprar coisas adequadas ao local onde acabar morando. Ou pode vender tudo o que tem e comprar uma peça incrível, tipo um *lounger* da Eames ou uma cadeira da Conran!

O paradoxo da Mindy: razão e loucura dividindo o mesmo quarto — ou uma cama de solteiro, na verdade.

— Acho que sim. Tudo depende do desespero de Rhys para que eu saia *versus* as dificuldades que ele quer criar. Difícil saber.

— Posso falar com ele, se você quiser.

— Obrigada, mas... vou tentar primeiro.

Nós caminhamos até a janela, e a paisagem da cidade se espalha a nossa frente, com luzes acendendo conforme escurece.

— É tão glamouroso — Mindy suspira.

— Glamouroso demais para mim, talvez.

— Não aja como sempre, convencendo-se de não fazer algo que poderia ser bom.

— Eu faço isso?

— Um pouco. — Mindy me abraça. — Você precisa de uma mudança de cenário.

Eu retribuo o abraço.

— Obrigada. E que cenário.

Nós o analisamos em silêncio por um momento.

Eu aponto.

— Espere... ali é...?

— O quê? — Mindy aperta os olhos.

— ... Swansea?

— Que se dane.

8

Mindy precisa ir para casa a fim de preparar uns relatórios para uma reunião no dia seguinte, por isso nos despedimos do lado de fora do apartamento. Caminhando para o ponto de ônibus, de repente mudo de direção e me dirijo à biblioteca. Alguns dias antes, andando por Waterstones, me ocorreu que, se eu decidisse aprender italiano, poderia ver na biblioteca alguns livros para as aulas da noite nas quais vou me matricular em breve. E então, se eu encontrasse o Ben, seria por acaso. Só o destino dando um empurrãozinho útil.

Quando me aproximo, endireito a postura e fico mais alta uns quatro centímetros. Tento não olhar nem para a direita nem para a esquerda nem para ninguém quando entro, mas não resisto, e meus olhos começam a procurar de um lado a outro. Na biblioteca central a atmosfera é tão respeitosa quanto a de uma catedral; um lugar sereno onde seu QI sobe alguns pontos só de entrar no prédio.

Ali dentro, pego os livros *Buongiorno Italia!,* que por acaso estão comigo, sentindo-me muito ridícula. OK, então... Nossa! Para um idioma romântico, é tudo mais difícil do que eu imaginei. Depois de dez minutos de verbos intransitivos, eu mesma estou me tornando bem intransitiva. Vamos tentar o italiano para ocasiões sociais: *Reservar um quarto de hotel... Fazer apresentações...* E minha mente já está vagando...

Ben bateu à minha porta bem cedo no primeiro dia de aula, mas não tão cedo para chegar antes de Caroline, sempre a primeira a aparecer em todos os lugares. Eu estava bastante ansiosa, e meu rosto corava, como se tivesse tomado sol, com um pincel de blush enorme, fazendo biquinho na frente do espelhinho preso sobre a pia. Caroline esticou as pernas de flamingo em cima da minha cama, segurando uma xícara grande cheia de chá. Era um alívio descobrir que as meninas de meu corredor não eram as malucas baladeiras loucas por sexo de meus pesadelos, mas apenas adolescentes ansiosas, com saudade da família, que estavam ali com caixas cheias de objetos trazidas de casa.

— Quem vem buscar você mesmo? — Caroline pergunta.

— Um cara do meu curso. Ele me entregou meu cartão de identificação.

— Ele? Ele é bacana?

— Parece ser muito bacana — digo, sem pensar.

— Bacana *bacana*?

Pensei no que responder. Nós éramos amigas havia apenas uma semana e, apesar de ela parecer legal, eu não queria descobrir o contrário de repente, quando ela começasse a gritar "Minha amiga gosta de você!!" pelos corredores.

— Ele é bem bacana, sim — respondo com mais ênfase para ver se ela muda de assunto.

— Bacana *quanto*?

— Aceitável.

— Acho que você não vai ser capaz de fazer uma avaliação detalhada — Caroline diz, olhando para nossa foto, Rhys e eu, na minha mesa.

Foi uma foto que tiramos no bar, nós dois nos encolhendo para caber nela enquanto eu segurava a câmera apontada para nossos rostos. Nossas cabeças estavam encostadas, e os cabelos pretos dele se misturavam aos meus castanhos, dificultando saber onde os de um começavam e os de outro terminavam. *Rhys e Rachel. Rachel e Rhys.* Nós tínhamos a mesma inicial, claro que estava escrito. Eu sonhava acordada pensando nos dois Rs interligados que colocaríamos em nossos convites chiques de casamento.

Olhei para a imagem e senti um leve tremor. Nossa relação, recente e apaixonada, era instável, como as coisas novas costumam ser, e vivíamos separados por 57 quilômetros. Fiquei muito contente quando ele me disse que desejava continuar me vendo.

Nós tínhamos nos conhecido alguns meses antes no meu bairro. Eu costumava sair com as amigas do colégio, e todas nós nos sentávamos bebendo cerveja e fazendo cara de apaixonadas para os sujeitos da banda que tocava ali. Eles tinham até carros e empregos, e os poucos anos a mais do que nós representavam um abismo de experiência e maturidade. Esse amor platônico perdurou por muito tempo. Eles viviam cercados de meninas, e era óbvio que gostavam das estudantes admiradoras que estavam sempre por perto. Então, uma noite, eu acabei numa brincadeira, na qual duas pessoas se revezavam pedindo uma música e rebatendo com outra na *jukebox*. Sempre que eu escolhia uma música para tocar, a escolha de Rhys seria outra que tivesse relação com o título. Se eu escolhesse *Blue Monday*, ele se levantava e tocava *True Blue*, e assim por diante. (Rhys estava numa fase irônica. Pena que terminou muito tempo antes de planejarmos nosso casamento.)

Por fim, depois de muita risada, cochichos e moedas gastas, Rhys se aproximou casualmente da minha mesa.

— Uma mulher como você merece uma bebida.

Em um momento de sangue frio que nunca consegui repetir, eu respondi:

— Um homem como você merece pagar.

Minhas amigas se surpreenderam, Rhys riu, eu ganhei um malibu com limonada e o convite para me unir à banda no canto do bar que eles haviam monopolizado. Eu não conseguia acreditar, mas Rhys parecia mesmo interessado em mim. Assim, a dinâmica a partir daquele momento foi a seguinte: ele, o homem experiente; eu, a ingênua deslumbrada. Tempos depois, perguntei por que ele tinha ido atrás de mim aquela noite.

— Você era a garota mais bonita do lugar — ele respondeu. — E eu tinha um monte de moedas.

Escutei uma batida na porta do quarto, e Caroline se levantou para atender correndo.

— Desculpe. Errei o quarto — um rapaz disse.

— Não, é aqui mesmo — Caroline se animou, abrindo a porta para que Ben pudesse me ver, e vice-versa.

— Ah — Ben começou, sorrindo. — Eu sei que rolou um monte de coisas ontem com aquela confusão dos cartões, mas eu tinha certeza de que você não era loira.

Caroline sorriu, tentando decidir se as palavras sugeriam que ele preferia loiras ou morenas. Ben me olhou, com certeza tentando entender por que eu estava vermelha como um pimentão e se eu faria as apresentações.

— Caroline, Ben, Ben, Caroline. Vamos indo?

Ben disse "oi", e Caroline cantarolou um "olá!", e eu me perguntei se queria ver A Primeira Pessoa que Conheci nos Corredores com a Primeira Pessoa que Conheci no meu Curso. Suspeitei que não, pensando que seria complicado para mim se desse errado e solitário para mim se desse certo.

— Tenham um bom dia — Caroline disse, com um tom de sensualidade na voz que não combinava com o horário do café da manhã, e então saiu pela minha porta, dirigindo-se para o quarto dela.

Peguei minha mochila e tranquei a porta. Nós tínhamos quase atravessado o corredor todo sem incidentes quando Caroline me chamou:

— Oh, Rachel, sobre o assunto que estávamos discutindo: aceitável não era o adjetivo certo. Se você vai estudar Inglês, é bom que saiba disso!

— Tchau, Caroline! — gritei, sentindo meu estômago revirar.

— O que foi isso? — Ben perguntou.

— Nada — murmurei, pensando que não precisava do bendito blush.

Ao ver a fila quilométrica à espera dos ônibus, Ben sugeriu que fôssemos andando até os prédios da faculdade. Passamos pelas folhas amareladas enquanto os carros percorriam a Oxford Road, e fomos compartilhando os detalhes de nossas vidas: de onde éramos, quais as nossas matérias curriculares, falamos sobre família, passatempos, vários assuntos.

Ben, do sul de Londres, foi criado pela mãe com a irmã mais nova, pois seu pai os abandonou quando ele tinha 10 anos. Quando passamos pelo prédio que parece uma pilha de torrada de concreto, eu já sabia que ele havia quebrado a perna ao cair de um muro, aos 12 anos. Ficou tanto tempo deitado que assistia à televisão o dia todo e, por desespero, leu tudo que havia na casa, todos os clássicos da Folio Society e até os romances de Catherine Cooksons, que pertenciam à mãe, até subornar a irmã para que ela fosse à biblioteca para ele. Uma tíbia luxada despertou seu entusiasmo pela literatura. Não lhe contei que o meu entusiasmo vinha do fato de não ser convidada para subir em muros com muita frequência.

— Você não tem sotaque do norte — ele disse, depois de eu contar um pouco sobre minhas origens.

— É o sotaque de Sheffield, o que você espera? Aposto que você acha que o Norte começa em Leicester.

Ele riu. Fez uma pausa.

— Meu namorado diz que eu não devo voltar para casa com sotaque de Manchester — comentei.

— Ele é de Sheffield?

— Sim. — Não consegui me controlar. — Ele tem uma banda.

— Legal.

Percebi a sinceridade respeitosa de Ben e a ausência de piadinhas a respeito de relacionamentos a distância não durarem, e fiquei contente por isso.

— Vocês estão namorando a distância?

— Sim.

— Boa sorte para ambos. Eu não poderia manter um relacionamento assim na nossa idade.

— Não? — perguntei.

— Este é o momento de aproveitar e se divertir. Não me entenda mal porque, quando eu me acertar com alguém, serei totalmente correto. Mas até lá...

— Você vai colecionar muitos porta-copos — terminei por ele, e sorrimos.

Assim que nos aproximamos do prédio da faculdade, Ben tirou um papel dobrado com uma planta baixa de dentro do bolso. Percebi que as marcas de dobra ainda estavam fortes, enquanto o meu papel já estava se desintegrando como papiro antigo depois de tê-lo dobrado e desdobrado tantas vezes, com nervosismo e as mãos suadas.

— Bem, onde devemos nos inscrever? — ele perguntou. Então abaixamos a cabeça juntos, olhando para o retângulo laranja fluorescente, tentando nos orientar. Ben virou o papel e apertou os olhos um pouco mais. — Faz ideia, baixinha?

Minha alegria sumiu, e eu me senti envergonhada. Quantas garotas ele tinha conhecido no dia anterior?

— Meu nome é Rachel — comentei, tensa.

— Vai ser sempre "Baixinha" para mim.

Nossa conversa a respeito do passaporte voltou e, aliviada, eu ri alto demais. Ele deve ter percebido a minha estranheza, porque sua risada também foi de alívio.

As melhores amizades costumam começar do nada, e nem sequer nos lembramos do ponto de partida. Mas houve um clique definitivo naquele momento, e eu soube que não nos separaríamos educadamente assim que pegássemos nossos horários de aula.

Olhei o mapa de novo e, quando me inclinei para a frente, senti o perfume cítrico da loção que ele havia usado. Apontei com confiança para uma janela.

— Ali. Sala C11.

Nem preciso dizer que eu estava enganada e que nos atrasamos.

9

A esperança derreteu, juntou-se numa poça a meus pés e evaporou pelo teto da Biblioteca Central, unindo-se à nuvem de tristeza coletiva na atmosfera da Terra. Nada de Ben; apenas a prova inevitável do quanto eu queria vê-lo. Pensando melhor, não tenho certeza de que Caroline não se enganou. Ela usa lentes de contato e começou com aquela coisa de gente de meia-idade de não saber distinguir garotos e garotas góticos.

Se Ben *estava ali*, deve ter feito apenas uma visita rápida para alguma pesquisa, e agora voltou para sua casa, longe, checando as correspondências, dizendo oi para a mulher igualmente poderosa com quem vive. Totalmente alheio ao fato de que uma mulher que ele já conheceu se porta tão ridiculamente a ponto de estar sentada a 300 quilômetros da casa dele relendo a seguinte frase: "Com licença, onde ficam os Degraus Espanhóis?", em uma tentativa de parecer complicada e atraente.

Saio de onde estou para andar pela sala, tentando parecer totalmente concentrada em minha aprendizagem. O chão de parquet marrom-claro é tão reluzente que brilha como uma miragem. Ao passar os dedos pela coluna dos livros, eu me sobressalto ao ver um homem de cabelos castanhos, provavelmente mais de 30 anos, de costas para mim. Está sentado a uma mesa entre as estantes que contornam a sala, de modo que, se eu olhasse por cima, as estantes pareceriam os raios de uma roda.

É ele. É ele. Ai, meu Deus, é *ele*.

Meu coração bate tão acelerado que é como se alguém com conhecimento de medicina tivesse pressionado minhas costelas para tentar me ressuscitar. Passo por onde ele está e finjo encontrar um livro interessante perto da mesa bem ali. Pego o exemplar e o observo. De modo pouco convincente, viro-me meio distraída enquanto estou lendo, e fico de frente para ele. Meu movimento é tão indiscreto que seria melhor jogar um aviãozinho de papel no homem e me abaixado. Arrisco uma olhadela. O sujeito me olha por um momento, ajustando o aro dos óculos.

Não é ele. Uma mochila com tiras refletoras está perto dos pés dele, e as pernas da calça estão envoltas por uma presilha de ciclista. Fico pensando que é o mesmo homem que Caroline também deve ter visto, e decido juntar as minhas coisas. Guardo tudo em segundos, sem me preocupar em ser interessante, sabendo que Ben nunca vai aparecer ali.

Eu não deveria ter vindo. Estou agindo de modo incomum e muito irracional devido ao estresse pós-traumático de ter terminado com Rhys. Nem sequer sei o que diria a Ben ou por que eu desejaria vê-lo. Na verdade, estou mentindo. Sei por que quero vê-lo, mas os motivos não se justificam.

Um monte de pessoas e casacos pesados e chapéus, que parecem estar num tour guiado, bloqueia a minha saída da biblioteca. Impaciente, eu me afasto e dou a volta por eles. Distraída, vou de encontro a alguém que está vindo na outra direção.

— Desculpe — resmungo.

— Desculpe — ele murmura também, daquele modo reflexivo britânico de se desculpar por alguém ter sido obrigado a pedir desculpas.

Para realizarmos o breve tango de nos afastarmos, trocamos um breve olhar. De jeito nenhum esse homem pode ser o Ben. Eu saberia, eu sentiria se ele estivesse tão perto. Mas olho para o rosto dele mesmo assim. No primeiro momento, registro "desconhecido", mas logo depois se transforma em uma face familiar, numa sensação repentina de revelação.

Ai, meu Judas Priest! *É ele*. É ELE! Retirado de minhas lembranças e bem ali, no mundo real, em full HD. Os cabelos, na época da faculdade tão curtos, estão um pouco mais compridos, apenas o bastante para uma boa apresentação no ambiente de trabalho, e ali estão as características inconfundíveis, e, observando-as, sou transportada a uma década no passado. E, apesar de ter sido uma longa espera por um reaparecimento, Caroline tem razão: ele continua de tirar o fôlego.

Desapareceu a carinha de bebê em formação que todos tínhamos no passado, e tornou-se ainda mais bonito. Há algumas marcas de expressão no canto dos olhos, os lábios estão mais sérios e o corpo, um pouco mais cheinho se comparado ao de antes.

É uma sensação muito estranha olhar para alguém que, ao mesmo tempo, conheço bem e não conheço nada. Ele também está me encarando, ainda que o olhar seja indecifrável: ele pode estar olhando porque estou olhando. Por um instante terrível, penso que ou Ben não vai me reconhecer, ou, pior ainda, vai fingir que não me reconhece. Mas ele não decola. Entreabre os lábios e faz uma pausa, como se tivesse de lembrar como unir voz e palatos mole e duro para produzir os sons.

— Rachel?

— Ben? — (Como se eu não partido com uma vantagem injusta nessa brincadeira.)

Ele mantém as sobrancelhas franzidas, incrédulo, mas sorri, e sou tomada por uma onda de alívio e alegria.

— Ai, meu Deus, não acredito. Como você está? — ele pergunta, com um tom de voz suave, como se nossas vozes fossem alcançar o andar de cima da biblioteca.

— Estou bem — respondo. — E você?

— Estou bem também. Meio surpreso neste momento, mas, tirando isso, bem. — Nós rimos, ainda de olhos arregalados. — Que loucura — ele continua. Na verdade, mais do que ele pensa.

— Surreal — concordo, tentando criar um clima de familiaridade, como quando ando dentro do quarto escuro, procurando me lembrar de onde fica cada coisa.

— Você mora em Manchester? — ele pergunta.

— Sim. Mas estou vendendo minha casa, prestes a me mudar para o centro. E você?

— Sim, Didsbury. Eu me mudei de Londres no mês passado. — Ele me mostra uma maleta. — Sou um advogado chato, acredita?

— É mesmo? Você fez curso?

— Não, eu vou na lábia. Achei que, em determinado momento, depois de ver muito seriado na TV, poderia começar. Como no filme *Prenda-me se for capaz*.

Ele fala com tanta seriedade que fico chocada, e demoro um pouco para entender que se trata de uma piada.

— Legal — digo, assentindo. E então, rapidamente: — Sou jornalista. Mais ou menos. Jornalista de tribunais para o jornal da região.

— Eu sabia que você acabaria usando o diploma de Inglês.

— Eu não diria isso. Não tenho que aplicar o que aprendi quando estou fazendo a cobertura do milésimo roubo de carro do ano.

— Por que está aqui? — Assusto-me com a pergunta, por causa de minha consciência pesada. — Aqui na biblioteca? — Ben acrescenta.

— Ah... Estou estudando, aprendendo italiano — respondo, gostando de como a revelação parece um investimento em mim mesma, apesar de me retrair por dentro. — E você?

— Exames. Essas maldições nunca terminam. Pelo menos isso significa que vou receber mais dinheiro.

As pessoas de casacos desviam de nós, e eu sei que logo seremos interrompidos ali no meio.

— Hum. Tem tempo para tomar um café? — pergunto, como se fosse uma ideia repentina, e fico tensa temendo que ele me dê uma desculpa.

— Se estamos há uma década sem nos ver, pode ser que precisemos de dois cafés — Ben responde sem pestanejar.

Estou radiante. Os mendigos lá de fora poderiam se reunir ao meu redor para esquentar as mãos com o calor que me invade.

10

Nervosos, mantemos uma conversa fiada sobre cursos, reais e fictícios, até chegarmos ao café meio vazio. Ele vai comprar os cafés, cappuccino para mim, de coador para ele. Eu me sento à mesa, passo as mãos suadas no vestido e observo Ben na fila.

Ele enfia a mão no bolso da calça à procura de troco, por baixo de um casaco cinza em estilo militar que parece ter sido caro. Observo que Ben continua se vestindo como se protagonizasse um filme sobre si mesmo. Parece totalmente desnecessário andar assim quando se é advogado. Ele deveria estar em um iate, fazendo um comercial de loção pós-barba, e não na vida comum com o resto de nós, destacando-se.

Não era tanto a aparência de Ben que enlouquecia as meninas, penso agora, ainda que ajudasse muito. Ele incorporava o que talvez os atores chamem de "presença". O que Rhys chama de *andar por aí como se conhecesse tudo*. Ele se move como se suas articulações fossem mais flexíveis do que as das outras pessoas. E tem um humor ácido: comentários leves e rápidos totalmente inesperados por virem de alguém tão bonito. Estamos acostumados a esperar que os bonitos sejam menos inteligentes, para equilibrar as coisas.

Mas, enquanto o olho e sinto que derreto por dentro, ele está conversando com a mulher de meia-idade que serve os café, totalmente normal e à vontade. Para mim, é um fato gigantesco. Para ele, sou uma nota de rodapé na história. Essa enorme disparidade cheira a grande problema. Se isso fosse um conto de fadas, eu estaria completamente sedenta diante de uma garrafa com um rótulo de VENENO. Por enquanto, o gosto vai ser de cappuccino.

Quando Ben volta e coloca a xícara na minha frente, ele diz:

— Sem açúcar, certo?

Eu concordo, feliz por ele se lembrar. Então, vejo um detalhe novo e não trivial nele: uma aliança simples e prateada no terceiro dedo da mão esquerda. É claro que só seria assim, eu disse isso a mim mesma várias vezes, mas ainda tenho a sensação de que acabo de levar um tapa na cara.

— Sabe, os italianos só tomam cappuccinos de manhã. É a bebida do café da manhã — digo, sem qualquer motivo aparente.

— Você aprendeu isso em seu curso? — Ben pergunta de modo agradável.

— Hum... sim. — É neste momento que o destino peida na minha cara e a esposa do Ben, por acaso, tem ascendência italiana. Ele diz algumas frases completas, e eu finjo que estou apenas iniciando o curso. A *esposa* do Ben.

— Você ficou dentro de uma câmara criogênica desde a faculdade? — Ben pergunta. — Está igualzinha. É meio assustador.

Fico aliviada por não estar desarrumada, e tento não corar além do necessário diante do elogio implícito.

— A luz do sol, que causa envelhecimento, não entra nos tribunais.

— Só o seu cabelo está diferente, claro — ele afirma, fazendo um gesto com a mão no pescoço para indicar que está mais curto. Era mais longo na faculdade, mas eu o cortei na altura dos ombros para reforçar a aparência mais profissional, depois de algumas ocasiões em que fui confundida, dentro do tribunal, com a namorada do réu.

Prendo uma mecha atrás da orelha, meio sem perceber.

— Ah, sim.

— Ficou bom para você — ele diz com delicadeza.

— Obrigada. Você também está ótimo. — Respiro profundamente. — Então, conte-me sobre a sua vida. Casado, quatro filhos, já fez um plano de previdência?

— Casado, sim — Ben confirma.

— Fantástico! — esforço-me para que cada sílaba saia bem clara e feliz. — Parabéns.

— Obrigado. Olívia e eu comemoramos dois anos de casados no mês passado.

O nome me dá uma pontada. Todas as garotas mais atiradinhas de nosso curso se chamavam Olívia, Tabitha e Verônica, e nós costumávamos rir delas. E o traidor casou-se com uma. Por um momento, gostaria de ter um Toby com quem me vingar.

— Muito bem — digo. — Vocês se casaram com toda a pompa?

— Ai, não. — Ben se remexe. — Nós nos casamos no cartório em Marylebone. Contratamos um buffet e fizemos uma recepção aos padrinhos em um salão em cima de um bar. Foi um bom salão, claro, a Liv escolheu. Todo bonito, com crianças correndo no jardim depois, o tempo estava ótimo.

— Balanço a cabeça e ele de repente acrescenta: — Meio clichê, aquela coisa de alegria e união, mas gostamos.

— Que ótimo. — Parece ótimo mesmo. E bacana, e romântico. Mas não quero saber o que a noiva vestiu nem quero ver as fotos. Está bem; quero, sim.

— Sim, foi. Nada de buffet caríssimo, DJ com sotaque americano falso, três milhões de parentes comendo um banquete que custou três milhões, nada dessas bobagens.

— É só uma libra por cabeça. Orçamento bem apertado.

Ben sorri de modo distraído, e vejo que ele está se lembrando de coisas que nada têm a ver com minha piadinha sem graça, as quais ele não vai dizer.

Por um segundo, ao perceber seu desconforto, eu analiso meu próprio masoquismo. Quero mesmo ficar sentada aqui escutando Ben me contar que jurou viver o resto de seus dias com outra pessoa? Será que eu não poderia ter adivinhado que isso ocorreria? Eu queria encontrar um cara arrasado? Não. Queria que ele estivesse feliz, e isso também doeria. Por essa razão essa ideia é tão ruim. *Um* dos motivos.

Bebericamos nosso café. Discretamente, limpo da boca um possível bigode de chocolate.

Ele continua:

— Filhos, ainda não. Previdência, sim, e acaba com o meu dinheiro da diversão.

— Está conseguindo gastar mais?

Eu me lembro dos dias em que eu e Ben íamos às lojas de roupas, e eu esperava do lado de fora dos provadores, curtindo a inversão de papéis. Ele até aceitava meus conselhos a respeito do que comprar; era como se meu boneco Ken tivesse ganhado vida. ("Isso é coisa de frutinha", Rhys dizia.)

— Ah, sim — Ben responde. — Tenho que esconder minhas sacolas da Liv, por ser quem ganha mais. É castrador. E você? Casada? — Ele pega a colher e mexe o café, apesar de não ter acrescentado açúcar, e olha para baixo por um momento. — Casou-se com o Rhys?

Se estivéssemos ligados a polígrafos, a linha se alteraria toda.

— Ficamos noivos por um tempo. Mas, na verdade, acabamos de romper.

Ben parece verdadeiramente chateado. Ótimo. Saímos da alegria e caímos de cara na tristeza.

— Puxa! Sinto muito.

— Obrigada. Está tudo bem.

— Você deveria ter interrompido o papo sobre casamento.

— Eu que perguntei. Está tudo bem.

— É por isso que vai se mudar?

— Sim.

— Não tem filhos?

— Não.

— Que engraçado, eu tinha certeza de que você tinha filhos, não sei por quê — Ben diz, sem rodeios. — Uma menininha com os problemas de atitude da mãe, e as mesmas luvas bobas.

Ele me lança um sorrisinho e olha dentro da xícara de novo. O calor daquilo — a referência a algo desconhecido cujo sentido apenas nós dois entenderíamos, o fato que isso revelar que ele pensou em mim — faz com que eu emita um som baixo e abafado que se assemelha a uma risada. E então, um segundo depois, sou invadida pela tristeza. Como se meu peito estivesse cheio de água.

Evitamos nos olhar e continuamos falando. Ben me conta a respeito do escritório de advocacia para o qual trabalha, e que sua esposa também é advogada. Ela foi transferida de Londres para um escritório em Manchester para poder ficar com ele. Eles se conheceram em um jantar da Sociedade de Advocacia. Salão cheio, *black-tie*. A cena percorre minha mente como o trailer de um filme de Richard Curtis que não quero ver.

Ele conclui, de modo brincalhão:

— Se eu sou um advogado, e você, uma jornalista de tribunal, acho que não deveríamos estar conversando!

— Depende. Qual é a sua especialidade?

— Vara da família.

— Divórcios, essas coisas?

— Sim, acordos. Às vezes é pesado. Outras vezes, quando consigo o resultado certo, satisfação pesada.

Eu compreendo por que ele escolheu essa área, e ele sabe que compreendo, então só concordo.

— Acho que haveria mais problemas em conversar com uma jornalista se você estivesse na área criminal.

— Não consegui acompanhar. O amigo que conseguiu a vaga para mim aqui é advogado criminalista. Ele trabalha o tempo todo, num ritmo massacrante. Na verdade, ele estava me contando que precisa conversar com a imprensa sobre um caso. Posso lhe dar seu nome?

— Claro — respondo, disposta a agradar e a conseguir uma ligação.

Terminamos um café e, apesar de eu me oferecer para comprar mais um, Ben olha o relógio e diz que adoraria, mas que precisa ir andando.

— Sim, eu também, agora que você disse — minto, virando o relógio e olhando-o sem ver a hora.

Ben aguarda com paciência enquanto visto meu casaco. Espero que ele não esteja notando os cinco quilos que ganhei desde a faculdade. ("Cinco quilos", Rhys costumava brincar. "Cinco quilos que pesam trinta?")

Saímos juntos.

— Foi ótimo encontrar você, Rachel. Não acredito que já se passaram dez anos. Inacreditável.

— Sim, inacreditável — concordo.

— Precisamos manter contato. Eu e a Liv não conhecemos muitas pessoas aqui. Você pode nos dizer quais são os bons lugares de Manchester hoje em dia.

— Adoraria! — Como se eu soubesse. — Vou chamar a Caroline, a Mindy e o Ivor também.

— Puxa! Você ainda tem contato com eles?

— Sim. Nós nos encontramos sempre.

— Isso é muito legal — Ben afirma, mas, ainda assim, sinto que é outro exemplo de minha inércia de dez anos, como se eu tivesse parado no tempo e anda escutasse o CD "Disco 2000". — Vou lhe contar o que ficar resolvido nessa história. Qual é o seu número?

Ben também diz os números, e eu vou tentando me lembrar deles na sequência certa, ainda invadida pela adrenalina.

Ele olha para o relógio de novo.

— Droga, estou atrasado. E você? Precisa que eu a acompanhe ao ponto?

— É dobrando a esquina. Pode ir.

— Certeza?

— Sim, obrigada.

— Até breve, Rachel. Eu lhe telefono.

Ele se abaixa e me dá um beijo no rosto. Prendo a respiração com o choque ao sentir sua pele quente e áspera contra a minha. Em seguida, bem um momento terrivelmente estranho no qual ele me dá mais um beijo na outra face, no estilo europeu sofisticado. Eu não estava esperando e quase batemos os rostos, e preciso apoiar a mão no ombro dele para me segurar, e entro em pânico temendo que esse gesto pareça muito atirado, e me corrijo dando um pulo para trás.

— Até mais! — digo, mas na verdade quero fazer tudo de novo sem ser tão tola, como uma criança mandona comandando uma peça no palco. — Você está aqui parado. Vai embora!

Caminho até o ponto de ônibus meio em transe, com estrelas de desenho animado girando ao redor de minha cabeça, e os dois pontos beijados em meu rosto ardem. Sinto a emoção por tê-lo visto — e ele quer me ver de novo! — misturada com a confirmação decepcionante de que sua vida está linda, alegre, funcionando normalmente, e a minha, não.

Uma hora depois de chegar em casa, quando o sorriso já desapareceu de meu rosto e estou vendo a boa e velha TV no quarto extra, deixo as lágrimas rolarem. Quando a barragem se rompe, a água invade. Casado. Feliz. Olívia. *E o lance do buffet*?

Sinto-me como se tivesse acordado de um coma, trazida de volta à vida com a minha música preferida. Não sei se gosto do que vejo de minha cama. A experiência de encontrar Ben de novo é a completa definição da palavra “confusão”.

E, então, duas perguntas muito claras se formam nas lágrimas, na meleca de nariz e no turbilhão que me toma: Como vou me sentir se ele não telefonar? E de que vai adiantar se ele telefonar?

11

Não peço o carro emprestado a Rhys para levar minhas coisas porque eu sei que ele vai querer usá-lo para se afastar no dia em que eu deixar a casa.

Antes de ontem à noite, eu estava saindo do banho com uma toalha enrolada no corpo e outra na cabeça. Agia depressa porque parece inapropriado mostrar o corpo seminu pela casa depois da separação. Rhys subiu a escada. Pensei que ele passaria direto por mim, ou reclamaria por eu ter-me prolongado tanto no chuveiro, mas, ao contrário, ele parou na minha frente e olhou dentro de meus olhos. Os olhos dele inesperadamente marejados.

— Fique — ele pediu.

Pensei que não tivesse escutado direito. Mas escutei.

— Não posso — respondi.

Ele assentiu, nem bravo nem ressentido. Desceu a escada de novo e me deixou parada ali, tremendo. Parece que as consequências de uma decisão importante não são percebidas de uma vez, como quando abrimos um armário abarrotado de coisas e elas caem, em ondas.

Quando conto a Caroline que vou contratar uma van para a mudança, ela me pergunta o que vou levar e decide que o transporte pode ser feito com algumas viagens em seu carro. Então aparece cedo no sábado de manhã e me encontra meio suada, no corredor cheio das coisas portáteis. A sensação é estranha, parecida com quando me mudei para a faculdade, mas o desespero está no lugar antes ocupado pela esperança.

Rhys aceitou a ideia de Mindy acerca da mobília. Vi que ele ficou pensando "Não vou facilitar a vida dela", e então imaginou aqueles carrinhos da IKEA e resmungou que concordava. Então, só tenho roupas, livros, DVDs, um monte de artigos de higiene e "umas coisas ou outras", uma categoria que parece que seria pequena, mas acabou sendo a maior. Álbuns de fotografia, plantas, acessórios, quadros... Fui escrupulosamente justa ao encontrar algo único na casa: bolsa de água quente, balde, cafeteira, aliança — e deixei tudo para o Rhys.

Caroline avalia as tranqueiras e decide que faremos duas viagens, três no máximo. Começamos a acomodar tudo dentro do porta-malas de seu Audi, e, com os bancos de trás dobrados e uns empurrões firmes, conseguimos espaço.

— Com certeza, duas viagens — Caroline conclui enquanto tranco a porta da frente, dizendo o que estou pensando, menos a parte de que receio voltar pela última vez.

Partimos, e começo a falar sem pausa sobre o apartamento para me distrair do turbilhão interno que me toma, e Caroline lança olhares de preocupação na minha direção sempre que consegue desviar os olhos da estrada.

— Não precisamos ir, sabe? Se por acaso você tiver mudado de ideia... — ela começa, e eu mordo o lábio com força e balanço a cabeça em sinal de *por favor, agora não*.

Caroline dá um tapinha em meu joelho e pergunta sobre o caminho. Quando chegamos ao apartamento, fico feliz pelas várias tarefas que me esperam: pagar o parquímetro, abrir o apartamento, entrar com os braços cheios de coisas, tudo para me ocupar. Por fim, empilho minhas coisas e chega a hora de buscar o resto. Respiro fundo e solto o ar como se fosse uma atleta se preparando para um exercício extenuante.

Na minha casa, ou na casa que antes era minha, o resto das coisas é levado em minutos.

Não posso ir ainda. Não posso. Eu me sento na escada da entrada e tento me recompor, mas percebo que estou perdendo o controle. Um suspiro se torna um soluço forte, e sinto a mão de Caroline sobre meu ombro trêmulo.

Quando levanto o rosto, digo, em meio a todo o líquido que está saindo de meu corpo pelos olhos, boca e nariz:

— Não tenho nada para dormir.

— Como assim? — Caroline pergunta, agachando-se na minha frente. — A Rupa tem uma cama, não tem?

— Não — faço um gesto mostrando meu corpo. — Para dormir. Sempre usei uma das camisetas de Rhys. Uma do Velvet Underground. E deixei ela aqui. — Seco os olhos. — É minha ou dele? Nem sei.

Volto a soluçar enquanto Caroline esfrega minhas costas.

— Vocês passaram muito tempo juntos e tudo aconteceu muito depressa. É normal que doa, Rach.

Embora seja bem realista, Caroline tem um jeito gentil de ver as coisas quando estamos perdidos. É compreensiva, mas não melosa. A diferença entre a enfermeira da escola e a sua mãe quando você rala o joelho.

— Vou sentir falta dele — eu digo.

— Sei que vai. — Ela passa a mão com mais força, como se eu pudesse tossir a dor e me livrar dela assim.

— Não posso dizer isso a ele.

— Por que não?

— Porque eu o estou abandonando! — grito, e choro mais uma vez.

Ela se senta ao meu lado no degrau, e eu escorrego para o lado para abrir espaço, e nós duas ignoramos as crianças que estão jogando bola do outro lado da rua e olhando para nós com curiosidade.

— Olha — ela começa a falar mais baixo. — Não quero dar uma de terapeuta, mas acho que você vai se sentir culpada e vai se sentir triste. Você simplesmente precisa sentir isso. Não se odeie. As coisas são como são. Meu Deus, isso parece tão simplório...

— Não é. Faz sentido.

— Sério? Que bom.

Ficamos sentadas em silêncio por trinta segundos.

— Não precisamos fazer isso agora se você quiser ficar mais uma noite — ela diz.

Isso me surpreende. Caroline é o tipo de pessoa que enfrenta. Tenho a sensação de que ela gostaria que eu reconsiderasse, que eu voltasse atrás.

— Não, não, estou bem — digo. — Quero acabar com essa situação agora.

Ou talvez seja apenas psicologia reversa bem pensada.

Caroline fica de pé, passa as mãos nos joelhos e estende a mão para me ajudar a me levantar.

— Vou pedir para a Mindy escolher uns pijamas para você. Você sabe que ela adora missões de compras.

Sorrio brevemente, seguro a mão dela e me levanto.

— Tem certeza de que quer deixar tantas coisas aqui? — Caroline pergunta, conferindo se fechou a tampa do porta-malas direito. — Sei que a Mindy acha uma boa ideia, mas a Mindy considerava que seus últimos três namorados eram boas ideias.

— Sim. Vou ter dinheiro para comprar tudo de novo. Não deixei tanta coisa assim.

Olho para a casa, e ela olha para mim. Penso no envelope que deixei ao lado do telefone, com a aliança que não estou mais usando.

Caroline não diz mais nada, dá um tapinha no meu ombro e se senta no banco do motorista. Eu respiro fundo e caminho até o lado do passageiro.

É isso. Estou indo embora. E não houve nada para marcar minha partida. Rhys e eu não trocamos um olhar significativo. Talvez seja sempre assim. Entretanto, parece que um gesto mais formal deveria acontecer: um aperto de mãos oficial, uma cerimônia de separação, um certificado. Como Rhys disse, é só isso, depois de treze anos?

☞ 12

Caroline acaba quebrando o silêncio na frente do Audi.

— Eu estava errada quando disse que você deveria comprar uma casa logo de cara. Talvez a Mindy estivesse com a razão, e esse... intervalo seja exatamente do que você precisa.

— Obrigada. Pensei que você tivesse dito que a Mindy não tem muita noção.

— Nem sempre.

Sei que elas vão falar sobre mim, discutir minha situação e se preocupar comigo, e tem uma pergunta que não posso mais deixar de fazer:

— Vocês todos acham que estou cometendo um baita erro?

Ela faz uma pausa.

— Não tem essa de "todos"...

— Ah, por favor. — Levo uma mão ao rosto. — Três tipos diferentes de desaprovação.

— Não é desaprovação; você tem 31 anos. Não podemos, nem ninguém pode, dizer o que é melhor para você. Acho que só fiquei surpresa por não ter mencionado nenhum problema antes, só isso.

— Eu não queria falar pelas costas do Rhys. Para dizer a verdade, não tinha certeza de como me sentia. Fui sendo levada pelo planejamento do casamento, e ele foi sendo bem idiota em relação a isso, e acabou como acabou.

— Não teria valido a pena dar um ultimato? Você não é muito incisiva, na minha opinião, e isso pode ter levado à... preguiça.

— Tentei sugerir uma terapia ou coisa assim. Ele não se interessou.

— Duvido que Rhys quisesse perder você. Ele é teimoso...

— Não se pode pedir a uma pessoa que ela não seja quem é. Esse é o problema.

— Você não podia... Se tivesse...

— Caro, por favor. Não posso fazer isso agora. Vou fazer em breve, bebendo vinho por horas. Podemos dissecar a questão toda até você cansar. Mas não agora.

— Desculpe.

— Tudo bem. Vamos falar sobre outra coisa.

Hum. Não sei quando esse "em breve" vai ser. Talvez eu queira esperar até 2064, quando ela poderá colocar uma sonda de dados na orelha e fazer o download da informação diretamente para seu córtex frontal.

E então, de modo impulsivo, eu digo:

— Ah, encontrei o Ben.

— Ben? O Ben da facul? Onde? Pensei que você não fosse procurá-lo. Como ele está?

Fico contente por Caroline só me olhar de relance por estar dirigindo.

— Ah, na biblioteca. Decidi que, como parte da mudança de meu novo eu, quero aprender italiano, e ele estava lá. Tomamos um café. Parece que está bem. Casado.

Caroline ri.

— Rá! Bom, só podia estar. Qualquer pessoa atraente e educada como ele é fisgada com um pouco mais de 20 anos, no máximo.

— Todo mundo decente já está casado?

Caroline percebe o que disse e faz uma careta.

— Não! Eu me referia a homens como ele. Existem mais mulheres bacanas do que homens, então a oferta e a demanda ditam que pessoas como ele estão fora do mercado.

— Desse jeito não me animo muito com a ideia de encontrar alguém.

Caroline está trocando a marcha, e parece uma estátua egípcia que vi no British Museum, certa vez.

— Eu não quis dizer... Ah, você entendeu.

— Não se preocupe — retruco. — Concordo com você. É claro que Ben estaria casado e talvez as opções depois dos 30 anos não sejam ótimas. Os divórcios começarão em breve, então vou pegar alguém de segunda mão.

Caroline dá uma risada mais agradecida do que feliz.

— Você vai se dar bem.

— Mindy e Ivor ainda estão solteiros, e são normais e bacanas. Bem, normais, de um modo geral.

— Exatamente!

Não me sinto tão tranquila quanto tento simular para o bem de nós duas. Recomeçar. Do começo. Com alguém que não conhece milhões de coisas importantes e incidentais sobre mim, que não tem experiência em relacionamentos longos, algo de que eu abri mão. Como alguém vai descobrir tanta coisa sobre mim de novo, e vice-versa? Será que encontrarei alguém que queira saber? Imagino um relatório sobre Rachel Woodford. Ou uma página da Wikipédia, muitos relatos de Rhys seguidos por [citações do próprio].

E será verdade, ainda que cruel, que todo mundo decente já foi escolhido? Como se as almas gêmeas resultassem de uma grande promoção de janeiro do tipo "quem chegar primeiro leva os melhores". Se comprar errado e precisar devolver, vai ter de escolher entre itens que ninguém quis. É o tipo de pensamento que aprendi com minha mãe, mas eu sempre zombava da segurança de um relacionamento. E me sinto bem menos segura de minha atitude agora que preciso testar a verdade da hipótese.

Depois de algumas voltas pelo condomínio procurando uma vaga para estacionar, vejo por que foi bom o Rhys ter ficado com nosso carro.

— Vou ficar aqui para não ser guinchada — Caroline diz. — Se eu vir um guarda, vou dar uma volta no quarteirão, então não entre em pânico pensando que fugi com suas toalhas. — Percebo como estou sem condicionamento físico ao correr do carro até a porta do apartamento, e Caroline consegue não levar multa. Quando pego as últimas coisas, ela diz: — Eu ficaria, mas acho que você quer mostrar a casa para a sua mãe. Cadê ela?

— Oi? Minha mãe não está aqui.

— Ela está ali.

Caroline aponta acima de meu ombro. Minha mãe está contando moedas de seu porta-moedas e colocando-as dentro do chapéu de um homem com um cachorro amarrado por uma corda. Ela está sempre muito arrumada, como Anne Bancroft na época de filme *A Primeira Noite de um Homem*. Acho que mamãe ainda tenta entender como pôde dar à luz alguém mais baixa e de comportamento muito mais espontâneo do que ela, mas poderá chegar à parte das respostas se der uma olhadinha para meu pai.

— Ai, inferno...

Caroline sorri e volta para o carro, acenando para a minha mãe.

— Oi, querida! Aquela era a Caroline? Moça adorável. Ainda tem o metabolismo de um galgo, pelo que vi. Algumas pessoas são muito sortudas, não é?

— Oi, mãe. O que está fazendo aqui?

— Vou à prova de maquiagem da Samantha, na John Lewis, com a Bárbara. Quer ir?

— Ir à prova de maquiagem de uma amiga da família que não vejo há 15 anos, enquanto penso que não vou me casar e a situação ficará constrangedora para elas?

— Ah, que bobagem. Todas adorariam vê-la.

— Eu já era uma companhia desagradável quando *ia* me casar. E eu me lembro de que a Sam é o tipo de moça "animada".

— Moça "animada"?

— Uhu! Que legal.com.br! Vamos comer alguma coisa e rir a valer.

Minha mãe se inclina para me beijar o rosto.

— Vamos; ninguém gosta de um limão azedo. Mostre-me sua casa nova.

Subimos a escada em vez de pegar o elevador, e caminho com os passos arrastados de alguém que vai para a cadeira elétrica, estado de espírito que não combina com o estilo de um apartamento onde há uma geladeira cor-de-rosa. Pego a chave do bolso e abro a porta. O cheiro ali é estranho, e não é de lar. Olho para a minimontanha de coisas que está bloqueando o cenário bem-cuidado.

— Minha nossa! Muito berrante, não? Como se os anos 1960 tivessem adoecido.

— Obrigada, mãe! Na verdade, gosto daqui.

— Hum, bom, é isso o que importa. Estou vendo que é diferente.

Diferente, uma palavra normalmente inofensiva, caracteriza um dos vereditos mais cruéis de minha mãe.

Ela tira a bolsa do ombro e se senta ao meu lado. Sei exatamente o que virá a seguir. Então pigarreia. Lá vem...

— Mas, e agora, você e Rhys. Entendo que estejam passando por uma crise...

— Mãe! Não estou passando por uma crise, como um trecho de instabilidade na estrada do casamento. Nós rompemos.

— Se você me permitisse falar, já que sou alguém que está casado há 40 anos... — Passo a mão no contorno do sofá. Ela continua: — ... o casamento é uma coisa difícil. Um irrita o outro. É cansativo. É muito, muito difícil e honestamente, mesmo nos momentos bons; você quer mais que seu marido vá catar coquinho na maior parte dos dias.

— Não me importo muito se não tiver isso na minha vida!

— Estou dizendo que seus sentimentos... são perfeitamente normais.

— Se os relacionamentos forem como o meu com Rhys, prefiro ficar sozinha.

Pausa.

— Você pode estar jogando fora a sua única chance de ter filhos; já pensou nisso?

Minha mãe: não serve para ministrar palestras motivacionais.

— Por mais incrível que pareça, eu já tinha pensado nisso, mas obrigada...

— Só quero que você tenha certeza de que está tomando a decisão certa, só isso. Você e o Rhys estão juntos há um tempão.

— É por isso que tenho certeza. — Pausa. — Seria muito importante para mim que você levasse a sério e aceitasse o fato de que sei com quem quero e com quem não quero me casar, mãe. Já está bem difícil como é.

— Bem, se você tem *certeza absoluta*.

— Tenho. — E claro que, ao dizer isso, percebo que não tenho certeza absoluta. Apenas a certeza que acredito ser necessária, já que nunca desfiz um noivado antes e não tenho base para estabelecer comparações.

Minha mãe fica de pé.

— Seu pai e eu viremos em breve. Avise se precisar de alguma coisa.

— Certo, obrigada. — De repente, sinto um aperto na garganta e abraço forte minha mãe, aspirando o perfume Rive Gauche, de YSL, que ela exala, e não o cheiro do apartamento de Rupa.

Quando ela parte, por mais aliviada que me sinta, também me invade quase o mesmo vazio de quando eles me deixaram na faculdade. Preciso de uma xícara enorme de chá, daquelas com duas asas, para eu conseguir levantá-la. Com um pouco de uísque.

Olho pela janela enorme e, de repente, a vastidão a minha frente não parece glamourosa, mas incerta. Imagino como devo parecer pequena para quem olha de fora. Uma pessoinha insignificante e assustada olhando para Manchester.

Por um momento, a saudade é tanta que quase grito: *Quero ir para casa*. Mas casa e Rhys são indissociáveis.

13

No fim da tarde, depois de encher o silêncio com o rádio ligado, um som estranho ecoa pela sala, e percebo que se trata da campainha. Solto a corrente, abro a porta e vejo um monte de flores cor-de-rosa e brancas e um par de pernas de *legging* por baixo delas.

— Feliz dia de mudança! — Mindy grita.

— Oi. Nossa! Margaridas. Muito gentil da sua parte.

Mindy passa pela porta, e Ivor vem atrás dela, com as mãos nos bolsos. Ele se inclina e beija meu rosto. Sei, pelo comportamento contido dele, que a Mindy, no caminho, lhe passou um sermão do tipo "Dê os parabéns a ela por ter feito uma boa escolha". Ele me entrega uma sacola da Marks & Spencer.

— É presente meu, mas não fui eu que escolhi, preciso deixar claro — Ivor diz. — Nem opinei. — Olho dentro da sacola. Pijamas. Bem legais, de seda clara. — Você não vai chorar, não é? — ele pergunta. — A nota está aí dentro.

— Não vou chorar — respondo, chorando um pouco. — Obrigada.

Enquanto Mindy olha de um lado a outro, procurando um lugar para colocar as flores, deixa uma marca de pólen cor de ferrugem na parede tão branquinha que mais parece um bolo de casamento.

— As flores são do Ivor também — ela diz, encontrando um vaso e levando-o à mesa de centro, e as flores trêmulas soltam mais pólen pelo caminho. Discretamente, levo uma mão aos lábios, observando a bagunça. — De nada! — Mindy cantarola, e se vira para olhar para mim, feliz com o presente.

Ivor está olhando para onde eu estou olhando. E diz baixinho:

— Digamos que elas são suas. Eu limpo isso, OK?

— O que você acha, Ivor? — Mindy pergunta, dando um giro típico de dançarina de programa dominical para mostrar o apartamento.

— Acho que tem cara de covil de mulher psicótica norte-americana. — Ele molha um pano na torneira, que é uma daquelas flexíveis que se vê em cozinhas industriais. — No bom sentido.

Enquanto Mindy caminha com ankle boots vermelhas observando tudo pela segunda vez, Ivor limpa a sujeira. Ele se vira para mim e assente, dizendo *que está saindo*, e faz um gesto para que eu vá com Mindy.

— Quer beber? — pergunto, tentando lembrar onde está minha leiteira e como farei para tomar leite.

— Não posso ficar; na verdade, tenho um encontro — Mindy diz.

— Bo... Robert? — pergunto.

— Bobby da Moda saiu de fininho — Ivor se intromete, parando a limpeza.

Robert estava sempre vestido com roupas de marca da cabeça aos pés e usava correntes de bicicleta no bolso de trás, recebendo de Ivor o apelido de "Bob da Moda". Infelizmente, depois de dizer o nome uma vez, era difícil tirá-lo da cabeça.

— Sim, ele faltou a um jantar de minha família para ir jogar *paintball* com o cunhado. — Mindy balança a mão. — Não dava mais. Deveria haver um site de avaliação de encontros, para que as pessoas pudessem ter feedback. Bela vista. Serviço ruim. Era preciso reservar com muuuuita antecedência.

— Porções pequenas — Ivor pigarreia.

— De onde é esse novo, do site Guardian Angels? — pergunto.

— Do My Single Friend.

— É aquele no qual um amigo recomenda outro?

— Sim. Eu me apresentei como homem e me vendi como uma *mamacita* de baixa manutenção que "trabalha tanto quanto se diverte". — Faço cara de "ah, por favor!". — É só uma coisa casual, não pra ficar, apenas uma chance de sexo — Mindy acrescenta. Ivor faz uma careta.

— Sim, eu sei — digo. — Outra pessoa não deveria fazer isso?

— Como outra pessoa conseguiria me descrever melhor do que eu mesma?

— Então por que entrou em um site cujo objetivo é esse?

Mindy dá de ombros.

— Os homens acreditam nas dicas de outros homens. As recomendações de outras mulheres são meio como "feliz, ótima vida social", e eles pensam "hum, baladeira".

— Narcisismo e decepção, os causadores clássicos de relacionamentos saudáveis — Ivor diz, sentando-se no sofá ao nosso lado.

— Bom, eu meio que investi demais nos sites. Estou esperando que os estoques sejam renovados. Este é o 23º. — Mindy morde o lábio. — E ele gosta de coisa pesada. De música, sabe? Não de sacanagem. Só Deus sabe sobre o quê vamos conversar.

— Bem, *sobre ele*, se pudermos levar suas experiências anteriores como base — comento, e Ivor ri.

— Mas a foto de perfil dele... lembra o John Cusack jovem — Mindy suspira.

Ivor me dá aquela olhada. Eu retribuo. Não dizemos nada. Mindy tem uma teoria de compatibilidade e não conseguimos tirar essa ideia de sua cabeça. Ela diz que a atração física instantânea é um pré-requisito para qualquer relacionamento bem-sucedido — identificável ou não, desde o começo. Além disso, ela só se interessa por rapazes que considera bonitos, pensando que precisa encontrar um cara bonitão com quem tenha outras coisas em comum. Nenhum exemplo contraditório ou crítica a respeito de sua futilidade fez Mindy mudar de ideia. Desse modo, ela já namorou um monte de Príncipes Encantados com alma de sapo.

Confiro meu relógio.

— Quando é o encontro? Vocês vão se encontrar para um chá?

— É só às oito, mas tenho que me preparar. Vou pegar um ar fresco e fazer a sobrancelha.

— Você sabe como funciona. A Mindy entra em pré-produção, como um filmaço de Hollywood. Desenvolvimento infernal — Ivor diz.

— Claro que devo só trocar a blusa e virar um vidro de Lynx Caveman no corpo — Mindy rebate, levantando-se.

— Eu não faria isso — Ivor aconselha, com delicadeza. — O Lynx é um perfume masculino.

Mindy balança a cabeça para Ivor e me dá um abraço.

— Comece a planejar a festa. Quem sabe, se tudo der certo, posso levar o Jake.

— Jake — Ivor diz. — Ele até tem um nome pós-1985.

— Olha quem diz. *Ivor*.

— Meu nome nunca esteve na moda, por isso não pode ficar ultrapassado. Só mostra que nasci depois do século IX, querida.

— Beleza! Tchau, Rach.

— Boa sorte com o Caçador de Relíquias — Ivor grita enquanto eu a acompanho até a porta.

Mindy se vira na porta e mostra os dois dedos do meio para ele.

— Você acha — eu me atiro no sofá e aperto uma almofada cor de ostra contra meu corpo, até sentir sua textura nova e me dar conta de que essas almofadas não são para apertar, e a coloco de volta — que a Mindy um dia vai rever essa ordem de critérios maluca de aparência primeiro, personalidade bem depois e compatibilidade irrelevante?

— Provavelmente não.

Balançamos a cabeça, indignados.

— Quais são seus planos? Quer que eu fique? — Ivor pergunta, e eu me indago por que o dia de hoje está repleto de recusas educadas. — Ou devo ir?

— Hum — murmuro, tentando descobrir o que ele quer que eu diga. Tenho a sensação de que um estigma estranho está associado a mim. Percebo como os novos solteiros precisam de pessoas que não fiquem cheias de dedos com eles.

— Eu ia aproveitar que a Katya não está em casa no fim de semana, fazer uma maratona de *Grand Theft Auto* e comer coisas gordurosas de micro-ondas — ele continua. — Você é bem-vindo, se quiser.

— Ah, não, obrigada, tudo bem. Divirta-se matando todas aquelas prostitutas.

Levo Ivor até a porta e digo a mim mesma que sou sortuda por contar com amigos que me incentivam e que estar solteira significa acostumar-se com a própria companhia e não inventar desculpas para manter as pessoas por perto. Nada disso, no entanto, atenua minha desolação. A mais nova descoberta: é preciso reaprender a viver sozinha. Rhys e eu tínhamos interesses individuais. Não vivíamos grudados. Mas, ainda assim, o silêncio do apartamento se estende como uma ilha ao meu redor, e a cidade é um oceano além dela.

Desempacoto mais algumas coisas até que, ao redescobrir a foto emoldurada da faculdade, começo a chorar, invadida pela intensa vontade de telefonar para Rhys e dizer que mudei de ideia. Eu fico sentada fitando o nome dele em meus contatos no celular. Eu não teria de dizer nada desesperado: só perguntaria como ele está. Paro. Seja lá como estiver hoje, preciso deixar que ele se vire com a situação. Estou numa posição que me impossibilita ajudá-lo. Eu o imagino sozinho naquela cama à noite e penso: Tenho sorte. Posso recomeçar em um novo ambiente. Ele herdou o local de nossa vida antiga, mas sem mim.

Sem controle, minha mente começa a editar uma montagem de nossos momentos mais legais. A primeira noite que passamos juntos no apartamento antigo dele, quando caí da cama, em cima do afinador, o que foi uma prova de fogo do nosso amor: eu gritei feito uma louca e fiquei com um hematoma do tamanho de uma mão nas costas. A ida à farmácia para comprar analgésicos e o café da manhã que ele preparou no dia seguinte, com sete panelas e três tipos de ovos. O dia em que conheci a família dele, quando estava praticamente morrendo de nervosismo, e Rhys dizendo na porta: "Eles vão amar você. Não porque eu amo, mas sim porque qualquer pessoa com olhos e ouvidos ama você". O fim de semana em Brighton com o pior passeio de carro do mundo, o hotel administrado por nazistas que ficava longe da praia, e o bistrô com garçons péssimos. Poderia ter sido horrível, mas lembro que rimos como dois adolescentes durante os dois dias. O dia em que nos mudamos para a nossa casa e bebemos champanhe na xícara, sentados na escada, em uma sala sem mobília onde só havia um tapete bege, discutindo se o quadro assustador de Iggy Pop que pertencia a Rhys mostrava demais a genitália para ser deixado na "sala de visitas". Os montes de piadas internas e histórias compartilhadas e coisas que sabíamos que eu não conseguia imaginar se teria com outra pessoa no mundo, a não ser que me transportasse de volta aos 20 anos.

O que eu estava fazendo, jogando tudo isso fora? Será que era sinal de que deveria ficar com Rhys? Estaria cometendo o maior erro da minha vida? Provavelmente não. Provavelmente não, apenas porque esse prêmio já tinha sido repassado.

Digo a mim mesma que o dia de hoje será ruim, mas preciso enfrentá-lo. Penso que seria mais fácil passar por ele inconsciente. Subo na cama enorme, cubro o rosto com os braços e choro quase até dormir.

Quando começo a pegar no sono, imagino a indiana com corpo de modelo mexendo-se no quadro, olhando para mim e dizendo: "Bem, este apartamento *não* serve para isso".

14

Acordo com um barulho esquisito, semelhante a uma abelha presa em uma lata e a algo passando em cima de uma superfície áspera. Eu me sento em meio ao escuro e penso que é melhor a Mindy não ter se esquecido de mencionar uma infestação de vermes de proporção gigantesca. Quando afasto o sono, percebo que o barulho vem do celular que está vibrando em cima do criado-mudo. Pego o aparelho, já quase caindo no chão, e vejo que é Caroline.

— Você roubou minhas toalhas, afinal? — resmungo com voz de sono.

— Você está bêbada?

— Não! Estava dormindo. — Esfrego um dos olhos com a palma da mão. — Apesar de parecer uma boa ideia.

— Queria ver como estava indo minha decisão de deixá-la totalmente sozinha. Comecei a me sentir culpada, o que é bem chato.

— Como assim?

— Eu impus a lei de que deveríamos deixar você sozinha esta noite.

— Parabéns! — digo, muito irritada por um milésimo de segundo.

— Se fôssemos para a sua casa hoje e ficássemos bêbados, você acordaria de ressaca no domingo e se sentiria deprimida na primeira noite sozinha no apartamento. Assim, você já passa por isso de uma vez.

— Ou acumulo todas as coisas ruins — resmungo.

— É assim que você se sente? Posso ir até aí agora, se for o caso.

Olho ao redor para o ambiente desconhecido e novo. Rupa tem um tipo de vício em luzinhas: há luminárias de rosas vermelhas, e os caules são tubinhos transparentes daqueles que se enrolam e pulsam com a luz. Mesmo através do filtro cinza de minha tristeza, admito que dá um efeito bonito. E, como sempre, a atenção de Caroline é uma coisa boa.

— Ah, vou me virar bem.

— Compre uma garrafa de vinho e comida pronta; vou aparecer amanhã.

Quando desligo, percebo que não estou com fome, mas me lembro de ter visto uma garrafa de Bombay Sapphire no armário de Rupa. Pego-a e digo a mim mesma que vou comprar outras duas garrafas antes de ir embora. Não tenho água tônica, então vou fazer uma mistura de gin e suco com uma garrafa de suco Tropicana. Quando ligo a televisão e deixo rolar um seriado médico, outra preocupação surge, e eu não queria admitir que a tinha: Ben não ligou. E começo a pensar que não vai ligar.

Eu não deveria pensar nisso. Seria de mau gosto; ele é um homem casado, não um possível namorado. Mas, se ele não ligar, vai ser ruim. Um silêncio muito eloquente.

Meia hora com você foi o bastante. Na verdade, foi demais, mas sorri e aguentei. O passado é o passado e você é o único vivendo nele. Até mais, no décimo aniversário de nunca. E, a propósito, esse corte de cabelo faz você parecer o Tom Hanks no filme O Código Da Vinci.

Dentro de meu coração, sei que é a minha paranoia falando, não o Ben. Ele é o tipo de pessoa que irracionalmente pede desculpas por ter mencionado seu casamento quando contei sobre meu noivado rompido. Então, por que, ao examinar nossa conversa tantas vezes, as perspectivas não batem? Não consigo parar de pensar em outro detalhe de matar: ele pegou meu número, mas nunca quis me dar o dele, certo?

Foi ele que disse que seria ótimo sair, o anjo de meu ombro me garante.

É o tipo de coisa que dizemos para parecer simpáticos durante um encontro social, e não necessariamente porque queremos, responde o diabo.

Ai, meu Deus, ele não vai me ligar, e verei Ben e sua Olívia de Troia examinando lençóis de linho na John Lewis, e vou cair para trás em cima de alguém de cadeira de rodas na pressa de ir embora.

Quando o paciente da TV entra em um estado de fibrilação ventricular e a equipe parte para a ação, eu me acomodo em uma teoria que combina com meu fatalismo e o que sei a respeito da personalidade de Ben. Ele foi sincero ao dizer que seria bom nos reunirmos. Ele pediu meu número com boa intenção, achando que realmente o usaria. Depois, ele pensou bem, pensou em como me descreveria para a esposa. Só essa ideia o levou a analisar se seria uma boa ideia. Consigo imaginar algumas lembranças que podem tê-lo ajudado a chegar a uma conclusão. Nesse momento, ele olhou para o meu nome em seu celular, sentindo uma pontada de arrependimento. E então, decidido, ele o deletou e continuou com sua vida feliz e sem Rachel.

Meia hora depois, meu telefone começa a tocar. Minha mãe, penso. Eu me preparo para ser falsamente positiva por cinco minutos. Vejo o número no visor: desconhecido.

— Oi, Rachel.

Reconheço a voz masculina no mesmo instante. Passo de alguém que estava meio dormindo às seis da tarde para a pessoa mais acordada de toda a Manchester. *Ele ligou! Ele não me odeia! Não mentiu!* A adrenalina percorre meu corpo.

— Oi!

— Você está bem?

— Estou bem!

— É o Ben.

— Oi, Ben! — digo isso com uma voz que as pessoas costumam guardar para momentos de alegria exagerada.

— Você tem certeza de que está bem? Parece meio estranha.

— Eu estou, eu estava... eu estava... — Meu Deus, não quero admitir que dormi a tarde toda, como uma senhora de 82 anos... — deitada.

— Ah, certo, entendo — Ben parece envergonhado, e eu sinto que ele imagina que seja coisa de solteira, com companhia. — Ligo depois.

— Não! — eu quase grito. — De verdade, não tem problema. Como você está? Foi estranho você me ligar agora; eu estava pensando em você.

Boca aberta.

— Espero que tenha pensado coisas boas — Ben diz, sem jeito.

— Claro! — grito, com um toque de histeria.

— Hum. Será que você quer encontrar meu colega depois do trabalho na próxima semana para falar sobre aquela história?

— Sim, seria ótimo.

— Na quinta? Eu vou junto, se não houver problema.

— Sem problemas. — Sem o menor problema, maravilhoso.

— O Simon é legal, mas meio ostentoso. Não deixe que ele abra as asinhas se começar a falar mal da imprensa.

— Tenho certeza de que vai dar tudo certo.

— Eu também — Ben ri. — Certo, envio para você um e-mail com o horário e o lugar no começo da semana.

— Ótimo.

— Bom fim de semana. Vou deixar você se deitar.

— Estou de pé agora; acho que vou ficar assim.

— O que for melhor.

Nós nos despedimos e desligamos, eu totalmente alegre e livre de qualquer dor. Na tela, os batimentos cardíacos da paciente voltaram.

15

Eu deveria estar ouvindo os detalhes de quando ou como, em 26 de agosto do ano passado, Michael Tallack, de Verne Drive, Levenshulme, obteve dinheiro usando os pinos da perna do irmão para pedir uma indenização.

Mas, mentalmente, estou longe, muito longe, num passado bem distante: com um grupo de pessoas vendo a queima de fogos no Platt Fields Park no outono de meu primeiro ano da faculdade. Eu dizia "oh" e "ah" a cada nova explosão que espalhava pontos brilhantes pelo céu. E me virei para o Ben para dizer algo e vi que ele me observava em vez de olhar o céu. Um olhar intenso, que me deu a sensação parecida com aquela de quando você acha que um brinquedo em um parque de diversão parou, mas se engana.

— Hum... — eu me atrapalhei com as palavras, que antes estavam na ponta da minha língua. — Estou com frio.

— Com isso aí? — Ben perguntou, sem acreditar, apontando para as minhas luvas absurdamente coloridas. Admito que mais pareciam capas de bolsa de água quente.

— Elas são bonitas!

— Para quem tem sete anos.

— Você está com frio? — perguntei-lhe.

— Não muito — ele respondeu. — Não tinha percebido.

Os olhos de Ben brilhavam. Ali, no frio, senti um calor invadir minha pele. Respirei profundamente e uni as mãos com luvas.

Uma garota se aproximou, enroscando o braço no de Ben. Virei de costas para ele e, quando o olhei de novo para dizer alguma coisa, eles já tinham saído. Comecei a esticar o pescoço para tentar vê-los entre as pessoas, sentindo-me um pouco abandonada. O que foi ridículo, e claramente um sinal do quanto sentia a falta do Rhys.

— Podem sair! — disse a moça do tribunal, chamando a minha atenção.

Espero educadamente que todos passem por mim, em vez de correr para sair pela porta, como às vezes faço quando estou apressada. Penso no meu encontro com Ben depois do trabalho. Uma mistura de terror, ansiedade, medo, culpa, confusão...

Pego um café ruim e vou para a sala de imprensa para bebê-lo em paz. Vejo que Zoe chegou ali antes de mim. Apesar de suas dúvidas, ela se saiu muito bem no relatório dentro do tribunal. Não é possível ensinar a habilidade de perceber o potencial de uma história, e ela a tem, sem dúvida. Ela também foi autoconfiante o bastante para sair de um tribunal onde nada está acontecendo para procurar algo melhor. Precisei de muito tempo para adquirir coragem para fazer isso. Eu ficava sentada no banco escutando uma discussão sem fim, só mexendo os olhos de um para o outro, como uma pessoa de um quadro em uma casa mal-assombrada.

— Maldito Gretton — ela diz ao me receber, desviando os olhos de sua marmita, cortando rodelas de pepino com uma faca de plástico e colocando-as na tampa aberta.

Beberico meu café.

— Ele está atrás de você? Pensei que o veria menos agora.

— É. Eu tinha uma história legal a respeito de um aposentado herói que persegue trombadinhas, pensando que a faria sozinha, e descubro que ele está puxando meu tapete.

— Ai, ele não fez uma piada sobre prostitutas, fez?

— Eu dei um chega pra lá nele, felizmente.

— Considere sua atitude uma vitória. Ele não se importaria se não achasse que você sabe o que está fazendo.

— Acho que sim.

Penso que isso é mais verdade do que gostaria que fosse. É ruim saber que Gretton começou a perseguir Zoe. Sou dispensável? Não tenho escrito nada ótimo ultimamente. Deve ser assim que as estrelas de cinema em queda se sentem quando perdem um papel para uma atriz mais jovem. Até idiotas como ele percebem essas coisas. Admito que Zoe parece ter futuro. Acho que as pessoas já disseram o mesmo sobre mim, o que me irrita mais do que o normal, agora que rompi meu noivado. É engraçado que, quando uma parte da vida dá errado, as outras partes começam a parecer bem fraquinhas. Sempre pensei que tivesse um bom emprego. Agora estou pensando que nunca fui atrás de uma promoção, e ainda por cima chega Zoe, que provavelmente vai me passar em algumas semanas e será o grande talento.

— Vou sair na hora certa hoje. Se o editor perguntar, diga que estive aqui até o fim — explico. — Não preciso entregar nada hoje, e o progresso na Sala 2 está lento.

Zoe concorda.

— Tudo bem. Alguma coisa divertida?

— O quê? Na sala 2?

— Não, no fato de você sair no horário.

Boa pergunta.

— Vou tomar um drinque com um velho amigo.

— Aah. Um amigo *amigo* ou só amigo?

Por algum motivo, a pergunta me irrita.

— Amiga, mulher — rebato, e então percebo que minha consciência pesada está me alterando.

Zoe assente, cortando uma fatia de tomate e misturando com a batata do jeito que os agricultores mexem a terra.

16

O processo de Tallack continua, e minha tarde passa igualmente lenta. Dessa vez, divago até meu período de estudos antes das provas do primeiro ano. Ben deixou um bilhete em código no meu armário na ala de artes da faculdade, com o nome do lugar, o horário e um "vá sozinha", como se fôssemos agentes secretos.

Eu nunca tinha ido à biblioteca central na St. Peter's Square, satisfeita com a biblioteca da faculdade, a John Rylands. Sabendo disso, e para dar uma de espertinho, Ben desenhou um mapa com o caminho todo descrito, chegando ao que parecia um bolo azul de caneta, a construção sobre quatro colunas. Fez uma carinha de duende e escreveu "Ben", e uma seta mostrando que estava ali dentro.

Quando cheguei, admirando a arquitetura, vi Ben acenando na recepção.

— Oi. Por que estamos aqui? — sussurrei, sentando-me em uma cadeira ao lado dele.

— Não queria que ninguém nos escutasse na biblioteca da facul — ele sussurrou também. — Eu tenho uma revelação. Dê uma olhada.

Ele empurrou na minha direção uma pilha de provas.

— Cópias das provas dos anos anteriores? — perguntei.

— É. Estou analisando todas, e existe um padrão óbvio. Só tem uma pergunta a respeito *Beowulf* a cada dois anos.

— Beleeeeza... — digo. — E daí?

— Fizeram a pergunta na prova do ano passado e com certeza não vai cair este ano. Não precisamos rever essa parte.

— Uma estratégia arriscada.

— Tenho 100% de certeza de que vai dar certo.

— É mesmo? — perguntei, com sarcasmo. — Cem por cento? Como a certeza acerca das leis da gravidade, ou das leis da... da...

— Você não conhece outras leis, não é?

— Você conhece?

— Certo. Tenho 90% de certeza, então.

— Tem uma artimanha à prova de erros.

— É?

— Sem que os tutores suspeitem, colocaremos informações em nossos cérebros. E, aí, nós as pegamos na sala de provas por trás desses rostos. Ninguém nunca descobriria nosso segredo.

Ben riu.

— Espertinha. Sabia que você não aprovaria meus esforços.

Apontei para uma inscrição no teto.

— A sabedoria é o mais importante; assim, obtenha-a.

Ben balançou a cabeça.

— Conseguir o diploma é o mais importante, não sermões.

— Olha. Pode ser que dê certo, mas você é inteligente; não precisa dessas coisas.

— Nossa! Eu odeio inglês arcaico.

— Sua mãe ficaria feliz se soubesse o que pretende fazer?

Ben franziu o nariz.

— Não coloque minha mãe nisso.

Eu tinha conhecido a mãe de Ben por acaso, na semana anterior. Passei pelo quarto dele para deixar um livro, e uma mulher jovem e esbelta, com cabelos curtos e os mesmos traços de Ben, apareceu na porta, balançando as chaves do carro.

— Oi, eu sou a mãe do Ben — ela explicou quando me aproximei, daquele jeito provocador de "sim, vou falar com seus amigos, se eu quiser".

— Oi, sou a Rachel. Amiga de curso do Ben — acrescentei, para o caso de ela achar que eu estava ali para algo mais.

— Aaaah, Rachel! — ela se mostrou surpresa. — Você é a garota adorável e esperta que tem um namorado músico.

— Hum, sim... — concordei, lisonjeada por ser descrita de um modo tão legal.

— Seu namorado mora em... espere, espere, eu sei... — A mãe de Ben ergueu a mão para mostrar que estava pensando.

— *Mãe* — Ben disse, com um resmungo comprido e o rosto corado.

— Em Sunderland! — ela disse.

— Sheffield — corrigi. — Mas você acertou o S. E o fato de ser no norte. Muito perto, na verdade.

— Sinceramente, você não sabe como é saudável para meu filho ter uma jovem por perto que seja imune ao charme dele, então, boa sorte para você e seu namorado de Sheffield ou Sunderland.

— MÃE! — Ben gritou, atônito, e eu ri.

Na biblioteca, eu disse:

— Gostei da sua mãe.

— Sim, nem me lembre. Ela também gostou de você.

— Além disso, se você reprovar no primeiro ano, com quem vou me sentar nas aulas? — perguntei a Ben.

Alguém ali perto tossiu, na hora certa. Nós abrimos nossos livros. Depois de dez minutos, eu olhei para a frente e vi Ben totalmente concentrado. Ele tinha o hábito de segurar o ombro com a mão do outro braço, e afundava o queixo no peito enquanto lia o texto. Senti uma vontade inesperada de estender o braço e acariciar o rosto macio dele com as costas da mão.

Então, Ben olhou para a frente. Rapidamente fingi estar entediada, e bocejei.

— Quer beber alguma coisa? — ele sussurrou.

— Um expresso triplo bem forte — respondi, fechando meu livro com força, meio esperando levantar uma nuvem de poeira.

No café, Ben disse:

— Não posso reprovar no primeiro ano; preciso desse diploma para conseguir dinheiro porque o lixo do meu pai não vai ajudar minha mãe nem minha irmã.

— Você o vê?

Ele balançou a cabeça.

— Não se puder evitar, e a recíproca é verdadeira.

Com o queixo apoiado na mão, escutei quando ele contou de novo o modo repentino como o pai saiu da vida deles, obrigando a mãe a trabalhar em dois empregos, e me senti culpada por reclamar de ainda depender de meus pais. Também pensei que, com algumas pessoas, os assuntos nunca terminam.

Quando Ben chegou à parte em que encontrou o pai e este disse que não queria ser encontrado, ele ficou, para a nossa surpresa, prestes a chorar.

— Não consegui acreditar, sabe, pensei que eu só precisasse dizer que precisávamos dele por perto e ele voltaria no trem seguinte, ou mandaria alguma coisa para a minha mãe. — Os olhos de Ben ficaram marejados e a voz, embargada. — Eu me senti um idiota.

Percebi que ele precisava sair daquele momento. Queria ser a confidente. E queria, já que pelo menos uma pessoa importante havia falhado com Ben, ser carinhosa. Portanto, disse, em tom compreensivo:

— Sei que ele é seu pai e espero que você não se ofenda se eu disser que ele me parece um cafajeste. Você fez a coisa mais certa ao tentar que ele assumisse responsabilidades. Se não tivesse tentado, sempre se arrependeria. Assim, pelo menos você sabe que a situação depende

100% dele. Você acha que só sentiu dor, mas na verdade eliminou toda a dúvida do caminho. Pense nisso como algo que você teve que fazer para viver com paz de espírito.

Ben assentiu, agradecido, e teve tempo de controlar suas emoções.

— Isso, Baixinha.

Percebi, naquele momento, que, apesar das roupas arrumadinhas e do ar tranquilo, Ben era um ser em formação, assim como todos nós. Ele só disfarçava melhor.

17

— Podem sair! — a moça do tribunal disse pela última vez naquele dia.

Enquanto arrumava minhas coisas para sair, meu estado de quase sonho foi testado com o surgimento de Gretton, botando fogo pelas ventas.

— Pode falar para aquela vaca com cara de passarinho que estou atrás dela, OK? Não se pode roubar a história dos outros — ele diz.

Não sabia que Gretton tinha código de honra. Tem de ser retroativo, porque, sem dúvida, ele se esqueceu de uma história.

— Quem...?

— Sua assistentezinha!

— Você se refere a Zoe? O que houve? — falo mais baixo e torço para que ele me imite e abaixe o tom de voz.

Algumas pessoas estão nos olhando.

— Ela DE PROPÓSITO...

Tática falha. Seguro o braço dele e o arrasto comigo conforme me dirijo à saída.

— Shhh. Aqui, não. Venha comigo.

Ser levado a sério acalma Gretton um pouco, e ele se controla até chegarmos à rua.

— Ela mexeu na minha lista do tribunal.

— Como assim?

— Eu estava sentindo a falta das páginas 2 e 3, e, quando fui trocá-las, vi que são as páginas com as melhores histórias.

— Como sabe que foi a Zoe? As páginas não podem ter caído? Soltado?

Os parafusos do computador podem se soltar, talvez. Recebemos do pessoal da recepção impressões com listas das audiências do dia em envelopes selados todas as manhãs, então não sei como as páginas podem ter desaparecido.

— Que por acaso têm os casos dela relacionados? Não sou idiota.

Neste momento, Zoe passa.

— Tudo bem, Pete? — ela pergunta, fria como o pepino que não comeu.

— Estou de olho em você, sua vaquinha sem-vergonha — Gretton rosna.

— Pare de falar com ela desse jeito — repreendo.

— Qual é o problema? — Zoe pergunta, com os olhos arregalados.

— Está tirando páginas das minhas listas. Se quiser jogar sujo, vamos jogar sujo. Você já foi avisada. E você... — ele se vira e aponta um dedo para mim — é melhor ficar esperta também.

— Por quê? O que eu fiz?

Ele se afasta, passando uma mão nos cabelos ruivos desgrenhados, e enfia a outra no bolso, mostrando os dentes.

Zoe ajeita a bolsa no ombro. Eu não tinha percebido como o acessório é simples e sem graça: uma bolsa de estudante comprada em mercado, as cores comuns, detalhes em pequenos espelhos e tachinhas. E então me lembro de que ela é muito nova neste ambiente. Provavelmente vai ganhar sua primeira maleta dos pais no Natal. Ela está sorrindo, um pouco convencida demais.

— Como fez isso?

— Peguei as minhas páginas e troquei pelas dele quando Gretton estava olhando para aquela atendente de pernas compridas cujo casaco ficou preso na maçaneta. — Trocamos um olhar e começamos a rir.

— A vingança começa aqui — Zoe completa.

Sempre tolerei Gretton como quem se conforma com uma tristeza na vida, mas Zoe tem mostrado bem mais recursos. Talvez, se eu tivesse tanta energia 10 anos antes, estivesse em um lugar diferente agora.

Estendo a mão, e ela a aperta.

— Você deve estar muito orgulhosa da sua primeira semana.

— Vamos beber alguma coisa? — Zoe pergunta.

— Ah, não, numa próxima. Vou me encontrar com amigos.

— A amiga — ela assente. Por um momento, tenho dificuldade de me lembrar da mentira, e fico parada. — Divirta-se — Zoe diz, mas seu sorriso mostra que ela me pegou.

Eu me afasto em silêncio, dizendo a mim mesma: *E você está aprendendo italiano, e você está aprendendo italiano.*

☜ .. ☞

— Você está bonita — Caroline diz quando saio para ir ao encontro perto de Piccadilly Gardens, usando meu vestido de mangas compridas e meus saltos mais altos do que o normal. — E eu?

— Você também está bonita — digo, de modo defensivo.

— Sempre estou bonita assim quando vou trabalhar.

— Exibida.

Eu queria passar a impressão de "profissional e contida". E, sim, talvez um pouco gostosa. Até agora, consegui.

— Uepa, precisa de ajuda? Sala 7! — disse Gretton.

Convidei Caroline em um acesso de nervosismo ao perceber que queria ajuda para enfrentar Ben e aquele cara assustador. E talvez, quem sabe, quatro fosse um número melhor para as conversas de dois em dois. Eu sabia que Caroline aproveitaria a chance para admirar Ben de longe.

— Graeme não se importou de você vir, não é? — pergunto quando partimos, e tento manter o ritmo das passadas de Caroline. — Sinto muito por você ter que cancelar o compromisso com ele.

— Sim, você arruinou a nossa ida anual ao cinema. Eu veto todos os filmes com submarinos, ele veta tudo com Meryl Streep e ficamos discutindo até ele me convencer com chocolate.

— Desculpe...

— É brincadeira. Foi cancelado mesmo. Ele me enrolou com um papo de relatório para poder ficar sem fazer nada. Quem vamos encontrar além do Ben?

— O amigo dele, Simon.

Ela ergue as sobrancelhas.

— O que é isso, um encontro?

— Não seja tola. Não é o lance do Ben.

— Hum...

— O que foi? — pergunto, irritada.

— Você não vê o Ben há dez anos. O *lance* dele pode ter mudado totalmente.

18

Ben escolheu um bar moderno no centro da cidade que eu ainda conheço, derrubando por terra a ideia de que posso indicar lugares aonde ele ir. É de superfícies de concreto polido, com iluminação fraca, flores tropicais e cadeiras tão baixas que você acaba diante de um monte de traqueias e joelhos ao conversar com as pessoas.

Quando entro, vejo Ben em uma mesa do canto mais distante, conversando com um homem alto, de cabelos loiros, na faixa dos 35 anos, cuja expressão corporal expansiva mostra que o mundo é um grande programa de auditório, do qual ele é o apresentador. O espertão nos olha de cima a baixo, tipo raio-X de aeroporto, quando nos aproximamos da mesa.

— Oi... Ben, você se lembra da Caroline? — pergunto.

— Claro — Ben sorri. — Como vai? Simon, está é a Rachel, que trabalha para o jornal.

Ben se levanta, ainda com as roupas de trabalho, uma camisa de ótimo corte (diferente das comuns, muito mais normais para todos os outros homens) azul-turquesa e terno azul-marinho, blazer com detalhes nas costas da cadeira perto dele. Uma parte de mim, aquela que Caroline corretamente diz que não se dá conta de que uma década passou, sente vontade de pular de alegria e abraçá-lo. *É você! Sou eu!* Sei que tenho de parar. Esse encontro não é nada. Apenas uma bebida com um velho conhecido da época da faculdade. Ele se inclina para beijar Caroline no rosto, e ela, claro, fica toda derretida. Ben e eu nos cumprimentamos com um sinal de cabeça, o que indica que demos os beijos outro dia e não queremos repeteco.

Simon abre os braços grandes e também se levanta.

— Encantado. O que querem beber, moças?

— Hum, não, tudo bem, vou pedir, o que vocês estão bebendo? — pergunto, percebendo que resistir é inútil: o macho alfa Simon não vai deixar. Estou acostumada com pessoas mais normais.

— Não. O que vocês vão beber? — ele repete com firmeza.

— Uma tônica com vodca — Caroline diz a Simon, delicadamente passando à minha frente.

Ele se vira, como é de esperar.

— Gin e tônica. Obrigada.

— Como você está, Ben? A Rachel me contou que você se casou e que é advogado — Caroline diz.

— Sim, família. Minha esposa está na área de litígio.

— Você cursou Inglês, não é? — Caroline pergunta.

— Sim, fiz o curso errado — Ben responde diretamente. — Não serviu para quase nada.

As palavras me machucam. Não porque eu tenha grande orgulho de minhas qualificações, mas porque não teríamos passado três anos juntos se ele não tivesse escolhido esse curso.

— Não serviu para quase nada se o aprendizado tem que ser vocacional — digo, com seriedade.

— Sim, desculpe, não quis dizer que não serviu para *nada*, claro. Você se saiu muito bem — Ben diz, lembrando a si mesmo, e vejo que ele se surpreende com a própria falta de tato. — Eu fiquei perdido depois da formatura, só isso, e só podia estudar mais. Não se pode nem lecionar inglês no exterior sem um TEFL[1]. E não sou afeito ao jornalismo, como a Rachel. Jamais conseguiria trabalhar com prazos como ela.

Sei que ele está tentando consertar o comentário do "bom pra nada" e, apesar de gostar disso, ainda me sinto meio magoada. Percebo que Ben me olha e finjo que estou pendurando meu casaco nas costas da cadeira para evitar fitá-lo.

Simon volta com dois copos cheios de gelo.

— Limão na vodca... Limão na tônica.

— Obrigada — dizemos em uníssono.

Ele pede bebidas e não repete a dele? Preciso dizer a Rhys que homens assim existem. Ele provavelmente recomendaria que Simon doasse seu cérebro para a medicina. Imediatamente.

Trocamos as amenidades necessárias e, depois de saber que Caroline é formada em Contábeis, Simon começa a conversar paralelamente com ela.

— Como está a Abigail? — pergunto ao Ben.

Abigail, a irmã menor, magricela e olhuda de Ben, tinha cerca de 13 ou 14 anos quando estávamos na universidade. Ben cuidava dela como muitos irmãos mais velhos cuidam de suas irmãs, e me alertou, antes de eu conhecê-la, que ela tinha síndrome de Asperger, e, portanto, dizia o que lhe vinha à mente, sem tato, sem pensar e sem cuidado social. "Não é muito diferente da maioria de meus parentes e de meu namorado", eu disse, brincando, apesar de, por dentro, estar apreensiva. E se ela perguntasse por que eu tenho costeletas? Quando a conheci, percebi que ela era uma das raras pessoas que têm poucas atitudes deselegantes ou ruins, então meus receios não importaram. Ela elogiou um chapéu de crochê que eu havia comprado na feira de estudantes com um: "Pode me dar?". Ben se chocou.

[1] Teaching English as a Foreign Language. Em português, ensinando inglês como uma língua estrangeira. (N.E.)

Depois, eu mandei um chapéu parecido para ela. Ben disse que Abigail ficou tão feliz "que quase chorou, a danada", apesar de ser tão grande para ela a ponto de deixá-la parecida com "um dos alienígenas do filme *Marte Ataca*". Ele disse isso em uma carta, depois da atitude inesperada de me escrever durante as férias.

— Abi está — e ele sorri — *muito* bem, na verdade. Ela trabalha meio período em uma agência de turismo. Minha tia também trabalha lá, então fica de olho nela. E ainda mora com a minha mãe, e, portanto, é bom que nenhuma das duas esteja sozinha.

Eu me lembro do quanto ele costumava se preocupar.

— Que ótimo. — E, recordando-me de como Abigail era grudada em mim, digo: — Aposto que ela adora ter uma cunhada.

Ben faz uma careta.

— Hum, no começo, ela gostava. — Faço cara de quem não entendeu. Ele continua: — A Abi pensou que seria madrinha de nosso casamento. Mas Liv já havia convidado duas amigas e disse que não tiraria uma delas porque Abi queria. E Liv também disse que, se chamasse Abi, teria que chamar outro de seus primos demoníacos, e ela quis evitar isso a todo custo. Tentei explicar que Abi não é manipuladora; ela não compreende. Bem, você sabe como ela é.

Fico sensibilizada por ele acreditar que eu compreendo a Abi, depois de todos esses anos.

— Você não poderia intervir de alguma maneira? — pergunto. — Sei que essas coisas são complicadas. — Sei nada.

— Eu quis. Tentei. No fim, não pude escolher as madrinhas por Liv.

— Ah. Claro.

— Abi bateu o pé, entrou numa onda de "ou eu serei madrinha ou não serei nada". Houve um conflito entre minha mãe, Abi e Liv. Eu fiquei de fora. Bom, a verdade é que as coisas ficaram meio desgastadas entre as três desde então. Ou entre minha mãe e Liv. Abi já esqueceu tudo. Tenho certeza de que elas acabarão resolvendo isso.

Penso no riso fácil da mãe de Ben quando ela me conheceu e, por um segundo, imagino um universo paralelo onde eu sou a nora e Abi, minha madrinha, e como conseguimos nos dar bem. Na minha fantasia, eu colocaria uns duendes para levar as alianças.

— Pode mandar um abraço meu a Abi, se conversar com ela?

— Claro — Ben diz. — Ela costumava perguntar muito sobre você.

Nós dois paramos quando ele diz "costumava". Fico tentando imaginar como ele explicou o fim de nossa amizade. Como ele se lembrava de mim? Se é que pensava...

É o primeiro obstáculo na nossa interação decidir se seremos amigos. Talvez Ben não veja o início de nada aqui, apenas um favor a outro amigo. Um passeio pelo passado, um giro rápido e então o retorno, com o pé firme no acelerador.

Está claro que Ben também está pensando assim, porque ele diz:

— Que loucura, não é? — E faz um gesto para mim, para o fato de estarmos juntos. — Para onde foi o tempo? — Com certeza foi mais rápido para você, eu penso, assentindo. A conversa de Caroline e Simon a respeito das finanças não parece a ponto de acabar. Assim, Ben se sente seguro para perguntar: — O que aconteceu entre você e Rhys? Se quiser falar, claro. Se não quiser, vou entender totalmente...

— Foi tudo e nada em especial. Chegamos ao fim da linha. É só isso, não tem mais jeito, acabou...

— Como assim?

— O fim da linha. Aquela música, sabe?

— Ah — Ben sorri educadamente.

Na faculdade, com certeza essa informação o teria feito rir. *Eu não o conheço mais. Ele mudou. Ou talvez eu devesse tentar de novo com uma piada melhor.*

Uma parte de mim quer se jogar em cima do Ben e contar tudo, fazer um gesto ao garçom para trazer outra garrafa e pedir a Caroline e Simon que nos deixem sozinhos. Outra parte minha sabe que, além de ser a pessoa errada com quem me abrir, não suporto ver um brilho mínimo — por mais insignificante que seja — de alívio nos olhos dele. Alívio por ter se livrado de mim.

— Bom. O que fez você querer se mudar para cá? — continuo, levemente desesperada.

— Além do fato de Simon ter dito que em seu escritório havia uma vaga? Não sei muito bem... Eu estava cansado de Londres, não aguentava mais o trânsito, mas não conseguiria viver em um lugar muito pequeno, e esta é outra cidade grande que conheço e de que gosto.

— Sua esposa também ficou animada com a mudança?

— Não muito. Chegamos à decisão por meio de um processo de debate maduro. E... acordo e... concessão.

Simon escuta e interrompe:

— Ele quer dizer que estão aqui, mas a Olívia faz as coisas como quer até o fim. — E acrescenta: — E, já que estamos falando de mulheres mandonas, a Caroline acha que o Ben deveria buscar mais bebidas.

— Eu não disse isso! — Caroline protesta, rindo da provocação de Simon. Ela sempre gostou de caras exibidos.

Ben balança a cabeça, desaprovando a atitude, em tom de brincadeira.

— Vamos, Caroline. Não podemos mais encher a cara no bar. Ela era de arrasar na faculdade...

— É mesmo? — Simon provoca, observando Caroline, obviamente na esperança de que "de arrasar" seja um código para "aberta a possibilidades". — Como era a Rachel? — ele pergunta a Ben.

Ben murmura "Pior ainda" e se levanta depressa.

19

— Então, você vai contar a Rachel aquela história? — Ben pergunta a Simon, quando volta.

Eu gostaria de ter mantido a ilusão de que nosso encontro não era de negócios por um pouco mais de tempo. Mas digo:

— Sim, o que é? Estou curiosa.

— Posso confiar em você? Isso ficará fora de registro? — questiona Simon, sentando-se na ponta da cadeira, olhando ao redor como se quisesse ter certeza de que não havia escutas nas mesas.

— Não venho a bares com escutas.

Simon me olha.

Faço uma cruz no peito com a ponta do dedo.

— Prometo que não vai sair daqui. Juro pela minha vida. Você pode falar.

Simon se inclina ainda mais.

— Tenho um cliente importante que está pronto para uma entrevista. Com o jornal certo.

— Não podemos pagar muito — esclareço.

— Eu disse o jornal certo; não o que pode pagar mais.

— Quem é ele?

Simon se inclina de novo, observa meu rosto como se fosse um mapa com a chave de minha lealdade.

— Ela. Natalie Shale. A esposa do cliente, por assim dizer.

Meus batimentos cardíacos aceleram e o pessimismo natural os coloca de volta no normal.

— Ela não dá entrevistas.

— Não dava, mas estou orientando-a para que dê.

— A quem?

— Ao último advogado do marido dela — Simon diz, retorcendo um pouco a boca, provavelmente por se irritar por eu parecer em dúvida. — Peguei o caso de um colega que está sobrecarregado.

— Você deve estar indo bem para receber esse caso...

— Simon está no caminho de se tornar um sócio — Ben diz.

— E então, você está a fim ou não? — Simon pergunta.

— Natalie faria uma entrevista direta, com fotos e tudo? Uma exclusiva?

Já faz um tempo desde a última vez em que me animei com uma história, mas consigo sentir a jornalista dentro de mim acordando depois de um longo sono. Meu editor vai dar piruetas.

— Sim. Mas nada de *spoilers* a respeito das provas do caso, e quero que você me garanta que o passado negro do marido não será desenterrado. Ela é muito sensível em relação a isso, como você pode imaginar. E não quer fazer nada que diminua a glória de quando ele for solto.

— E se ele não for solto? — pergunta Caroline.

— Ele vai ser — Ben diz.

Emito um som concordando.

— Por quê? — ela insiste.

— Porque ele é inocente... E tem uma bela equipe de advogados — Ben explica, inclinando a garrafa para bater na de Simon. Sempre otimista.

Caroline me olha e eu sei o que ela está pensando: desde quando isso é garantia? Sempre pragmática.

— Ele precisa de ótimos advogados — Simon diz com seriedade. — E, como vítima de um erro judiciário, ele precisa de atenção, então o juiz acredita que não haverá pessoas com cartazes na frente da Corte e com vuvuzelas, a menos que exista um motivo muito bom. Precisamos manter o caso à vista do público. A entrevista de Natalie poderia ajudar nesse sentido, pois ela é muito chegada ao público — ele conclui. — Se você acertar, será uma vitória.

— Pensei que você tivesse dito que ela não dá entrevistas — Caroline retruca.

— Ele está dizendo que ela é atraente — explico.

— Exato — Simon diz e então se reclina, tão relaxado que está quase deitado, literal e também figurativamente.

☞ 20

Ter amigos de faculdade cursando Ciências Contábeis, Administração e Ciência Cognitiva significava uma coisa, com certeza (além de eles, posteriormente, receberem salários consideravelmente superiores ao meu): eu tinha muito, muito mais horas para "períodos livres de estudo".

Naturalmente, Ben e eu terminamos os exames do primeiro ano uma semana antes de todo mundo. Por motivos de que não me lembro agora, comemoramos em um pub horroroso com temática escocesa chamado MacDougal, em Fallowfield. Se homenageasse o antigo clã dos MacDougal, eu não queria encontrá-los. As cortinas eram estampadas em xadrez, o estofamento da cor de ferida recente e cheiro de xampu de carpete.

Apesar de Ben e eu passarmos quase todos os dias juntos, e de nos divertimos muito sem esforço, a ponto de até ser possível passarmos noites dando risada na cadeia, na minha mente estava muito claro que não havia qualquer risco de eu me apaixonar por ele. Além de Ben não ser meu tipo, era muito fácil se interessar por ele. A atração, eu pensava, exigia atrito. Baseava-se no conflito, no mistério e na distância. Rhys conseguia ser muito distante de vez em quando, de mais de uma maneira. Ele até já me pedira que não mais fosse a seus shows porque ele "brochava". Eu era tratada com um pouco de grosseria, e, como dizem por aí, era meio "mulher de malandro".

— Eu sou muito, muito boa com bebida — eu disse a Ben, depois de beber duas vodcas e uma Coca.

— É mesmo? — ele perguntou, duvidando.

— Ah, sim. Consigo beber vodca pra caramba — afirmei.

— Você só bebeu duas.

— Bebo mais do que você! — gritei, com a falta de noção de alguém que havia bebido duas doses grandes com o estômago vazio e já estava falando muita besteira. Ben riu ao levar o copo à boca. — Você escolhe — eu continuei, batendo na mesa para dar ênfase. — Você escolhe a bebida, e eu bebo junto, e depois te levo para casa.

Ben inclinou a cabeça para o lado.

— Já bebeu drambuies flamejante?

— Nããããoooo. Manda descer.

Ele foi ao bar e voltou com uma caixa de fósforos e copos com dois centímetros de um líquido cor de cobre. Sob a orientação criativa de Ben, riscamos os fósforos e fizemos pequenos lagos de fogo, e então colocamos as mãos sobre as bordas para fechar. Tentamos virá-los acima da cabeça antes de beber, fazendo uma grande sujeira.

— Você é diferente das outras garotas que conheci — Ben disse, baixinho, secando a boca depois que a segunda rodada já queimava no estômago.

— Falo mais palavrão? — perguntei.

— Não, quero dizer que você... você sabe. É como meus melhores amigos. Não é uma garota fresquinha. Você é *fogo*.

Ele murmurou a última palavra, e tive de me esforçar para ouvi-la, enquanto ele se ocupava com a lista do coquetel.

— Como assim? Você nunca conheceu uma mulher inteligente?

— Não quis dizer isso. Nunca ri tanto com uma amiga como rio com você.

Eu imaginava que Ben não tivera muitas amizades platônicas com mulheres, e não queria massagear seu ego perguntando o motivo para aquilo.

— Você não é como os outros caras quem eu conheci — retruquei, com a língua frouxa, já meio bêbada, sem pensar que não era um assunto que me interessava naquele momento.

— Como? — Ben perguntou.

— Você tem cara de cantor de *boy band* — eu disse, com uma risada de bêbada.

Ben fez cara de ofendido.

— Credo!

— O que foi? É legal.

— Não é.

Continuei a insistir que o elogiara, e Ben disse que deveria ter mandado tirar a noção de ridículo junto com a apendicite. Eu me arrependi por ser sincera demais.

Conforme o tempo foi passando, os amigos de Ben começaram a se unir a nós, e eu me vi, em pouco tempo, como a única mulher no meio de um grupo de sete caras. Não só isso, mas eles nos cumprimentavam com "Opa!" e "Já está aqui com a esposa de novo, não é?".

Isso não me incomodava, principalmente naquele estado relaxado em que me encontrava, mas, quando olhei Ben, ele estava com os olhos arregalados.

Surpreendentemente, logo fui vencida na bebida: um dos caras voltou para a mesa com uma garrafa cheia de tequila, com tampa de *sombrero* de plástico, um pote de sal e um monte de fatias de limão meio escurecidas.

— Verdade ou desafio! — o líder, Andy, gritou. — Quem joga? — Ele olhava diretamente para mim.

— Ela não vai brincar — Ben disse abruptamente.

Eu me virei para ele.

— Como é?

— Baixinha, você é a única garota aqui. Todos os desafios serão para que mostre os peitos. — Abri a boca para contra-argumentar, sem êxito — Pode acreditar; eles têm mais resistência do que você e muito menos noção — ele disse.

— Por que você a chama de Baixinha? — um dos caras, Patrick, perguntou.

— Longa história — Ben respondeu.

— Eles têm uma sociedade secreta de duas pessoas — Andy disse a ele.

— Existe algum ritual interessante para entrar? — Patrick perguntou, fazendo gracinha.

— Por que vocês têm que ser tão infantis? — Ben indagou.

— Ser supersensível em relação a essa garota certamente é um deles — Andy disse a Patrick.

Percebi que Ben cada vez mais se sentia incomodado e não sabia o que fazer. Não queria ser a mulherzinha alheia, mas senti que qualquer coisa que eu dissesse seria usada contra nós, por isso fiquei calada pelo bem dele.

— Você vai jogar ou seu cão de guarda é quem manda? — Patrick perguntou para mim, com sua voz de líder. Percebi que não gostava nem um pouco dele.

Andy gritou:

— É! Deixa ela jogar. É o feminismo, certo?

— Não quero ser estraga-prazer; estou cuidando de você. O que o Rhys esperaria que você fizesse nesta situação? — Ben me perguntou, baixinho.

Falar de meu namorado teve o efeito esperado. Rhys estaria pronto para a briga.

— Vou ficar só olhando. — Sorri, e todos eles vaiaram.

A brincadeira começou, com confissões a respeito de fantasias sexuais com professoras, bebidas e Andy tendo de correr até a janela para mostrar a bunda a quem passasse pela calçada. A garçonete só fazia caretas e continuou folheando a revista que estava lendo no bar, feliz com o fato de que, apesar de sermos bobalhões, estávamos gerando o dobro do faturamento do MacDougak em uma noite lenta durante a semana.

— Ben Ben BENNY! — Andy gritou. — Verdade ou desafio?

Andy olhou com malícia para mim. Senti medo de que a "verdade" me envolveria, de alguma forma. Mas que verdade eu deveria temer, exatamente?

— Hum. Desafio — Ben disse.

Andy se inclinou na direção de Patrick, e eles sussurraram, rindo de modo malvado. Segurei a lateral da cadeira.

— O desafio do Ben foi decidido! Dê um beijo nela! — Andy disse, apontando para mim.

— De jeito nenhum; ela não está brincando — Ben disse rindo.

— E daí? As pessoas da rua, que foram ameaçadas com minhas nádegas, estão brincando?

Ben ficou sério.

— Não. De jeito nenhum. Verdade ou... saio da brincadeira.

— Você não tem escolha — Andy explicou balançando a cabeça. — Mexa-se. — Ele mostrou a língua para mim.

— Argh, não vou dizer não de novo — Ben disse.

Era irracional e ridículo, mas me magoei com o enfático *aargh*. A determinação de Ben era compreensível e respeitosa, mas foi tão veemente que fiquei pensando que aquela ideia o deixava com nojo. Certo, ele me considerava "fogo"... não era a mesma coisa de não me achar uma baranga, certo? Todos nós admirávamos o trabalho de Charles Dickens nas aulas, mas não significava que queríamos beijá-lo.

— Certo. O Ben é um frutinha. Verdade! Verdade. — Andy ergueu a mão para chamar a atenção de todos. — Beleza.

Andy e Patrick cochicharam de novo, e logo apareceram.

— Já que você é ninja, sua verdade será... dizer o nome e os detalhes de todas as garotas que já pegou desde que chegou aqui.

— Ahhh, bom, um cavalheiro não conta essas coisas — Ben disse, mas as batidas na mesa já tinham começado.

— De jeito nenhum! Verdade ou desafio! — Andy gritou. — Verdade, verdade, verdade, verdade...

Ben mordeu o lábio. Invadiu-me uma grande vontade de não saber da lista de nomes. Eu não me importava muito, mas com quem ele ficava era um assunto que não se relacionava à nossa amizade. E ainda suspeitava de que ele fingia não perceber a quedinha de Caroline por ele porque ela era muito próxima de mim. Se os encontros fossem relacionados, com todos os nomes, eu começaria a imaginá-los, como um repentista contando a história de suas vítimas.

— Isso não é justo — Ben tinha dificuldade para se fazer ouvir em meios aos gritos e assovios — com as pessoas que eu teria que citar.

Pessoas. Pronto, o plural significava que eram muitas garotas. O drambuie amargou meu estômago.

— Ah, pare com isso. Não estamos pedindo nada mais íntimo... — Patrick disse e riu. — Não precisa ter vergonha. Se você é um bom caçador, pendure as cabeças das presas na parede.

— Vou começar... Teve a Louise Barulhenta na primeira semana... — Andy disse, rindo. Segurei a cadeira com mais força.

Ben empurrou um porta-copo pela mesa.

— Não, não vou fazer nada dessa bobagem.

— Ah, não nos faça castigá-lo — Andy disse. — Você não quer saber qual é o castigo, mas envolve ficar pelado e de cabeça para baixo dentro daquele cesto de lixo.

Havia muita gente contra e só eu a favor. Comecei a ficar bem preocupada com ele. Não queria que os detalhes fossem revelados. Por ser filha única, nunca tive um irmão mais velho com quem contar no parquinho, mas acho que era assim que se sentia alguém ameaçado. Uma coisa meio de homens das cavernas.

— Faça o desafio — cutuquei Ben nas costelas, agindo de modo casual. — Não me importo.

— Não se importa? — ele disse, aparentando surpresa. Certo,

meus sentimentos foram esmagados. Eu estava oferecendo-lhe um caminho, e ele reagiu como se estivéssemos cavando sua cova, e não um túnel de fuga.

— Ahahhha! — Andy gritou e as batidas na mesa recomeçaram.

— Ben, quem se importa? É só um beijo; nós sabemos que não importa. Você pode enfrentar isso...

Ele assentiu confiante ao olhar para mim, pensando na ideia.

Então se inclinou, rapidamente, e me deu um selinho que durou apenas alguns segundos. Apesar da rapidez, eu retribuí, beijando-o com um pouco mais de intensidade, com os lábios levemente entreabertos. (Depois de tudo aquilo, eu não queria que ele pensasse que eu beijava mal.)

Ele se afastou um pouco, como se fosse parar. Então, inesperadamente, inclinou-se de novo para a frente e me beijou mais uma vez, um beijo mais adequado, com os lábios abertos e as pontas das línguas tocando-se. Senti o toque da mão dele na lateral de meu corpo enquanto se segurava.

O gosto de seus lábios era de álcool com uma pitada de saber e, caramba, totalmente sem esperar, eu me derreti como uma colher de açúcar em uma xícara de chá quente. Enquanto meu cérebro se mantinha firme, meu corpo se rebelava. Foi como se ele percebesse um material genético de qualidade superior e logo informou às minhas terminações nervosas que fossem gerados treze filhos dessa pessoa. Em segundos, ultrapassei o limite e já não sabia se minha vontade de colaborar significava paixão verdadeira. Ah. Lição de vida. *É por isso que não devemos beijar amigos nem por brincadeira.*

Ben se afastou de modo abrupto, sem olhar em meus olhos. Rapidamente começamos a encher os copos de tequila para nos ocupar e tirar o gosto um do outro da boca, enquanto todo mundo aplaudia. *Então,* eu pensei, recapitulando: o problema não era um beijo ruim, mas, sim, um beijo bom. Talvez até um beijo espetacular. Eu não podia negar que rolou uma química no beijo técnico, apesar de não ser apaixonada pelo Ben. Senti que precisava me sentar dentro de uma banheira de gelo.

Também sabia que tinha cometido meu primeiro crime contra Rhys, do tipo sobre o qual ele havia me alertado quando saí de Sheffield. Um beijo ainda é um beijo, mesmo sendo funcional, forçado, para salvar alguém de um trote no qual teria de ficar pelado? Certamente eu era tão culpada quanto as mulheres que são presas pelos vilões e forçadas a ficar de biquíni/camisola até o herói chegar e salvá-las... Sei lá. O mocinho nunca briga com a mocinha por isso; não há culpa. Mesmo que não saibamos quem era o mocinho na situação.

— Boa cena — Andy disse, determinado a continuar enchendo a paciência. — Vocês dois já pensaram nisso?

— Sei que vocês têm dificuldade para entender a verdade, mas *somos amigos* — Ben disse. — É como beijar uma irmã. Desafio cumprido.

— Ai, ai — Andy retrucou, olhando-me para ver minha reação. Sim, deixara marca. Feia. E escondi o efeito virando o copo de bebida.

Por baixo da mesa, para minha surpresa, senti Ben segurar minha mão e apertá-la, em apoio. Tentei calcular exatamente o que havia acontecido entre a gente, em meu estado alterado. Eu sabia que o beijo me afetara.

Quando a noite terminou, Ben me acompanhou pelos quarteirões até meu prédio. Caminhamos falando sobre um monte de assunto neutro, uma coisa em cima da outra, sem silenciar um instante.

— Ei, sinto muito pelo que aconteceu com aquele monte de idiotas — ele disse, ao se despedir. — Eu deveria ter me afastado assim que a brincadeira começou. Culpa da bebida. E me desculpe pelo... você sabe. O que eu disse.

— Não tem problema! — comentei, desesperada para que ele não repetisse as palavras nem dissesse mais nada, e ainda acrescentei, animada: — Boa noite!

Aparentemente, Ben havia sofrido com aquela experiência, mas eu sabia que, durante os momentos em que nossos lábios permaneceram unidos, eu não sofri. As longas férias de verão chegaram na hora certa.

☞ 21

— Não queria admitir o tamanho de minha ignorância — Caroline diz, no táxi a caminho de casa, enquanto eu tento não enjoar concentrando--me no penduricalho com um bonequinho de Manchester no espelho retrovisor. Os assentos estão cobertos com esteiras de bolinhas de madeira antiestresse, provavelmente para compensar o efeito das horas dirigindo. — Mas, pelo visto, a entrevista com Natalie Shale é importante, hein?

— Seria ótimo se desse certo. Você se lembra do caso?

— Na verdade, só lembro que não foi muito bacana.

— Um assalto a mão armada em um depósito; o guarda levou uma coronhada e perdeu a visão de um olho. O caso contra Lucas Shale foi circunstancial. Ninguém na imprensa achou que ele era culpado. Afinal, estava limpo havia vinte anos, tinha uma bela esposa, duas filhas gêmeas lindas e todo mundo achou que a evidência de que eles estavam em casa naquela noite limparia a sua barra. A sensação na época era de que a polícia estava sob pressão para encontrar alguém depressa porque o crime foi muito violento.

— Por que ela não falou antes?

— Acho que ela não tinha motivos até o julgamento. Além de dinheiro, não parece que ela se importa. O problema é este, eu vejo muita gente no tribunal, e os dois se saíram muito bem.

— Bem, fico feliz por você. Legal ter um assunto com o que ocupar a mente e esquecer... o resto.

— Sim — eu digo, pensando que não será o caso quando eu for dormir hoje.

— E o Simon é solteiro? Bom emprego, bonito, inteligente... — Caroline vai falando e esticando os dedos.

Uma pausa.

— Você não pode estar falando sério.

— Por que não?

— Porque — eu reajo como se ela tivesse acabado de anunciar que o mundo está sendo tomado por lagartos —, pra começar, ele não é meu tipo.

— A conversa sobre "tipos" provavelmente deveria terminar quando você tira os pôsteres de bonitões da parede. Gosto de pensar que tenho um casamento feliz, e nunca assisti ao Take That pensando: "Gostaria que entre eles houvesse um homem com cabelos prematuramente grisalhos com chinelo de dedo".

— Eu sei, mas o que quero dizer é que Simon é totalmente diferente do Rhys.

— Preciso dizer que um plano para encontrar alguém como o seu ex é um erro fatal?

— Você está perdendo seu tempo. Não gosto dele, e homens daquele tipo não gostam de mulheres como eu, mas de mulheres como você. Ou então eles se casam com mulheres como você e gostam de garotos cubanos de quadril estreito.

— Normal.

— O quê?

— Você passa uma noite com um homem muito charmoso, e, porque o seu passado é diferente do dele, não só o descarta, mas ainda o acusa de estar dentro do armário ou de ser pedófilo. Você é uma esnobe irada invertida.

— Eu não quis dizer que ele é pedófilo! E "passado diferente" é pouco. Ele diz "oi" como se estivesse dizendo o alfabeto inteiro, e fala arrastado como se as pilhas estivessem fracas.

— É mais difícil encontrar pessoas na sua idade. Sei lá... Tem alguém do trabalho que pode ser um candidato?

— Não, só se rompermos as barreiras da hierarquia.

— Mas o Ben... Nossa! — Caroline assovia baixinho. — Perdoe-me por usar o vocabulário de Mindy, mas, por favor, eu quero um pedaço *daquilo*. — Contraio os lábios. — Você nunca sentiu vontade? — ela pergunta.

— Com o Ben? — Dou uma risada meio exagerada.

— Sim. Sei lá. Sei que ele não tem cara de sujinho, como os sujeitos de quem você gosta, conforme estávamos falando.

— Ah, não. Ele é meio o irmão que eu não tive. — O irmão que eu nunca tive se fizéssemos parte de uma seita contra incesto com vigilância pesada.

— Então você era a amiga perfeita para ele. Pena que vocês não mantiveram contato. Por que não?

— Isso é tão estranho assim?

— Acho que não. É que você costuma ser boa nessas coisas, só isso, e ele parece gostar de você.

Não digo nada, porque qualquer resposta será muito arriscada e dolorosa.

— Então, se pudermos definir que Simon é pelo menos bissexual, ainda assim nada feito? — Caroline pergunta.

— Você não quer me ver solteira nem por cinco minutos, não é? *Meldels*.

— Brincadeira — Caroline afirma. Em seguida tenta se inclinar para o lado para me dar um cutucão quando o carro dobra uma curva e ela é jogada contra a porta.

22

Minha ansiedade para anunciar a exclusiva com Natalie Shale a meu editor, Ken, é deixada de lado quando Vicky me vê assim que eu piso o carpete da sala de redação. Vicky é assistente do editor, e um tipo de criatura meio donzela, meio serpente, como se tirada da mitologia grega.

— Rachel! — ela grita.

Atenta, eu passo entre as mesas até alcançá-la.

— Sua história sobre a fraude do cara que se fingiu de inválido finalmente acabou — ela diz, batendo na tela com a caneta, empregando a mudança de voz típica de quando está toda animadinha para fazer um comentário ácido —, mancou no fim, eu diria. Por que Michael Tallack se transforma em Christopher cinco parágrafos depois?

Sinto meu rosto esquentar.

— Ele se transforma? — pergunto, com o buço suado. Recentemente, terminei uma história de prisão por homicídio culposo, que já virou uma lembrança distante. — Desculpe.

— Sim. O irmão de Hopalong Cassidy foi inocentado de qualquer envolvimento, não foi?

— Sim, desculpe... *Merda, merda*.

— Procure não incorrer em difamações que podem implicar um processo em seu texto, se não for pedir muito.

— Sinto muito mesmo, Vicky. Não sei no que eu estava pensando.

— Por sorte, eu vi — ela conclui.

— Sim, obrigada. — Aposto que ela não viu e algum subeditor lhe mostrou. Certos membros da redação são conhecidos por darem bronca, mas não falam do trabalho que fazem. "Por fora, bela viola, por dentro, pão bolorento", era como meu amigo Dougue dizia. Por fim, ele se cansou da rotina e foi para a Escócia para ser um correspondente criminal de sucesso. Não é a primeira vez que me sinto como uma pedra que o tempo deixou escorregar no leito do rio.

O jornalismo, provavelmente como a maioria dos empregos, vem do paradoxo de que, quanto mais bem-sucedido você for, menos fará as coisas de que antes gostava, ou seja, encontrar histórias e escrevê-las. Eu poderia me candidatar a vagas de editora, mas teria de atender ao telefone e brigar com as pessoas o dia todo. E teria de me sentar ao lado de pessoas como Vicky.

— O Ken está por aqui?

— Sim, em algum lugar. — Vicky perde o interesse em mim e atende a um ramal que está piscando. — E aí, Woodford? A que devemos a honra de sua visita?

Eu me viro e vejo Ken, o editor, comendo um pacote de salgadinho, com um exemplar do jornal enfiada embaixo do braço. Os cabelos grisalhos e duros dele parecem ter sido cortados em forma de cubo com navalha. Tenho certeza de que estão sempre mais quadrados quando o vejo. Ele poderia usar uma caixa como chapéu.

— Apareci para lhe dar boas notícias.

— Meu Deus. Você não está grávida, está?

— Não... — *Acho que nunca estive menos grávida; obrigada, Ken.*

— Graças a Deus.

Ken Baggaley, conhecido por ser "firme, mas justo", na verdade é mais do que firme e não exatamente justo. Em jargão de jornal, o jeito de ser dele justifica-se porque a raiva que sente se origina de uma reação a acontecimentos reais, e não de erros em sua linha de raciocínio.

— Consegui uma entrevista com Natalie Shale — digo.

Ele parece não se alterar.

— Ela vai falar com a imprensa?

— Não. Só conosco. Uma exclusiva. O advogado dela é um contato.

Ken ergue a sobrancelha, resmunga, e eu sinto que sou, por pouco tempo, a número 1 dele.

— Ótimo. Quando?

— A data está sendo marcada, mas será em breve, antes de a apelação de Lucas Shale ser ouvida.

— Conte-me quando acontecer. Muito bem, Woodford.

Ken se senta em uma cadeira e continua a comer os salgadinhos. Eu saio do escritório saltitante: Ken ficou feliz. Ben me trouxe sorte.

No caminho de volta ao tribunal, decido passar pela Marks & Spencer. Percebi, quando guardei minha coleção velha de lingerie (do outlet da L'Amour Longtemps), que preciso de peças novas. No começo, pensei: "Mas quem vai ver mesmo?", e falei isso para Mindy. Ela me explicou o feng shui da lingerie: se eu estiver usando calcinhas velhas e gastas, pequenas demais, coisas boas não me acontecerão, mesmo que eu não esteja procurando. Não sei se aceito essa linha de raciocínio.

Não me sinto mais energizada sexualmente andando com um conjunto azul-turquesa. Pergunto-me se alguém vai querer me ver nua de novo e, mais ainda, se alguém vai querer me ver nua pela primeira vez e, depois disso, querer me ver nua com frequência, sempre, direto, como Ken diria.

Parte do pacto dos relacionamentos de longa data é que eles, às vezes, se relacionam mais com as coisas que tiram de sua vida do que com as coisas que colocam. Se deixou de ser uma montanha-russa, se virou um monotrilho, quer dizer que você evita os baixos e também os altos. Se seu amado entra no banheiro e vê você inclinada com uma barriga caída que parece um avental, ele não te abandona, nem espera que você vista isso ou aquilo, depilada até a próxima quarta-feira. Ele a aceitou como você é; comprou o produto. Agora, na solteirice, um novo relacionamento: você precisa embrulhar seu conteúdo e vender tudo de novo, corpo e alma.

Esses pensamentos não muito inspiradores estão girando em minha mente quando avisto um triângulo violeta que parece ser feito de rede de pesca e elástico. Meu telefone toca. *Ben.* Agora, o número dele mostra o nome também. Sinto um arrepio.

— Oi, Rachel! Como você está? Queria agradecer por ter ajudado o Simon com aquela história.

Estou corada. Ali no meio, olhando a minha calcinha, o rosto corado porque estou falando com Ben. Tipo *Sex and the City*.

— Estou bem, obrigada. E é que lhe agradeço por nos ter apresentado. É uma história ótima, e não vai me fazer mal algum trabalhar. Eu lhe devo essa.

— Não se preocupe, resolveu um problema do Simon. Ele não sabia o que fazer para entrar em contato com o seu jornal, pois acha que os jornalistas são criaturas arredias. E estava morrendo de medo.

O Simon, confiante como é?

— É difícil imaginar o Simon morrendo de medo.

— Então, imagine-o vivendo de medo. — Dou risada, percebendo o calor de felicidade que me toca quando voltamos à intimidade dos velhos tempos. Ben ri também. — Ele a elogiou muito. Disse que você tem "ousadia".

— Ele quis dizer que sou mal-educada.

— Eu lhe disse que ele precisa de um alguém que se imponha. Ele gosta disso. Bem, tenho mais uma coisa para perguntar.

— Tem?

— Sim, queria saber se você está livre para nos encontrar no sábado à noite. A Liv quer fazer uma "reuniãozinha" em Manchester. Somos burgueses fúteis hoje em dia, sabe? E a Liv quer conhecer você, especialmente.

— Certo — concordo, sentindo medo. Por que Olívia desejaria me conhecer, senão para uma avaliação do risco? Bastaria Ben dizer que ela não precisa se preocupar. Nível de risco: nenhum. Ai, meu Deus... O que ela sabe? A razão me diz que ela tem a versão oficial da história, e esse convite é a prova. A emoção me diz que devo usar essa tanguinha como estilingue para lançar meu celular dentro do cesto de lixo e correr para a rua.

— Você vai? — Ben pergunta quando fico calada.

— Claro.

— Não quero entediar a sua noite de solteira no sábado. Sei que somos um casal chato.

— Está de brincadeira? Eu vou adorar.

— É sério? Que ótimo.

Quase digo *adorar* e *me borrar*, mas Ben parece tão satisfeito...

— Sou fã de comida. E adoro quem está preparado para fazer comida aos convidados — digo.

— Você cozinha bem, certo?

— Que nada. Parei quando fui morar com o Rhys. Ele cozinhava.

— Ah. — Pausa estranha. — E Liv perguntou se você quer trazer alguém. Um namorado?

Este é o momento em que devo considerar a fantástica ideia de contratar um acompanhante para exibir. Penso nessa hipótese por um momento, e então a deixo pra lá. Um dos Romeus que Mindy conheceu na internet costumava trabalhar como acompanhante. Pior, ele usava o "uniforme" canadense de calça e camisa jeans. Com botas de caubói. E camisas horrorosas. Ivor lhe deu um apelido: Bri-Nylon Adams.

— Hum. Não.

Depois de desligar, tento adivinhar o tamanho certo para mim, e compro um punhado de peças da segura cor preta. É um começo.

23

Voltei para o segundo ano com um leve bronzeado que eu tentava prolongar com a loção da Nivea. Eu me bronzeei nos quinze dias que passamos em Paxos, um presente de Rhys.

Enquanto minhas amigas namoravam rapazes da mesma idade que elas, bem certinhos e previsíveis, meu namorado era adulto, com emprego em tempo integral, e me levava para viajar nos feriados. Meus pais não gostavam tanto: Rhys apareceu na nossa casa com uma mala feita para mim, fazendo com que eu perdesse uma semana de salário e um emprego por sair no meio do contrato. Mas ele se esqueceu de que eu ainda precisava de meu passaporte, então voltamos e enfrentamos a desaprovação de meus pais, meu desemprego temporário e partimos para a viagem.

Animadamente, contei toda a história a Ben na lavanderia, enquanto enchia a máquina com as minhas roupas. Normalmente, no começo do segundo ano e "vivendo fora de casa", eu já deveria ter uma máquina de lavar roupa. A nossa estava quebrada, e a falta de tempo ocioso entre as férias e a volta às aulas me levara a acumular muita roupa. Ben havia se oferecido ara me acompanhar na lavanderia, e depois poderíamos tomar um café. Ele dividia a casa com os garotos da faculdade, e, apesar de ter polido os piores, os melhores ainda não eram muito bons. (Por exemplo, até mesmo Ben admitia que não era aconselhável que eu usasse a máquina de lavar deles a menos que quisesse voltar do café e encontrar todos os rapazes com minhas calcinhas na cabeça.)

— Como ele conseguiu fazer uma mala para você sem avisar os seus pais? — Ben perguntou enquanto eu me gabava do mar azul e dos locais visitados.

— Ah, não eram coisas minhas. Ele foi até a Boots e comprou uma escova de dentes e um biquíni. E algumas outras coisas.

Na verdade, foi uma ideia maluca de um homem a respeito do que uma mulher poderia precisar em uma viagem-surpresa de verão. O desvio para a casa dos meus pais serviu para que eu pegasse as minhas coisas sem ferir os sentimentos dele.

— Certo. — Ben olhou para baixo, para a minha mão e, horrorizada, vi que era um sutiã bem desbotado. Rapidamente, eu o coloquei na máquina, bati a tampa e enfiei as moedas.

Nós nos sentamos juntos no banco de madeira.

— A cara de raiva quando eu saí — comentei. — Foi demais.

— Parece que sim. Grécia com Rhys — Ben disse.

— Foi incrível!

— Claro. Muito sol e... mar e tal? — Ben coçou o queixo.

— É. — Eu suspirei. Sabia que estava sendo insuportável, ligada no modo "falo tudo, você não fala nada", sem conseguia parar.

A campainha da lavanderia tocou e uma menina entrou. Na faculdade, ela seria uma Ferrari se fosse um carro: Georgina Race, um nome que nenhum dos rapazes da faculdade conseguia dizer sem suspirar. Nós a identificamos instantaneamente pelos lindos cabelos ruivos, uma cor tão intensa que parecia que ela vivia com um holofote iluminando-a. Era impossível não notá-la, e, quando você a via, era impossível desviar o olhar daquele rosto de boneca de porcelana que parecia desenhado. Nas histórias de contos de fadas, ela seria sempre a princesa.

Georgina fazia o mesmo curso que eu. Ela havia aperfeiçoado a arte de entrar na sala, parando na frente de todos e observando as fileiras à procura de um assento vago, sabendo que os garotos pediam mentalmente que ela se sentasse ao lado deles. Ben costumava me cutucar, unindo as mãos em "oração" embaixo da mesa, e eu fazia um gesto que queria dizer "que idiota" com a mão, em resposta. Mas ninguém tinha sorte ali; diziam que ela namorava um ator de novelas de Londres.

Naquela manhã fresca de setembro, Georgina estava igualmente fresca: usava um lenço de pontinhos verdes preso à garganta branca de cisne e um vestido estampado curto destacando as pernas compridas que não engrossavam conforme se alongavam. Por cima da blusinha, ela vestia um casaco azul-marinho que descia até a cintura e tinha uma barra franzida que cobria o quadril em forma de violão. De modo geral, ela parecia uma atriz de cinema de décadas atrás, com galãs olhando por cima dos óculos e assoviando como lobos.

Estava na cara que ela era uma vaca. Eu só precisava de mais provas.

— Oi, Ben! — ela se animou ao vê-lo e se aproximou. — O que está fazendo aqui?

Ela conhece o Ben? E o que diabos você acha que ele está fazendo aqui?, pensei. *Comprando uma omelete? Trocando o óleo do carro? Esperando os resultados de uma biópsia do baço?*

— Estou aqui acompanhando a Baixinha. A máquina de lavar dela está quebrada.

Georgina olhou com relutância para mim, mas só por um momento.

— Ahhh. Que pesadelo, não é?

Concordei movimentando a cabeça. Irritada, senti um pouco do brilho daquela pessoa linda, como se uma celebridade houvesse me reconhecido e eu não conseguisse mais falar.

— O que você está fazendo aqui? — ele perguntou. — Lavando roupas, né?

— Deixando algumas peças para o serviço de lavanderia — ela respondeu, tirando de dentro de sacos de tecido com letras bordadas peças provavelmente supercaras para mostrar. — Caxemira, essas coisas.

Não pude deixar de perceber que os braços dela eram esguios como salgueiros e as mãos pequenas e ágeis, brancas como papel. Na loteria da genética, ela havia ganhado o prêmio máximo três vezes.

— Olha, precisamos fazer aquilo sobre o que falamos. O jantar — ela disse.

— Claro. É só me falar quando.

— Vou falar, sim — ela retrucou, com um ronronado, e uma piscadela marcada por delineador. — Nós nos vemos por aí, tá?

Ela deixou as roupas, saiu e deu um aceno tímido com as pontinhas dos dedos para Ben. Eu disse, tentando com todas as minhas forças não parecer uma bruxa amargurada:

— Hum. De que coisa vocês falaram?

Eu esperava que Ben contasse sobre um plano qualquer de ir à Pizza Hut para encher a cara de massa.

— Um encontro.

— Um *encontro*? — repeti, como se ele tivesse dito "caçar lontras".

— É. É assim tão inacreditável?

— Eu não sabia que ela saía com estudantes, só isso. Pensei que saísse apenas como caras muito bem-sucedidos e mais velhos de outras cidades.

— Como você faz, por exemplo? — Ben sorriu. *Touché*. E, antes que eu pudesse responder, ele continuou: — Todo mundo estava duvidando, então decidi convidá-la. Quem acertar, ganha.

Ficou pior ainda. Você a convidou? Eu não podia negar que, de muitas maneiras, era uma combinação dos céus: o rei e a rainha do curso de Letras.

— *Caxemira, essas coisas* — eu imitei.

Ben não curtiu. Senti que, no sentido cármico, eu havia empurrado uma porta giratória.

24

Pete Gretton e eu dividimos a mesa da imprensa na segunda metade da semana para a abertura de um caso de negligência médica. É sobre a morte muito inesperada de uma mulher de 29 anos em um procedimento de lipoescultura, e dois médicos e uma enfermeira de uma clínica particular estão sendo acusados de negligência e homicídio culposo. Há vários jornalistas das agências — mais mobilidade geográfica, menos tensão de freelancer do que Gretton. Ele está aqui porque soubemos que haverá muitos detalhes a respeito de complicações em cirurgias e do deslocamento de partículas de gordura. Gretton é um conjunto de células andando pelas artérias do prédio e causando pressão alta sempre que para.

— Eles não podem ser todos culpados — ele diz, antes de a sessão começar. — Quantas pessoas são necessárias para enfiar um soro em um braço? Os advogados estão só jogando acusações para ver se alguma cola. Quer bala?

Eu balanço a cabeça, negando.

— Não, obrigada.

— Está de dieta?

— Sai fora.

Gretton mostra os dentes amarelos.

— Não se preocupe, a maioria dos homens gosta de carne. A propósito, parece que essa moça estava meio pesada. Cerca de vinte quilos, conforme fiquei sabendo. Redonda.

Ele mastiga fazendo barulho, e consigo ver a bala meio triturada dentro de sua boca.

— Cale a boca — sussurro, olhando a família de gordinhos no banco de testemunhas, e viro meu corpo o máximo que consigo para ficar de costas para ele. Preciso de uma camiseta com as palavras: *Não estou com esse idiota.*

Os assistentes estão em uma conferência de emergência com os advogados, ouvimos barulho de papéis sendo remexidos, as pessoas tossem e se remexem nos assentos.

Alguns dos advogados riem acerca de algo provavelmente hilário se você estiver familiarizado com os detalhes da negligência médica, e eu vejo a família olhando-os sem acreditar no que vê. Sinto pena. É difícil acreditar que a tragédia da sua vida representa só mais um dia no escritório para as pessoas que fazem esse tipo de coisa na vida.

Na maior parte do tempo, os jornalistas são turistas confusos que conseguem entender os conceitos básicos envolvidos no caso em que atuam. O cachorro morde o homem, o homem morde o cachorro, o homem morde o homem porque seu cachorro o olhou de um jeito estranho, e por aí vai. Com um caso assim, você precisa se tornar especialista em uma área específica de uma profissão muito importante em pouco tempo. Sempre que um juiz orienta um advogado ou testemunha a simplificar a terminologia para ajudar o júri, a mesa da imprensa quase suspira alto, de alívio.

Quando saio do tribunal na hora do almoço, vejo Zoe conversando com uma mulher que reconheço do público.

Gretton está logo atrás de mim, como sempre.

— O que diabos ela está fazendo?

— Conversando — respondo.

Zoe e a mulher olham para nós; Zoe inclina a cabeça de modo conspiratório.

— Você precisa ter mais coragem — Gretton diz. — Ela está falando com alguém envolvido nesse caso. Você não se importa?

— Não muito. Ela pode estar pedindo tempo, até onde eu sei.

— Você é muito ingênua, sabe?

— Eu chamo isso de confiança.

— Confiança? Aquela moça não fala a verdade.

— Você não foi com a cara da Zoe desde o começo, não é?

— Eu sei como ela é.

Sorrio.

— Talvez os semelhantes se entendam..

Gretton enfia as balas no bolso e se afasta, irritado.

Zoe se aproxima de mim.

— Hora do bar?

Concordo. Desde que levei Zoe ao Castle, ela passou a achar que nossa ida lá faz parte de uma rotina semanal, e eu fiquei surpresa não apenas por concordar, mas também por gostar. Normalmente, passo a hora do almoço trancada quase reclusa na sala de imprensa. Não esperava fazer uma amizade.

Lá fora, digo:

— O Gretton está todo doído porque você estava conversando com aquela mulher. Quem era ela?

— Adivinha!

— Irmã da moça da lipoescultura?

— Mãe. Eu os vi mais cedo e percebi que ela seria a porta-voz, então agi logo. Disse a ela o que Gretton havia dito, ou seja, que a filha dela ainda estaria viva se tivesse retirado cirurgicamente a colher dela do pote de sorvete.

Paro de repente.

— Você fez isso?

— Fiz, e disse que, se ela quisesse conversar depois, deveria falar com você.

— Mas... o Gretton disse isso na sala de imprensa.

— E daí?

— Sei que Gretton foi bem infeliz com esse comentário, mas, de vez em quando, todos dizemos coisas bobas sobre os casos ali. Você não devia ter contado.

— Por que não?

— Porque não é o que fazemos.

Zoe morde o lábio.

— Fui longe demais, não fui?

Começamos a caminhar de novo. Troco a bolsa de ombro.

— Você jogou sujo, com certeza. Se o Gretton descobrir, vai ficar louco.

— Desculpe, mas ele foi tão nojento em relação a ela que acho que seria bem feito.

— Eu sei. Mas pense que você poderia ter colocado todos nós em uma enrascada. O público não consegue distinguir bons jornalistas do Gretton. Muitos deles nem sequer entendem o que é um julgamento aberto ao público. Ficam surpresos por não poder nos expulsar.

— Sinto muito.

— Bem... Perguntas sensíveis não são o forte dele; não consigo imaginá-lo confortando a mãe, então, provavelmente, isso não será um problema. E ele vai irritar todo mundo fazendo comentários idiotas durante o julgamento.

Interrompemos a conversa ao parar para atravessar a rua. Quando voltamos a caminhar, Zoe diz:

— Minha mãe é gorda.

— É mesmo? — Olho para o corpo magro dela.

— Tenho o metabolismo de meu pai — ela explica. — Sim, certa vez ela pensou em fazer cirurgia de redução de estômago. Mas estava gorda demais.

— Por que ela... — começo de novo. — Mas não deveria ter feito exatamente por isso?

Zoe fala alguma coisa sobre cirurgia e o risco da anestesia.

— Aí, ela finalmente perdeu peso e fez a operação, e começou a beber aqueles shakes de proteína com sabor de chocolate que os fisiculturistas tomam.

— Certo. No começo, os líquidos são os alimentos mais recomendados. Ainda mais porque o estômago fica bem menor.

— Não se tomá-los o dia todo e acabar voltando ao mesmo tamanho de antes da cirurgia.

— Ah. — Coitada da Zoe... Sua determinação provavelmente é resultado do desejo de se afastar dos problemas em casa.

— Gretton mexeu na ferida — ela conclui.

Sinto-me mal por tê-la repreendido. Aperto seu braço.

— O Gretton mexe na ferida de todo mundo. Não se apegue a isso.

— Será que devo retirar o que disse? Dizer à mãe que eu ouvi mal ou algo assim?

— Duvido que ela se esqueça dessa história. Não, deixe assim. Obrigada por dizer que ela deve me procurar — digo, sem querer parecer ingrata.

— De nada — Zoe agradece. — Somos uma equipe. O almoço é por minha conta hoje. Vou experimentar um Fazendeiro Nadador.

— Um fazendeiro que nada?

— Sanduíche de salmão defumado.

— Ah.

— Eu inventei isso.

— Ainda bem.

— O nome é peixinho no pratinho.

— Você pede — eu digo, abrindo a porta do pub e guiando Zoe para dentro. — Já sofro humilhação suficiente e não preciso de mais.

25

— Oi! — Caroline gritou mais alto do que o barulho do secador de cabelos portátil. Eu o desliguei. — É o Ben.

Desci a escada de nosso prédio correndo até o corredor. Raramente nós nos telefonávamos, pois o dono dos apartamentos havia instalado um telefone fixo que engolia moedas como um aspirador de pó.

— Baixinha! Socorro na cozinha! — Ben exclamou. — Fiz o jantar para a Georgina e FICOU UMA MERDA.

— Você está cozinhando? — perguntei, rindo e, ao mesmo tempo, invejando a Georgina por ser o tipo de mulher que os homens se esforçam para impressionar. — Por que vocês não saem?

— Ela entendeu mal, e eu não soube consertar as coisas. Ela estava tão... — Ben imitou a voz sussurrante e encantadora que ela usava, de modo bem habilidoso, com os homens: — ... "Mal posso esperar para experimentar o que você vai preparar, Ben".

— Haha! Isso vai ser demais! É melhor você ir para o *hombre* do Homepride.

— Ela não é o tipo de garota que vai achar engraçado comer um sanduíche com massa de panqueca, certo?

Ben morava com rapazes que reutilizavam pratos sujos colocando filme plástico sobre eles em vez de lavá-los. A Georgina precisaria contar com um organismo *bem forte* e todas as vacinas, pensei.

— Não posso dizer nada sobre o senso de humor dela, mas eu nunca a vi sorrir. Nem mesmo nas aulas de linguística, que são pura diversão.

— Socorro! O que eu faço?

Suspirei forte.

— Quanto tempo você tem até ela chegar?

— Três horas... Não, espere, duas horas e quarenta minutos!

— E quanto posso gastar se passar no mercado a caminho de seu apartamento?

— O que for preciso! Você é minha anja!

— Sei, sei.

Apareci na casa do Ben com meu chapéu de lã carregando nas duas mãos sacolas cheias de compras.

— Abra, as sacolas vão rasgar — eu disse, entrando pela varanda e deixando-as sem qualquer cerimônia no chão do corredor.

— Ah, Baixinha, Deus te abençoe. — Ben salvou um tubo de *crème fraîche* que rolou em direção ao chão.

— Comprei flores também — eu disse, mostrando um cone de celofane com rosas brancas. — Parece que estou seduzindo alguém por tabela, como Cyrano de Bergerac.

— Ótimo!

Eu sabia que devia estar gostando do Ben, porque com certeza não queria seduzir a Georgina com nada além de um buquê de plantas carnívoras, rabos de rato decepados e fios de absorvente interno. Mas, aparentemente, era o que eu estava fazendo.

Com a ajuda de cartões de receitas distribuídos no supermercado, preparamos aperitivos de aspargo, peito de frango recheado, batata gratinada, mousse de chocolate branco com framboesa. Deleguei tarefas ao Ben, que tocou música enquanto trabalhávamos. Ele se mostrou um assistente bem habilidoso. A geladeira, aos poucos, foi ficando cheia de pratos cobertos.

— Eu não sabia que você sabe cozinhar — ele disse.

— Não sei, na verdade. Estou inventando enquanto faço.

— Que demais!

— Aqui estão os horários — escrevi as temperaturas em um pedaço de papel e o coloquei atrás da chaleira. — Siga os horários nessa ordem e sirva o champanhe assim que ela chegar. Dá para disfarçar várias imperfeições quando as pessoas estão bêbadas. O que você vai vestir?

— Uma camisa? — perguntou Ben, em dúvida. Estava usando uma camiseta vermelha da Copa do Mundo de 1966, o que ia totalmente contra o Artigo 7.1 da Lei de Rhys, segundo o qual não se devia fazer propaganda de nenhum evento a que não se havia ido, de qualquer lugar onde não se havia estado e de qualquer banda que, de fato, não se escutava.

— Seja bacana. Nada de roupas casuais esportivas.

— Entendi.

— Vou sair para você se arrumar. — Vesti o casaco, peguei o chapéu. — Boa sorte — eu disse.

— Você é minha anja e sua recompensa está no céu — Ben afirmou.

— Com certeza não está na terra — resmunguei.

Enquanto caminhava de volta para a minha casa, alguma coisa me incomodou, e não era o fato de que eu havia preparado uma refeição que não ia comer.

Estar perto do Ben numa relação platônica — perceber os olhares invejosos de garotas que interpretavam mal a situação — lançava sombra a algo que poderia ser detectado por qualquer programa eficiente de eugenia: garotos como ele namoravam e procriavam com garotas como Georgina Race. Eu não queria namorar, muito menos procriar, com nenhum deles, mas havia algo de humilhante em confirmar tal fato.

Eu me lembrei da queima de fogos, pensando que havia mulheres para momentos divertidos e sensuais e havia as boas e velhas Baixinhas. Uma descolada para conseguir desconto no *pain de campagne* de Sainsbury.

No manhã seguinte, nós nos encontramos na aula das dez horas, e Ben se sentou ao meu lado, com um sorriso discreto.

— E aí... como foi? — perguntei, retribuindo o sorriso e mordendo a tampa da caneta.

— Bem — ele respondeu. — Ela adorou o jantar. Adorou mesmo. Obrigada.

— Vocês estão namorando? — perguntei-lhe.

— Duvido — Ben balançou a cabeça.

— Ah. — Não sabia se deveria fazer mais perguntas ou se ele queria que eu fizesse isso. Pensei que ele havia se virado de costas para encerrar o assunto e, então, percebi que ele só estava checando para ver se não estavam escutando nossa conversa.

— Ela foi muito chata! Nossa! Muito chata. No começo, pensei que era só nervosismo, mas ela é *muito* sem graça. E só pensa nela. E o mais estranho é que agora não acho que ela seja muito interessante. Acho que perdeu a graça. Garota bacana e tal. Mas... não para mim.

Ignorei minha alegria repentina.

— Não importa. Pelo menos, eu comprei o jantar. Você só teve que ir à farmácia à toa.

— Ah, mas fizemos mesmo assim — Ben respondeu. — Não perdemos muito tempo conversando sobre as escolas preparatórias e sobre pulseiras da Tiffany.

Olhei-o. Sua expressão estava impassível. Eu me lembrei da conversa sobre cavalheirismo. Houve uma mudança dentro de mim.

— O quê? Que absurdo!

— Oi?

— Você não gostou dela como pessoa, mas ainda assim fez sexo? Que coisa fútil e absurda. Coitada da Georgina! Você a está chamando de chata depois de tê-la colocado em sua cama? Que coisa desrespeitosa. — Rachel Woodford, defensora da donzela Georgina. Essa era nova.

— Calma, calma.

— Eu fazia outra ideia de você — eu disse.

— As pessoas fazem sexo casual no mundo real e imperfeito, sabe? Não precisa ser visto como um ato agressivo — Ben retrucou.

— Como assim?

— Quero dizer que nem todo mundo tem a sorte de encontrar sua alma gêmea, mas não seremos celibatários enquanto a esperamos.

Eu poderia ter dito que eu não imaginava que ele estivesse vivendo como um monge ascético, mas Ben reagiu com a mesma intensidade que eu. E nunca tinha me sentido tão grata com o começo de uma discussão.

Alma gêmea. Eu disse isso? Na história das férias na Grécia? Ai, meu Deus. Talvez tivesse mesmo dito. Acho que enfatizei a expressão para o caso de Ben ainda estar pensando que eu havia amado o beijo do ano passado. Na verdade, Rhys e eu já tínhamos saído do período de lua de mel. Ao ser tratada como igual pelos meus amigos de faculdade, fiquei menos disposta a tolerar a atitude dominadora e alheia dele do começo do namoro. Por sua vez, ele me acusava de "botar as manguinhas de fora". Para ser sincera, eu sabia que a viagem surpresa à Grécia fora uma maneira de ele restabelecer o domínio na relação.

Depois de um tempo, Ben empurrou as anotações na minha direção para eu ver o que ele tinha escrito na margem: "Brincadeira".

Eu franzi a testa sem entender, desenhei um ponto de interrogação embaixo e devolvi os papéis.

"Não fizemos", ele escreveu, sublinhando a segunda palavra diversas vezes para deixar o sentido claro. "Qual é o problema?".

Boa pergunta. Eu a li, encolhi os ombros e a devolvi. Será que eu era tão mandona a ponto de esperar que meus amigos vivessem de acordo com minhas regras?

Depois do sermão, tivemos aula em lugares diferentes do prédio. Saí de minha mesa, desci a escada e fui para a outra sala em segundos. Ben me alcançou, segurou meu braço antes que eu pudesse entrar.

— Olha, eu estava agindo como qualquer cara; você sempre acha engraçado — ele disse em tom baixo. Grosseiramente, puxei meu braço, apesar de ele não o ter segurado com força. — Só para deixar registrado, nós não fizemos nada, e eu não quis fazer — ele acrescentou. — Ainda não consigo entender por que teria sido um erro moral.

— Não é da minha conta — comentei, com o coração aos pulos como se quisesse escapar do peito e correr para os ensaístas vitorianos da aula. Meu comportamento sugeria que eu seria boa naquela era.

— Eu teria me divertido mais se você tivesse ficado — Ben disse, percebendo a fonte da ansiedade com mais exatidão do que eu queria.

— Por que você diz isso assim? Como se fosse uma coisinha qualquer... "Eu teria me divertido mais *mesmo* se a Baixinha tivesse ficado".

— Não foi isso o que eu disse.

— Não, e não foi isso o que eu quis dizer.

Não quero que você queira fazer com ela. Ela não se iguala a mim. O que eu queria?

Ben olhou pela janela, depois de volta para mim, abriu a boca para dizer algo, mas hesitou.

— Eu sei cozinhar — ele disse, com seriedade.

— O quê? Você me enganou para eu fazer as compras?

Ele me olhou. Eu fiquei olhando-o.

— Que bom que vocês estavam prestando tanta atenção e que a discussão acadêmica agora esquentou — nosso professor nos interrompeu. — E tenho certeza de que essas anotações que vocês estavam trocando eram sobre a ascensão das classes médias no século XIV em relação a *The Canterbury Tales*.

— Com certeza — Ben disse, assentindo.

— Preparem-se para as aulas das onze — o professor disse, e obedecemos.

26

Em todos aqueles programas sobre "O que vestir para conhecer seus sogros" ou "O que vestir no fim de semana no campo", eu queria que eles se tornassem mais durões e abordassem os problemas realmente espinhentos, como "O que vestir para conhecer a esposa de seu antigo amor".

Sei que não posso ir ao jantar com as peças de meu guarda-roupa atual. As opções são tão poucas que decidi pegar a maior parte do que tenho e levar à primeira instituição de caridade que encontrar.

A decisão altruísta desaparece em minutos quando me vejo segurando sacolas recicladas no meio da Age UK. A mulher do balcão tem cabelos grisalhos presos em um coque e óculos pendurados em uma corrente ao redor do pescoço, como uma vovó linda de uma história de Roald Dahl, a qual o adotaria caso seus pais fossem mortos no primeiro capítulo de um modo hilariante e sombrio.

— Só deixar aqui? — pergunto animadamente, esperando sair depressa.

Ela, num gesto mundialmente reconhecido, e não muito gracioso, mexe os dedos como quem diz: "Me dá isso aqui".

Eu entrego as sacolas, pensando que não sabia que, para doar coisas, havia um processo de avaliação. A mulher começa a tirar as peças de dentro das sacolas na minha frente, cheirando um casaco com desdém. E pergunta:

— Você fuma? — Antes de eu conseguir responder que não, ela grita assustada como se tivesse encontrado um senhor vibrador do tamanho de um cacto do Saara e diz: — Não precisamos *disto*... — mostrando um par de meias, que segura com o indicador e o polegar. Hum, minhas meias com patinhas de borracha na sola. Tenho certeza de que alguém gostaria de ficar com elas. Tudo bem que, para usar meias de segunda mão, a pessoa não teria apenas de enfrentar dificuldades financeiras, mas de catar lixo. A intenção, no entanto, foi boa. Sinto vontade de dizer: "Quem é você? A Duquesa de Aceitamos Apenas Roupas Novas?".

Mas, em vez disso, só falo baixinho:

— Como elas foram parar aí dentro? — E enfio as meias nos bolsos do casaco, jurando que é a primeira e última vez que vou ajudar essa instituição de pessoas velhas e peçonhentas.

Preciso de uma roupa que passe a ideia de "Madura, mas ainda jovem", "Bem-vestida, mas confortável" e "Não cheia de frescura, mas também não fora de combate".

Não surpreende que procure algo dentro de meu orçamento que: a) sirva e b) não gere comentários contraditórios, tarefa difícil. Eu pensei que vestisse 38 e ainda me apeguei a essa crença, apesar de toda a evidência que apontava para cima. Ou, no caso dos mamilos em material muito justo, para cima e para os lados.

Subir e descer as lojas de roupas da *King* Street em uma tarde de sábado me deixa assustada e prestes a chorar. Decido que só me resta uma opção: telefono para a Mindy. Ela ouve o problema e faz uma breve prescrição:

— Você perdeu a noção e não está mais em condições de decidir. Vá a uma loja mais cara, como a Reiss, e compre um tubinho preto. Compre um número maior, se achar melhor, e guarde seu orgulho. Pague o que custar. Vista-o com qualquer sapato de salto com o qual consiga andar. Pronto.

— Mas usei preto da última vez em que vi o Ben. E o amigo dele — acrescento rapidamente.

— Ele não vai se lembrar do que você vestiu, a não ser que tenha sido uma fantasia de ostra. Pode confiar.

Considero as orientações dela simples e eficientes. Volto para casa animada, o que dura pouco, até descobrir que, apesar de a luz dos provadores me deixar com cara de apaixonada e disposta, à luz fraca do fim do dia, fico mais com cara de "A esposa do mafioso que se afogou em massa por estar de luto". Eu poderia tentar melhorar minha aparência, ou poderia beber uma vodca para acalmar os nervos e uma Coca diet enquanto esperava o táxi. É uma opção. Lembro de uma frase do Tao de Mindy: "Não dá para deixar a merda brilhante, mas dá para cobri-la com glitter".

Então escolha a vodca e mais maquiagem.

Fico tentando imaginar, obcecada, a aparência de Olívia. Sei que é loira, e mais o que vi no papel de parede do telefone do Ben. Como ele sempre escolheu mulheres "de arrasar", não tenho motivos para achar que a mulher com quem se casou será diferente. Eu a imagino como um tipo de Patsy Kensit, vestida como Betty Draper em *Mad Men*. Com as habilidades de comunicação de Dorothy Parker e o... Ah, que se dane.

O pior já aconteceu. Eu não sou ela. O que temos para hoje: o coração de Rachel que virou purê, servido acompanhado de um ovo sobre ele.

27

A casa de Ben e Olívia é vitoriana com cumeeiras brancas e uma porta azul-royal lustrosa, com uma árvore em formato de pirulito em um canteiro na frente. Toco a campainha de latão e espero, escutando o burburinho de vozinhas ao fundo. Uma onda de ansiedade me domina. Rhys não está mais do meu lado. E não tinha parado para pensar em como me sentiria solitária estando solteira. Conclusão; deveria ter tomado duas vodcas.

Ben atende, segurando uma garrafa com um saca-rolha na ponta, camisa creme, cabelos levemente úmidos, com cara de modelo saído de um catálogo de roupas. Ele e Olívia provavelmente saem para passear com blusas de lã combinando e calças marrons aos domingos, lançando gravetos a seu cãozinho, rindo pra valer.

— Rachel, oi! — Ele se inclina para a frente para beijar meu rosto, e eu fico tensa. — Posso pegar seu casaco?

Faço uma dancinha desajeitada, entregando o vinho que levei, e tiro o casaco, e entregando-o para pegar a garrafa.

Olhando para trás, enquanto pendura meu casaco, Ben diz:

— Esta é a Liv. Liv, Rachel.

Sinto o sangue latejar em meus ouvidos.

Uma mulher pequena dá um passo à frente, sorrindo, para pegar a bebida de novo. Estremeço. Talvez, sem qualquer surpresa, depois de tanta angústia, ela seja apenas uma mulher atraente. Pequena, cabelos loiros e curtos, rosto perfeitamente oval, bronzeada. Eu esperava uma variante da perfeição feminina, e Olívia parece transpirar Chanel nº5, sem qualquer surpresa.

Se eu quisesse ser uma vaca — e claro que não sou, mas se eu fosse —, poderia dizer que, fisicamente, ela está segura como escolha de Ben. As meninas com quem ele ficava na faculdade costumavam ser parecidas com Carly Simon, dinâmicas, saudáveis, ágeis, de sorriso amplo. Um tipo de beleza viçosa chamativa que seria impossível de negar, assim como seria impossível olhar para o sol sem fechar os olhos.

— Prazer em conhecê-la — ela diz.

— Prazer em conhecê-la também. Obrigada por me convidar.

— Venha cumprimentar os outros e lhe servirei uma bebida

Quando eu a sigo, vejo que está usando uma blusa de malha e uma calça justa, mas não muito, em um tom de cinza. Não um tom escuro, claro, mas aquele que chamam de grafite e ardósia, o qual se vê em roupas penduradas em cabides sinuosos e acolchoados em lojas com temática de discoteca nova-iorquina. Do tipo que eu não ousei procurar hoje, com medo de ser expulsa a vassouradas. Ela está tão relaxada e sofisticada que, de repente, minha roupa tão planejada faz com que eu me sinta saída de um comercial de café instantâneo dos anos 1980.

Olívia me leva para uma sala de estar que se abre para a sala de jantar, e me guia para cumprimentar uma mulher alta cujos cabelos apresentam mechas cor de baunilha com café. Ela parece aquelas goleiras dos jogos de futebol do time rival da escola, as quais marcavam com tanto intensidade que dava até medo. Eu olho o homem sentado ao lado dela, que é mais baixo, atarracado, e usa uma camisa cor de salmão que lhe acentua o bronzeado.

— Lucy, Matt, esta é Rachel. E acho que você conhece o Simon...?

Simon, inspecionando a prateleira, ergue uma taça em cumprimento e caminha lentamente. Ele ainda parece vestido para trabalhar.

— Posso lhe servir um champanhe, Rachel? — Olívia pergunta.

— Você pode e eu vou aceitar — respondo, tentando ser simpática, mas fazendo papel de nojenta. — Sua casa é linda, Olívia. Não acredito que você passou anos longe daqui.

O lugar tem cara de casa de adulto, sem dúvida. O carpete cor de aveia sob nossos pés é grosso e macio, há velas de igreja brilhando no espaço onde antes provavelmente havia uma lareira e quadros em preto e branco nas paredes com fotos de Barcelona, Berlim ou qualquer lugar aonde eles tenham ido enquanto namoravam, levando a Nikon.

— Ah, ainda estamos ajeitando as coisas, e diminuímos as luzes para cobrir isso — Olivia diz, olhando para trás ao caminhar em direção à cozinha.

— Liv está sendo modesta; ela deixa uma trilha de coisas arrumadas conforme passa, enquanto a maioria das pessoas cria uma trilha de bagunça — Ben diz de algum lugar perto do forno.

A mesa à frente está arrumada com guardanapos coordenados e velas finas, e no centro dela há uma orquídea dentro de um vaso com pedras. Um som ambiente sai de um rádio Bang & Olufsen. Se o Ben ainda está subindo na vida, Olívia deve estar voando alto, decido, aproveitando o clima de tranquilidade e riqueza disfarçada. Penso em minha casa antiga em Sale e percebo que Ben e eu entramos em círculos diferentes. Volto a pensar na segurança que Rhys me transmitiria se estivesse ao meu lado, mas logo começo a avaliar se valeria a pena. Ele estaria de pé atrás com a satisfação de comercial forçado de margarina, e eu estaria torcendo para que ele não bebesse muito e se tornasse "desagradável".

Olívia volta e me entrega uma taça de champanhe, com framboesas flutuando.

— Não tem mais ninguém para chegar, Liv? — Lucy pergunta.

— Não.

— Certo, então, um... brinde. Bem-vindos a Manchester, Liv e Ben.

— Saúde! — eu murmuro, batendo as taças.

— Saúde, Ben! — eles dizem, porque ele está na cozinha.

Somos só nós? Seis pessoas, dois casais, dois solteiros: Simon e eu, que estamos sendo aproximados de modo nada sutil. E não é só um boato. Será que o Simon, como eu, também se sente desconfortável? Lucy e Matt me olham com curiosidade. Vou ter de enfrentar essa situação fingindo que não são acontecendo. Meu *modus operandi* de sempre.

Eu me viro na direção de Simon, desesperada, com um sorrisinho.

— Como você está? — pergunto.

— Falei com a Natalie e ela está disposta a dar a entrevista — ele diz, e fico feliz por termos um assunto em comum.

— Ótimo.

— Eu lhe informo uma data. Podemos nos encontrar na casa dela?

— É o ideal.

— Tudo bem se eu for junto?

— Se você não se importar, prefiro que não vá.

— Obrigado.

— Não estou sendo grosseira...

— É mesmo? E do que podemos chamar isso?

Ele para, e eu dou risada.

— Se você estiver junto — explico —, ela ficará nervosa, olhando-o para ter sua aprovação o tempo todo, e a coisa toda vai se estragar. Sei que a história é importante, mas ela não é a Barbra Streisand. Vai ficar tudo bem.

— Vou pensar nisso — Simon diz, sorrindo.

— Essas são as minhas condições — digo, retribuindo o sorriso e torcendo para que não seja muito insolente. — Boa sorte ao acertar as suas condições com o governo.

Na verdade, o governo vai roer até o osso. Eu tenho quase certeza, pelo que Ben disse, de que Simon vai manter o senso de humor e ficar do meu lado.

— Com o que você trabalha? — Matt interrompe a conversa.

— Sou repórter do tribunal; trabalho para o jornal da região. E você?

— Consultoria administrativa. Principalmente empresas blue chip. — Não consigo pensar em mais nenhuma pergunta, então Matt pergunta: — Qual foi a coisa mais ousada que alguém já fez no tribunal?

— Hum... Mais ousada do que matar em série?

— Não, coisas bizarras. Engraçadas.

— Vocês, advogados, devem ver coisas mais engraçadas do que eu — digo a Lucy.

— Cuido de litígios, como a Liv — Lucy diz. — Não vemos nada assim. Ficamos em salas reservadas.

— Sentem-se — Olívia diz, e todos nos sentamos: Lucy e Matt se dirigem para o meio da mesa, Simon e eu ficamos sem escolha a não ser nos acomodarmos ao lado deles, um de frente para o outro. Por que o Ben não me alertou? Isso não é coisa dele. *Você não sabe mais o que é "coisa dele"*, digo a mim mesma.

O vinho rola solto, engulo a bebida, e as saladas são dispostas a nossa frente. Tento não só me lembrar de como é uma conversa educada, mas também entender a equação "Ben Mais Olívia é igual a Lucy e Matt como amigos". Minha surpresa, levando em conta o passado de Ben, é porque nós dois decidíamos quem tinha a ver conosco e quem não tinha. Foi como se tivéssemos feito amizade com um livro de frases, bússola de moral e mapa, ainda que o mapa literal da universidade fosse menos claro. Essa mudança nos acontecimentos nos evidencia, como Caroline diz, que o jeito dele mudou, ou que ele está sendo um bom anfitrião e um bom marido. Sei o que estou esperando.

— Como você está lidando com as coisas aqui? — Matt pergunta a Olívia. — Você gosta de *Maneira-chest-ah*? — ele continua, com uma voz engraçada que me deixa meio desconfiada.

— Gosto de Harvey Nicks — Olívia responde, e Lucy assente. — Gosto. É muito mais parecida com uma pequena Londres do que eu pensei que seria. — Não me parece muito convincente. É positivo elogiar alguma coisa como uma versão em miniatura de algo a que você está acostumado? A menos que seja um traseiro, creio eu. — Sabe, o Ben sempre disse que foi incrível cursar a faculdade aqui... — ela continua. *Ponto para o Ben.*

— Didbsury é tão incrível — Lucy diz.

— Parece ter tudo, sim. Vamos precisar olhar as escolas — Olívia diz, com timidez.

— Ah, vocês têm notícias? — Lucy pergunta animada, segurando o braço de Olívia.

Eu mastigo com tanta força que chego a morder as bochechas por dentro.

— Não. É só um planejamento antecipado — Olívia explica, lançando um olhar a Ben.

— Owwwn — Lucy diz.

Eu me sinto infinitamente triste e já meio alta, uma combinação que prevê desastre. No entanto, percebo que Ben também precisa de uma mudança de assunto.

— Não vamos nos adiantar — ele diz a Olívia. — Um cachorro vai servir por enquanto. Estamos nos concentrando na mudança agora, só isso — Ben comenta para a mesa.

— Não postergue sem saber quanto tempo vai demorar — Lucy diz. — Por quanto tempo esperamos até eu engravidar do Miles?

— Um ano e meio — Matt responde.

— E fazíamos quase toda noite — Lucy afirma. De repente, começo a desenvolver grande interesse por minha salada, tentando identificar se o que vejo é chicória. — Li uma matéria no *Mail*, outro dia, de um especialista em fertilidade — Lucy continua. — Ele diz que as pessoas já deveriam ter suas famílias completas aos 33 anos. Quantos você quer, Liv?

— Três. Duas meninas e um menino.

Ben respira com força.

— Não dá para encomendar assim, como numa loja...

— E você tem o quê? Trinta e um? Precisa começar já, agora! — Lucy diz, batendo na mesa e rindo.

— Espero que não agora, agora — Simon brinca, e eu dou risada.

— Pare de apressá-la, Lucy — Ben diz numa voz tensa, o que aparentemente Lucy não nota.

— Vamos, Ben! — Lucy exclama. — Se a mulher quer, a mulher consegue. Os pequeninos são muito divertidos!

Preciso olhar ao redor para confirmar: ela disse mesmo "pequeninos", não disse?

— A menos que você seja infértil — Matt acrescenta, com seriedade, e Ben está fazendo cara de "isto não pode estar acontecendo".

Uau. Qualquer filho de Matt e Lucy, creio eu, deve ser uma baita mistura. Matt e Lucy *juntos*.

— Ele vai ceder — Olívia diz, dando um tapinha no braço do marido.

Ben parece assustado e bebe um gole de sua bebida.

— E você, Rachel? — Olívia pergunta, e olha na minha direção. — Você quer ter filhos um dia?

— Hum. — Estou levando uma folha em direção à boca, mas a devolvo à margem de meu prato, para que não pareça um dos gorilas na névoa da floresta sendo observado por cinco pessoas. — Não é uma prioridade. Mas sim. Por que não? Se eu encontrar alguém com quem possa tê-los. — Silêncio desconfortável, principalmente por causa da tentativa de formação de casal. Eu continuo falando: — Como eu disse, não se preocupe com os especialistas em fertilidade. É o trabalho deles dizer que você deve ter bebês. Tenho certeza de que os hepatologistas nos aconselhariam a nunca bebermos e os cardiologistas diriam que nunca cozinhemos com manteiga.

Mais um silêncio prolongado, ainda maior do que o outro. Ben sorri de modo incentivador. Não é à toa: peguei o lugar dele na merda.

— Você bebe muito? — Matt me pergunta, sem graça, olhando para o prato.

— Não... hum. Não bebo garrafas e garrafas de Corky de maçã e urino em memoriais de guerra. Mas não costumo beber só duas taças quando bebo. É normal, não é?

— Não se você tiver filhos — Lucy diz.

— Claro, noites sem dormir... e por aí vai — retruco.

— E o Miles tem quase quatro anos agora. Não quero que ele nos veja bêbados.

— Bem, creio que não — concordo. — Ele ainda toma mamadeira.

Lucy recebe minhas palavras no peito, e pisca depressa.

— Ele já está desmamado e come alimentos sólidos. Tem três *anos*.

— Hum, sim. Quis dizer... — desvio a conversa.

Lucy se vira para Olívia e diz:

— Ai, meu Deus, esqueci de dizer! Finalmente pegamos a chave da casa!

Ela começa a revirar a bolsa e pega fotografias, que entrega a Olívia e Ben, e eles emitem sons de interesse e aprovação. Não parece que as fotos circularão pela mesa.

— Receio que foi a plateia errada para o seu último comentário — Simon diz, enchendo minha taça que, de repente, ficou quase vazia.

— Eu disse a coisa errada? — sussurro.

— Claro que não. Eu estava esperando a chance para falar da potência de meus espermatozoides. — Ele olha para baixo. — Evitamos um desastre, garotos.

De repente, estou de novo na escola, rindo no fundo da sala. Quando paramos de rir, vemos que todos na mesa estão olhando para nós com curiosidade.

28

Podemos dizer que Matt e Lucy vencem a competição da noite, com as mãos nas costas. Para todos os assuntos — trabalho, família, férias, casa — parece haver respostas certas ou erradas. Eles logo percebem que meus comentários são tolos e perdem o interesse em mim. Nunca fui esquiar nem nunca me preocupei com os preços do litro da gasolina entre um posto e outro, não comi em lugares avaliados por revistas e não tenho opinião formada a respeito dos impostos.

Eles se orgulham de suas opiniões, mas são chatos. Afinal, ter opinião para tudo parece exaustivo. Gostaria de saber como essa brincadeira termina, se eles vão acabar em uma casa de repouso competindo para ver quem tem o despertador maior.

Sinceramente espero que Lucy e Matt estejam entre as poucas pessoas que Ben e Olívia conhecem aqui e, assim, estejam fazendo um esforço especial. Minha interação com Olívia sugere que ela é uma boa pessoa, mas, perto de Lucy, ela fica meio parecida com a amiga. Ben permanece meio calado, talvez até um pouco dominado.

Depois que o prato principal é servido, e após comermos e a mesa ser desocupada, eu peço licença para ir ao banheiro.

— Use o banheiro daqui. Antes da cozinha, à sua esquerda — Olívia diz.

É tão limpo quanto o resto do lugar, e eu sinto uma pontada no peito ao me lembrar de que não tenho casa. Não moro mais em Sale. E minha casa também não é o palácio de Rupa.

Ao lavar as mãos com algo cheiroso de um porta-sabonete líquido de porcelana branca, fico surpresa ao ouvir uma conversa entre Ben e Olívia. Pelo som, imagino que estejam próximos à lava-louças. Pelo tom, percebo que eles pensam que ninguém está ouvindo. Talvez ainda não saibam como é a acústica da casa.

Depois de discutirem como os pratos devem ser guardados, Olívia diz:

— A Rachel é boazinha.

Ben responde:

— Sim, ela é.

Pausa.

— E bonita — Olívia diz. Ben pigarreia. — Normal foi meio exagero.

Suspiro ao ouvir aquilo. E me olho no espelho. Normal, olhos levemente vermelhos em um rosto normal. E penso: você pediu isso. Você procurou, implorou, sabia que aconteceria e agora, pronto, aconteceu. E adivinha só? Você detestou. Começo a lavar as mãos, sem pensar, pela segunda vez.

— Nunca tenho olhos para ninguém além de você, querida, você sabe disso — Ben comenta de modo exagerado, e Olívia ri.

— Simon está a fim — ela diz. — Acho que está dando certo.

— Sim, mas, Liv, não force a barra.

— Não estou forçando!

— A Rachel acabou de sair de um relacionamento longo; deve estar um pouco fragilizada.

— Eles eram noivos?

— Sim, e iam se casar — ouço Ben dizer —, ela estava com o Rhys havia muito tempo. E já o namorava quando eu a conheci.

— Então, talvez uma paquera seja exatamente do que ela precisa.

— Por que as mulheres sempre têm que se meter?

29

Depois de duas doses, a bebida fez efeito. Lucy está rindo mais alto, as piadas de Matt são mais ousadas, Simon se sente relaxado, mas consegue se controlar, então não é muito evidente. Ele me observa quando pego meu guardanapo, sento-me de novo e volto a encher a taça. Estou tão vazia que quero me preencher com alguma coisa, e pode ser bebida.

Pego o fim de uma discussão a respeito da melhor idade para se casar. (Por acaso seria a idade em que Matt e Lucy se casaram?)

— Você, então, é contra o casamento? — Lucy pergunta a Simon, cobrindo a boca delicadamente ao soluçar.

— Você não é contra; só não encontrou a mulher certa ainda, não é, Simon? — Olívia pergunta.

Ela me olha. Meu Deus, está dizendo isso para mim.

— Não sou contra o casamento em si, mas contra a maioria dos casamentos — Simon explica. — Sou contra os motivos pelos quais as pessoas costumam se casar.

— Amor verdadeiro? — Lucy pergunta.

— A maioria das pessoas não se casa com quem elas mais amam, mas sim com quem estão quando completam 30 anos — Simon responde. — À exceção de vocês, claro.

À exceção de vocês, claro é uma expressão tão elegantemente ofensiva, na minha opinião, já que quer dizer *à exceção de vocês, especialmente*. É a mesma coisa que dizer *com todo respeito*, o que quer dizer *sem respeito nenhum*.

— Olha só, Simon está dizendo que as pessoas se casam com a pessoa com quem namoram aos 30, e que o amor não tem nada que ver com isso — Olívia diz, puxando a manga da camisa de Ben, que está terminando de distribuir as tigelas de sobremesa e se senta.

— Eu não disse que o amor não tem nada que ver com isso — Simon retruca e cruza os braços. — Sabe, esse é o problema de discutir esse assunto com uma mulher. Ela começa a gritar. Será que a maioria das pessoas pensa "Esta pessoa é meu destino" quando se casam ou pensam "Não quero mais me esforçar para ver o que tem por aí agora; os cabelos já estão indo embora e o peso chegando, eu tô a fim, vai você mesmo".

— Ainda que uma pessoa se case pensando desse modo, o mais importante não é saber se você vai honrar seus votos? — Ben pergunta.

— Epa! — Olívia dá um tapinha no braço dele.

— É claro que não estou dizendo que *eu fiz isso*; estou dizendo teoricamente que seus motivos importam menos do que suas intenções.

— Todos os relacionamentos dependem do momento certo — digo, tomando o cuidado de olhar só para Simon.

— Acho que sim — ele concorda.

— Quero entender direito — Matt diz, incorporando o consultor, como se tivesse recebido um orçamento muito alto para a tinta de impressora de um fornecedor e quisesse checar onde a conta estava errada. — O que há de errado em se casar sem querer ver "o que tem por aí?". Como saber se existe coisa melhor por aí?

Simon dá de ombros.

— Você não vai saber se não procurar. Eu quero a vida que escolher, e não uma vida que me escolha. Só estou dizendo isso. Não faça a "coisa certa" para recompensar alguém por tempo de serviço, se você já cansou dessa pessoa. Sonhe alto.

Os olhos do Matt quase desaparecem quando ele os aperta.

— Mesmo que você queira ter filhos, e o tempo esteja passando, você joga fora um relacionamento estável...?

— Estável? Estável é para quem não anda! — Simon diz, brilhando em seu papel de provocador. Lucy e Matt parecem horrorizados.

— Mas isso quer dizer que você acredita que existe A Pessoa Certa? — Lucy pergunta com os olhos arregalados.

— Não, minha cara, não acredito. Sou meio linha-dura. Ou, como gosto de dizer, adulto.

— E quem é essa mulher que você está procurando, se não é A Pessoa Certa? — Lucy insiste.

— Você parece estar confundindo um conceito de marketing com comédias românticas e com fenômenos cientificamente comprovados — Simon diz, e eu começo a rir, sem conseguir me controlar.

— Por que você está rindo, Woodford? — Ben pergunta do outro lado da mesa, e me força a olhá-lo diretamente pela primeira vez desde o "normal".

— Do Simon... Ele tem uma visão direta, de advogado. — Eu balanço a mão. — Não pare. Desculpe. Você estava falando da pessoa certa.

— Ela não existe? — Lucy pergunta.

Simon suspira.

— Existe uma boa porcentagem de pessoas no planeta com quem você pode ser razoavelmente feliz. A pessoa certa é uma entre cerca de seis mil. Aí, depende com quem você cruza seu caminho e quando. O período no ínterim em que você consegue controlar sua bexiga e intestinos. Ser membro do clube do ponto zero zero zero qualquer por cento em seis bilhões ainda é uma honra. A mulher que não consegue entender isso não entende nada de matemática.

— Ou não entende como é sortuda por fazer parte do clube dos seis mil — eu digo.

Estou tentando fisgar o Simon. Ele entende como conluio.

— Naturalmente — ele concorda e pisca.

Vejo que Lucy parece revoltada, interpretando a conversa como uma traição à condição de mulher. Tenho a impressão de que muitas coisas estão sobrevoando sua cabeça sem mexer com seu penteado.

— Vamos acabar com a sua popularidade aqui, Simon — Ben diz.

— Vocês são todos cínicos — Simon afirma. — Na verdade, vocês querem defender o romance.

— Não acho que o que você está descrevendo seja romântico — Ben diz, de modo sério. — Todo mundo deixa de ser uma novidade mais cedo ou mais tarde. Existe mais chance de ser feliz com alguém que você conhece bem do que com uma alternativa inalcançável que você colocou num pedestal e tentou buscar. Amor à primeira vista e todas essas coisas são bobagens. É só a animação de sua cabeça trabalhando com informação insuficiente. É aquele momento em que alguém pode ser qualquer pessoa. Logo passa. E piora porque você tornou a decepção totalmente inevitável.

Olho para Ben no mesmo momento, e ele percebe e desvia o olhar depressa.

— Ter padrões altos não quer dizer que você nunca se sente satisfeito; quer dizer que você raramente se sente satisfeito, Benji — a voz de Simon soa levemente alterada. Agora Lucy não é a única que está meio confusa.

Sinto-me pressionada para interromper o silêncio:

— Tem uma coisa que não entendo. Um casamento no qual você se sente perdidamente apaixonado enquanto dura e então se separa é falido. Mas duas pessoas podem ficar juntas por décadas, tristes, e ser oficialmente um sucesso, só porque ficaram juntas. Ninguém diria que uma pessoa viúva teve um casamento falido.

— Porque o casamento tem que durar até que a morte os separe. As pessoas fracassam caso estejam separadas e ainda vivas — Ben diz, olhando para mim. — Ou se um matar o outro.

— Certo, bem... os critérios, ainda assim, não deveriam ser tão diretos. "Bem-sucedido por um período limitado" em vez de fracassado. E talvez "duradouro" fosse mais apropriado do que bem-sucedido para aqueles que estão juntos, mas não vivem felizes.

— Ah, Deus — Simon diz. — Você é uma daquelas pessoas que acham que esportes competitivos deveriam ser banidos do dia a dia, não é?

— Eu sou uma daquelas pessoas que acham que os esportes competitivos deveriam ser banidos de uma vez.

— Será que você não está negativa em relação ao casamento porque não vai mais se casar? — Lucy pergunta, revelando de modo muito habilidoso que "normal" não foi a única informação sobre mim que vazou.

Aquilo me deixa sem palavras. É meio demais, até para o nível de álcool em meu sangue.

— Não estou negativa em relação ao casamento — respondo, baixinho.

— Quem quer café? — Ben interrompe alegremente.

☞ 30

No dia seguinte, tenho um evento social importante e consideravelmente menos tenso: vou preparar um almoço para meus três amigos mais próximos. Talvez eu me arrependa de descascar cenouras quando poderia muito bem comprar tudo pronto, mas o jantar me fez pensar como sou feliz por ter amigos que não são a) Matt nem b) Lucy.

O palácio de Rupa parece equipado a princípio, muito devido a sua cozinha impecável. Quando observo com calma, vejo que o apartamento é equivalente àqueles hotéis modernos e ultra-arrojados com armários sob medida e nenhum lugar para colocar sua bolsa. Até mesmo os ingredientes que comprei no mercado e coloquei sobre o armário estreito fazem o lugar parecer um festival escolar. Enquanto mexo com as panelas, abro e fecho a tampa do forno e desejo que a pele do frango estivesse menos parecida com a minha e mais parecida com a de Olívia, penso que a esposa de Ben faz tudo com facilidade. Ela não enfrentou dificuldade para preparar um jantar para seis ontem à noite, e tudo com muita confiança. Quando cozinho para as pessoas, eu as observo mastigar, e já fico alerta para me desculpar. E não consigo fazer nada sem estresse.. ("Só colocar uma tigela de macarrão no meio da mesa e convidar todo mundo a se servir, o que poderia ser mais fácil?" O BAR.) Vejo meu rosto pálido no vidro de Rupa e penso que Olívia e eu somos bem diferentes, e nem sequer parecemos pessoas da mesma espécie e gênero.

Para confundir, Rupa tem um belo aparelho de jantar — branco, quadrado, com folhas prateadas nas bordas —, então é fácil arrumar a mesa, mas não há talheres, e deixei a maior parte dos meus na outra casa. Quando Caroline chega, tenho de voltar correndo para mexer a cenoura com uma faca de pão e checar a firmeza do frango com um *hashi*.

— É fascinante ver uma profissional nata em seu habitat natural — ela diz. — Como se fosse um laboratório gastronômico. Veja! Espuma!

Pego uma panela que está transbordando.

— Vaca mal-agradecida.

— Haha. Vamos esperar para ver se o Ivor está usando aquele quepe ridículo de motorista de trem para você ter onde servir o purê? — Ela ri de modo maquiavélico e pega uma azeitona sem caroço, da marca Queen Green, a qual desaparece dentro de seus lábios cobertos de batom. Você sabia que todo mundo usa calças menos sérias e um rabo de cavalo no domingo, quando está entre as pessoas mais chegadas, certo? Mas a Caroline não.

— Saúde — ela diz, erguendo a taça de vinho e bebendo em seguida. — Ah, como é bom sair de casa.

Ela fecha os olhos, recostando-se.

— Graeme poderia ter vindo também — digo, feliz que ele não veio, ainda que não comente nada. Ele está sempre inquieto, sempre arredio. E estaria andando por aqui procurando defeitos. Não há nada de errado com o Graeme, e com certeza ele combina muito com a Caroline. Só que combina com todas as partes dela que são diferentes das minhas. Analisamos nossos papéis na vida de Caroline tentando entender o que ela vê em um e no outro.

Caroline volta a abrir os olhos.

— Graeme está tão reclamão agora. O trabalho tem exigido muito dele, tanto que passa o tempo todo no escritório ou caminhando de um lado a outro com um telefone preso contra a orelha. Eu o vi no canto do jardim tentando falar com alguém quando deveria estar cortando a grama. Precisei fazer com que parasse antes que arrancasse um monte de plantinhas.

— Ele é muito... hum... intenso — concordo.

— Eu sei. Às vezes fico tentando imaginar se conseguiremos ir mais devagar. Temos a casa grande, os carros, as férias. Só compartilhamos o *Newsnight* e os jantares tailandeses prontos. Estou a fim de uma mudança.

Caroline e Graeme decidiram tentar ter um bebê no ano que vem. Por serem um casal de executivos superorganizados, eles criaram um cronograma.

— Bom, ele vai ter que pegar leve se você engravidar.

Caroline resmunga ao ouvir isso.

— Posso perguntar uma coisa, Rach? Pessoal? — Ajeito as batatas assadas no prato mais algumas vezes, coloco-as no forno, pego meu vinho e digo um decidido "Sim". Afinal, é bom estar em contato com pessoas que perguntam se podem fazer uma pergunta pessoal. Ela continua: — Como estavam as coisas entre você e o Rhys dentro do quarto?

— Hum...

— Não se preocupe. Não precisa me dizer.

— Não, não. Tudo bem. Era meio uma rotina. Normalmente, o Rhys, depois de passar a noite com os caras, voltava para a cama com cheiro de cigarro, que não deveria mais estar fumando, e dizia: "Está a fim de dar uma?".

— Nossa! Que ótimo — Caroline revira os olhos.

— Nós nos separamos — eu lhe digo.

— Eu sei! É por isso que revirei os olhos. O casal prestes a se separar estava fazendo mais vezes do que o Gray e eu.

— Caroline, o Rhys e eu não nos separamos por causa do sexo nem por falta dele.

— Eu sei. — Ela segura a manga de sua bela blusa de lã. — Ultimamente, Gray tem sentido o desejo sexual de um panda.

— Isso é muito? Ou não?

— Bom, os zoológicos marcam data para que eles venham da China e noticiam no jornal quando uma delas fica prenha. O que você acha?

— Ah, sim. Bem, essas coisas variam; vai voltar ao normal.

Ela assente e pega mais uma azeitona. Somos interrompidas pela campainha. Recebo Mindy e Ivor e sirvo uma taça a cada um.

— Ao recomeço da Rachel — Mindy brinda, e, assim que nossas taças se tocam, eu me lembro de um brinde parecido a Ben e Olívia.

Desde que a conheci, quase não penso no quanto eu a invejo. Não porque não a inveje, mas, se começasse a fazê-lo, nunca pararia. Viveria encolhida num canto ou me corroeria por dentro como ácido. Apesar de ser uma pena ela não ter um senso de humor melhor, já que Ben é muito bem-humorado. Quando Lucy comentou que seu filho podia ter transtorno do déficit de atenção, Simon disse:

— Será que ele pode me vender um pouco? Preço do gueto? — E Ben e eu rimos. Olívia, por sua vez, só franziu o lindo nariz. Acho que Ben deveria ter procurado um nariz lindo *e* bom humor.

Apesar de todo mundo ter bebido uma taça a mais do que eu pretendia, o almoço fica pronto, até comestível, e, colocando os pratos no balcão, todos nos servimos e vamos para a mesa.

— Conte sobre o encontro, Mind — eu lhe peço assim que todos os pratos estão cheios.

— Foi divertido — ela responde. — Vamos conhecer aquele novo restaurante, Deansgate, na quinta-feira. Jake está cursando mestrado em relações internacionais, por isso conversamos muito.

— Talvez você possa fazer um favorzinho a ele no sábado — Ivor pergunta.

— Pelo menos estou saindo com alguém, Ivor.

Ele resmunga e pega mais uma batata.

— Ah, como foi o jantar? — Caroline me pergunta.

— Foi bom. Estou meio destreinada para aquelas conversas, mas acho que me saí bem.

— Como é a esposa de Ben?

— Bonita... — digo.

— Naturalmente — Caroline afirma.

Bem, não tão natural; ela parece ir à câmara de bronzeamento para pegar aquela cor, eu penso sem conseguir me controlar.

— ... e bacana. Não consegui conversar muito com ela; alguns amigos deles estavam lá. Falavam bastante.

Conto a todos rapidamente a conversa acerca de filhos, entre outras coisas.

— A esposa de Ben perguntou se você quer ter filhos? — Mindy quer saber.

— Sim.

— Isso é coisa de gente sem noção.

— É?

— Claro. Não se faz uma pergunta desse tipo a alguém que acabou de terminar um noivado, certo? Imagine se você tivesse um problema que fosse a causa do rompimento? — Ivor abafa um gemido. — O quê? — Mindy continua. — Estou falando sério. E se a Rach tivesse dito: "Sou seca por dentro"; "Tenho o útero aberto"? O que eles teriam feito, nesse caso?

Quase deixo a couve-de-bruxelas voar para longe.

— Eles teriam se arrependido muito de ter dito isso, como eu gostaria que você não o tivesse feito? — Ivor pergunta.

— O útero aberto é real; minha tia teve isso quando nasceu meu primo Ruksheen. Precisou ficar de cama durante três meses. Então, posso dizer que não vale o trauma. O Ruksheen é enorme.

— Incrível — Ivor diz.

— O quê?

— A refeição na casa de Rachel se transformou, em um instante, em Casos de Família.

— Obrigada por sua preocupação — digo a ela quando paro de rir.

— As pessoas se aproveitam de seu senso de humor — Mindy diz, séria.

— Como você está? — pergunto a Ivor.

— Bem, obrigado. A Katya finalmente vai sair; já me deu o aviso. Decidiu viajar pela América do Sul, e parte no fim do mês.

— Pronto, a bruxa vegana se foi — Mindy diz, alisando a saia azul sobre as pernas.

— Ah, ela não é tão ruim — Ivor comenta, esfregando um olho.

— Ah, Ivor! — Mindy grita. — Quantas vezes você já disse que a Katya isso, a Katya aquilo? "A Katya jogou minhas balas no lixo!"; "A Katya colocou um símbolo de fertilidade africano na parede de casa e fez furos no gesso!"; "A Katya me fez assistir a um vídeo do PETA a respeito da criação de ocelotes e passei uma semana sem dormir!".

— Não acho que falei que tinha sido uma semana — Ivor diz, olhando para Caroline e para mim.

— Agora que ela está indo embora, vem com esse papo de "Ela não é tão ruim". Você é muito falso.

— Só quero dizer que é mais fácil aguentá-la sabendo que tem prazo para acabar.

— Esse fim poderia ter vindo antes se... — Mindy para de falar quando Ivor imita um fantoche falando ao movimentar uma mão.

— Você vai encontrar Ben e a esposa mais vezes, então? — Caroline se vira para mim.

Pergunta difícil. Está na hora de jogar o ás.

— Talvez. Eu marquei um encontro com o Simon.

— O Simon que eu conheci?

— Sim. Um advogado amigo de Ben — digo para que Mindy e Ivor se situem na conversa.

— Que ótimo! O que fez você mudar de ideia? — Caroline pergunta, quase soltando os talheres, surpresa.

Eu receio que a ansiedade dessa reação foi o que me fez mudar de ideia. Se todo mundo estiver observando o que acontece com Simon, ninguém ficará analisando outros aspectos de minha vida. Redirecionamento. Para o meu próximo truque, precisarei da ajuda de uma assistente.

— Espírito de aventura — digo vagamente.

— Que bom, Rach.

— Como ele é? — Mindy quer saber.

— Sim, diga o básico, ou seja, quanto ele consegue puxar no levantamento de peso, quem faria o papel dele em seu filme biográfico... — Ivor diz, olhando para Mindy.

— Alto, loiro, moderno, confiante, bom para fazer comentários.

— Um bom partido — Caroline conclui, com a boca cheia de frango. Quero ficar com o Simon? Tenho certeza de que não. — Sei que é cedo, mas você precisa aproveitar as oportunidades — ela diz, depois de engolir.

— Sim, foi o que pensei. — Eu não pensei em nada. Lembro-me de Simon, segurando meu cotovelo quando saí, ter dito: “Podemos nos ver de novo?”. *Sim* pareceu a única resposta educada. Além disso, seria totalmente grosseiro deixar alguém que me apoiou no discurso sobre “querer o melhor do melhor” a ver navios, apesar de eu desconfiar de que ele estava blefando na maior parte do que disse.

— Quando você vai sair com ele?

— Não sei. Ele me convidou, e disse que telefonaria. Eu ainda acho que é improvável que nos tornemos um casal, mas não faz mal confirmar.

— Isso mesmo. — Satisfeita, Caroline bebe um pouco e olha com aprovação ao redor. — Sabe, esse lugar quase vale o dinheiro. Não totalmente, mas em sua maior parte. Apesar de os armários de Rupa não contarem com os itens essenciais, como nós, na época de faculdade.

— Agora é a hora de querer saber por que o molho está dentro de um vaso? — Ivor pergunta.

31

O telefone decorado em nosso apartamento não indicava o primeiro sinal de que nosso senhorio era louco por Manchester. Nosso apartamento de escolha, em Fallowfield, tinha sido anunciado como um imóvel de três quartos — estávamos sem Ivor, que trabalharia fora por um ano.

No fim da visita, Caroline perguntou: "O que tem aqui?", puxando a maçaneta de uma porta no andar de baixo. O senhorio ficou nervoso, como se ela estivesse violando algo.

— É o quarto do Derek — ele disse, como se todos os acordos envolvessem um Derek. — Ele vai ficar. É por isso que o aluguel é tão baixo.

— Nós três nos entreolhamos. Não tão baixo. — Derek — o senhorio bateu com os dedos à porta. Derek apareceu, um cara alto e ensebado, e resmungou um oi. Era pós-graduado em Astrofísica, motivo que explicava por que ele mantinha um telescópio na janela.

Nós pedimos licença, saímos apressadamente e, enquanto tomávamos café ali perto, concordamos que não haveria como nos mudarmos para uma casa que alojasse um maluco. Então, pedimos mais café, bolo de cenoura e discutimos como os quartos eram espaçosos, lembrando os vários terraços fedidos pelos quais havíamos passado, e concluímos que Derek não era tão horrível, se abríssemos a mente e fechássemos o nariz. Telefonamos de novo para o senhorio e dissemos que ficaríamos com o lugar.

Felizmente, Derek parecia ter uma vida noturna muito intensa e passava a maior parte dos fins de semana com a família em Whitby. Onde Drácula ficava. Sem mais perguntas, Excelentíssimo.

Ele estava fora na noite de nosso primeiro evento social importante desde que havíamos nos mudado, uma festa de Halloween do grêmio da faculdade. Eu havia passado o dia com virose, vomitando de hora em hora, conseguindo olhar com muita atenção todos os cantos que a equipe de limpeza não alcançava no banheiro. E ainda me sentia bem irritada porque não tinha bebido álcool para chegar àquele estado, e a virose me impediria de beber.

No andar de baixo, uma vampira sexy e uma bruxa de pele morena com meias listradas, equilibrando uma garrafa de plástico enorme no quadril, olharam para mim quando eu caminhei no corredor para me despedir.

Caroline encostou as costas da mão fria e de unhas pintadas na minha testa.

— Voxe extá begampo fofo.

— O quê?

Ela tirou os dentes de plástico.

— Você está pegando fogo. Quer que eu fique?

— Não, estarei bem.

— Vamos beber uma por você! — Mindy disse, pegando a garrafa e ajustando a aba do chapéu de bruxa.

Eu senti náusea de novo.

— Faleu — eu disse, como se estivesse falando com dentes falsos também.

Aproximadamente uma hora depois, escutei uma batida à porta.

— Quem é? — perguntei sem abri-la.

— Um visitante sanguinolento — a pessoa de voz familiar respondeu. Abri a porta. Ben vestia um casaco inteiramente abotoado, mas o abriu até o queixo para que pudéssemos conversar. — Como você está?

— Incrivelmente lascada — afirmei delicadamente, afastando-me para deixá-lo entrar, pouco à vontade por aparecer de pijama de algodão. A estampa meio psicodélica registrava animais sorridentes da fazenda tocando instrumentos musicais. — Onde está sua fantasia? — perguntei a Ben, tentando fazê-lo desviar a atenção da minha pessoa.

— As fantasias são uma maneira horrorosa de acabar com uma boa festa. É engraçado, porque todo mundo está muito assustador, mas você está com mais cara de morte do que todos eles.

— Você passou aqui para me dizer isso?

— Não; vim ver como se sente. O que você está tomando para esse problema?

— Tomei dois comprimidos de paracetamol há um tempinho.

Dois comprimidos que encontrei no fundo do meu estojo de maquiagem. Precisei tirar um fio de cabelo de cima deles. Senti náusea de novo.

— Certo — Ben disse. — Vou buscar umas coisas. Guarde um lugar para mim no sofá.

— Ben, você não precisa fazer isso.

— Eu sei.

— Pronto — ele disse quando voltou, e me deu os comprimidos com um copo de água, enquanto eu permanecia atirada no sofá. — Eles são bons, mas fortes. Você toma algum outro remédio que deveria me dizer?

— Só o anticoncepcional.

Ben fez uma careta.

— Eu não precisava saber *disso*. — Joguei os comprimidos dentro da boca e os engoli sem água. — Caramba — ele disse.

— Tenho um monte de saliva na boca — expliquei, apontando.

— Que bom — Ben deu um sorriso enojado.

Virou o conteúdo da sacola de mercado: água mineral, salgadinho, Coca-Cola normal, biscoitos, vitaminas e mais paracetamol. Sentou-se ao meu lado e começou a mudar de canal.

Olhei-o de canto de olho.

— Você não se importa de perder a festa?

— Bem, veja, o coquetel de abertura se chamava "Bebida das Cadelas".

— Ah, você acha que era feito com cadelas de verdade?

— Difícil saber.

— Pense bem. Tinha gosto de Georgina Race?

Ben bateu na minha cabeça com a revista de programação.

— A Caroline disse que, quando ela saiu, você parecia uma marmota órfã numa segunda-feira de manhã. Pensei: caramba, conheço essa casa, e então, minha consciência não me deixou ficar de fora.

— Marmota órfã! — eu ri, sentindo-me estranhamente tocada pelo carinho dele.

Então me acomodei na minha metade do sofá e começamos a discutir sobre o programa a que assistiríamos, até concordarmos em ver *Clube dos Cinco*.

— Você é ela. Resumindo — Ben disse depois de alguns minutos, apontando para Ally Sheedy, espiando por baixo da pele de seu casaco com capuz.

— Uma mentirosa maluca e compulsiva? Você é o nerd no corpo de uma anã. Você é o CDF preso dentro do corpo do capeta.

— Credo, que ideia. — Ben parou. — Pelo menos você não acha que sou o anão. Quer saber do que uma menina me chamou ano passado? De insosso.

— O quê? Por quê?

— Ela disse que eu era... — Vi o rosto de Ben corar. — Ela disse que eu era "amigo de todos" e "agradável" e me dava com todos e que era *blé*. Insosso. Ser condenado como chato é a pior coisa, não? Se alguém o chama de idiota, você consegue melhorar. Mas, quando uma pessoa chata tenta ser interessante... ela provavelmente só consegue ser mais chata.

— Que vaca! — gritei. — Eu aposto, não, eu juro que ela foi rejeitada por um cara parecido com você na escola e decidiu descontar. Não existe nada de errado em ser legal.

— Legal — Ben sorriu, ainda fazendo uma careta.

— Gentil, então. Solícito. Não chato. Que deixa as pessoas à vontade. Popular. Você não é insosso. Ela não o conhece o suficiente para saber que você não se gaba de sua beleza. Acho que ela confundiu legal com insosso.

Percebi que tinha dito mais do que pretendia e voltei minha atenção ao programa na TV.

— Obrigado — ele disse, com gratidão, talvez até um pouco surpreso.

Ben abriu um pacote de balas e me ofereceu. Eu as cheirei, saí do sofá e subi correndo em direção ao banheiro, tentando segurar o vômito até chegar à privada. Depois de escovar os dentes três vezes, voltei para a sala de estar, pálida e fraca.

— Pelo menos seus pulmões parecem fortes — Ben disse. — Um trovão.

— Um rojão, na verdade — retruquei, e ele cobriu a boca com a mão, as migalhas de batatas de volta à mesa de centro e um sinal de positivo.

Meia hora depois, apesar de já ter tomado o remédio, a náusea voltou. Não tive tempo de subir as escadas e entrei no quarto de Derek, e corri para seu banheiro, tentando não olhar nada que pudesse estar no chão. Segurei meus cabelos e vomitei, e meu corpo se arqueou pelo esforço quando terminei, em seguida puxei a descarga e me recostei na cerâmica fria do vaso. Eu me arrastei até a pia e enxaguei a boca. Ouvi uma batida leve na porta, e Ben espiou ali dentro.

— Melhor?

Sem me importar com a vaidade, assenti. Prestes a chorar pelo meu estado físico patético, voltando à infância, eu choraminguei:

— Não quero mais ficar doente, Ben. Estou muito cansada.

— Eu sei.

— Quero minha mãe — eu disse, e não era bem uma brincadeira.

— O que sua mãe faria? — ele perguntou.

Eu ergui e bati os braços, impotente.

— Ela me faria carinho. E faria chá de limão.

— Então você vai ter que se virar comigo e com a vitamina.

Ben se aproximou e me abraçou. Foi bom ser abraçada por alguém mais forte e mais saudável, como se eu pudesse absorver sua saúde por osmose. Recostei a cabeça na camisa dele. Ficamos ali por um momento. Soltei meu corpo no de Ben, totalmente, e me esqueci do constrangimento.

— Você é uma boa mãe — murmurei.

— Sempre quis que, um dia, a mulher dos meus sonhos me dissesse isso — ele retrucou, acariciando meus cabelos cheios de vômito. Eu teria dado uma cotovelada em suas costelas em resposta, mas me faltavam habilidades motoras.

32

A maior ilusão nos dramas de tribunal não é o número de vezes que os advogados gritam "Objeção!" ou caminham de um lado a outro em apelo emocional ao júri. É o ritmo intenso do diálogo. Esqueça aqueles floreios no fim que transformam um caso de repente: os casos reais do tribunal são exercícios de pedantismo para confundir, conforme os fatos vão sendo abordados nos mínimos detalhes necessários.

O advogado de acusação do caso da lipoescultura utilizou a última meia hora repassando os detalhes dos procedimentos de anestesia com uma enfermeira preparada. Estou com uma dor de cabeça forte e a convicção de nunca fazer um procedimento desse tipo. Alguns casos no tribunal são tão lentos que estou certa de que nunca terminarão, e assim terei de inteirar meu sucessor acerca do assunto quando me aposentar. O juiz anuncia que faremos um intervalo mais cedo para ele poder analisar as informações recentes por escrito. *Aha*. Ele também quer dar uma folheada em uma revista de celebridades.

Na sala de imprensa, abro meu laptop e confiro os e-mails. Entre mensagens de colegas com frases de assunto sem graça como: "FWD: *Isso me fez rir alto!!!!!!!!!!!!*", vejo uma de Ben Morgan.

Meu coração acelera.

Então, decido abri-la: "*Oi! Você se divertiu no sábado? Desculpe se o Simon foi... o Simon. Ben*".

Releio a mensagem diversas vezes, e então digito: "*Oi! Foi muito agradável; obrigada por me convidarem. Como conseguiu meu e-mail?*".

A resposta chega um minuto depois com "*Espero que você não seja repórter investigativa*" na linha de assunto. Na mensagem está escrito: "*... está escrito em todas as suas matérias no jornal*".

Eu rio alto, e respondo: "*Duh! O Simon é divertido...*".

Ben responde: "*Não estávamos tentando unir vocês dois; peço desculpas se ficou parecendo isso. Algumas pessoas desistiram e só percebemos que poderia ser mal-interpretado quando já era tarde demais*".

Pela conversa que ouvi, tenho certeza de que, se isso é verdade, só se aplica ao Ben, não à Olívia. Parece que o Simon não contou ao Ben que vamos sair. Também não sei bem se devo acreditar.

"*Foi legal*", digito. "*E, em troca, quero convidar você e Olívia para irem ao meu open-house*".

Oi? Vou fazer um *open-house*? Que bom que meu subconsciente me disse.

Ben responde: "*Adoraríamos! Só diga quando/onde. Bom, vou voltar ao tronco. B*".

Digito uma despedida animada e releio a conversa, mas sou interrompida por Gretton, com cheiro de cigarro nas roupas.

Ele murmura sozinho enquanto analisa uma pilha de tabloides para ver se suas histórias foram usadas. Como ele não é da equipe, a maioria dos jornais coloca o nome de outro funcionário na matéria, ou simplesmente o título do jornal e "repórter". Ele recebe se a matéria for usada, e só se importa com isso.

— Você está feliz — digo, desconfiada.

— Feliz, feliz, feliz — Gretton concorda, levando a mão ao nariz. — As galinhas entrarão no galinheiro.

— O que você andou fumando, Pete?

Ele pega o *Sport* do topo da pilha de jornais, balança-o de modo teatral e desaparece atrás dele.

Um e-mail de Simon chega com os detalhes da minha entrevista com Natalie Shale. Termina com um *"PS: Vamos sair para aquele drinque quando tudo isso tiver terminado. Obrigação antes da diversão, coisa e tal"*.

Aquilo me faz sorrir. Simon é esperto o suficiente para não me envolver antes de fechar a negociação com ele. Fechar a negociação... Ele não vai tentar ir para casa comigo em um primeiro encontro, vai? Não me parece provável, mas já estou fora do mercado há tanto tempo que todas as regras podem ter mudado. Não sei se devo ir a um encontro com alguém que não consigo imaginar em minha casa, mas Caroline diz que preciso fazê-lo, e ela é sensata.

Zoe entra, batendo as botas lustrosas, e se senta.

— Zoe — digo —, pode assumir esse caso de lipoescultura na sexta? Já fiz a base. Se houver um veredito, passo para você.

— Não tem problema — ela responde. — Falarei com a edição, mas com certeza vai dar certo. É para você ficar livre para a entrevista?

— Sim.

— Que bom. Alguém quer alguma coisa do café?

Balanço a cabeça, negando, e Gretton observa Zoe sair.

— Você não tem orgulho, Woodford?

— Oi?

— Ela é uma contadora de histórias. Não espere parceria nesse trabalho.

— Você já confiou em alguém e foi recompensado por isso, Pete?

Ele abre e estala os lábios molhados, ruminando.

— Terei que dizer que não.

— Isso deveria lhe sugerir alguma coisa.

— Levando em conta que tenho dez anos a mais do que você, então deve sugerir alguma coisa a *você*.

— Dez? Quinze, no mínimo.

33

A casa de Natalie Shale é de tijolos aparentes, da época pré-guerra, de frente para a praia, o tipo mais visto nos bairros residenciais de Manchester. Aperto a campainha e escuto um toque baixo reverberando pelas paredes do lado de dentro. Bato os pés e tento imaginar se os vizinhos estão observando por trás das cortinas. Natalie abre a porta e fico surpresa com sua presença, mesmo usando roupa de ficar em casa, ou seja, blusa de algodão e uma calça de ginástica.

— Rachel? — ela pergunta, alerta, como se um batalhão falso de Rachel Woodford tivesse passado pela porta da casa dela hoje de manhã. Imagino Gretton com uma peruca de cabelos pretos, pernas peludas, saindo de uma saia-lápis justa. Credo...

— Sou eu. Simon combinou...? Muito obrigada por nos oferecer sua entrevista.

— Sim, claro, entre.

Eu a acompanho até o corredor, sento-me no sofá, pego o bloco de anotações e percebo que Natalie já tem um gravador sobre a mesa de centro.

Ela percebe que o observo e pergunta:

— Você também não tem que gravar?

— Não, prefiro fazer anotações. Não confio em gravadores.

— Ah. — Ela olha para o equipamento um tanto confusa, como se ele pudesse mordê-la. — O Simon disse que eu deveria gravar; desculpe.

Por que isso não me surpreende?

— Claro — eu digo, e Natalie parece feliz por ver que não haverá discussão. — O fotógrafo vem às duas. Tudo bem? — pergunto-lhe.

— Sim — ela sorri. — Não se preocupe. Eu me troco até lá. Quer chá?

— Obrigada. Puro e sem açúcar.

Enquanto a chaleira apita, olho a sala de estar de Natalie e faço algumas anotações mentais para dar "cor" à matéria. Eu poderia escrever, mas parece mal-educado ficar anotando coisas pela casa enquanto ela estiver falando. Há fotografias das filhas de Natalie em quase toda a superfície à vista. Eu também ficaria tentada a me exibir se tivesse dado à luz crianças tão lindas quanto aquelas. As fotos mais recentes mostram as duas com roupas iguais, os cabelos presos em coques afro. Na maioria das fotos, elas estão rindo, de boca aberta, mostrando dentinhos de leite. Um quadro grande sobre a lareira registra Natalie com as meninas, como se elas estivessem sentadas em uma canoa invisível, com as mãos nos ombros umas das outras.

É o tipo de foto que todos querem ter para mostrar uma família feliz, o que de certo modo me faz pensar em famílias americanas disfuncionais, nas quais o filho esquisito e calado leva todos para a garagem e os mata a tiros.

A televisão, com volume baixo, exibe um tipo de novela norte-americana de estúdio. A atmosfera na casa é de satisfação e calma, inviabilizando imaginar o trauma que as pessoas aqui passaram.

— Espero que não esteja muito fraco — Natalie diz, voltando com uma xícara. — O Lucas sempre diz que gosto de "chá de bebê".

Quando ela passa por mim, vejo que na xícara está escrito "Melhor pai do mundo". Fico tentando imaginar se ela percebeu ou se só se concentrou em fazer o chá.

— Tudo bem — digo, bebericando. Já bebi chá fraco em empregos anteriores: caneca lascada, cheiro de leite estragado, xícara mal lavada pelo proprietário com problemas de visão, normalmente acompanhado por biscoitos murchos, e tive o cuidado de comer tudo. Não me importo porque as pessoas costumam ter boas notícias, afinal. — Suas meninas são tão bonitas — acrescento, apontando para uma foto.

— Obrigada — Natalie diz. — Elas estão na escolinha, caso contrário seria difícil. Você tem filhos?

— Não. — Para evitar que a revelação sugira que estou julgando o fato de ela ter filhos, acrescento em tom de desculpa: — Mas, um dia, vou ter.

Faz-se um breve silêncio enquanto bebericamos o chá.

— Então, o Simon disse que podemos falar sobre qualquer coisa que não sejam os detalhes do caso de apelação — digo.

— Sim, isso mesmo. — Natalie coloca o telefone sobre a mesa de centro, ao lado do gravador.

Viro uma página em branco no meu caderno, pensando em como devo começar... Pelo começo, quando ela e Lucas se conheceram, ou direto para o drama e volto para trás? Alguns entrevistados precisam de aquecimento, outros têm lapsos de memória.

— Aí está Bridie! — Natalie grita, sugerindo ser o tipo de entrevistado com lapso de memória, e estica o pescoço para olhar pela janela. — Minha amiga acabou de voltar de férias e preciso falar com ela sobre seu gato.... Desculpe, você se importa?

— Não, não — digo. — Vá em frente.

Vejo Natalie descer o caminho da frente e encontrar Bridie, uma moça grande de cabelos despenteados. Ela é praticamente ovoide, vestindo um macacão preto, e parece aquelas mulheres que pagam para receber a previsão diária do horóscopo de Jonathan Cainer.

Natalie começa a gesticular, possivelmente sobre o tempo, e acho muito surpreendente se preocupar com o animal de estimação da vizinha enquanto sua outra metade está presa por um crime que não cometeu. Eu me viro e tento me concentrar na televisão, que agora está mostrando propagandas. Credores e caça-credores que podem impedir que você se envolva com mais credores em parcelas mensais, e uma lâmina multifunção que faz o ato de fatiar legumes virar brincadeira de criança.

Se eu me empenhar nessa exclusiva e florear um pouco, pode ser que consiga um prêmio do jornalismo. Assim, Natalie vai ficar orgulhosa por saber que seu trauma me mandou para uma premiação em Birmingham ou Londres, ou talvez eu possa tomar vinho branco e quente em taças parisienses, ganhar uma salva de palmas e disputar a atenção indesejada de concorrentes fulos da vida na lista de indicados.

Natalie ainda está falando mais do que a boca. Uma mensagem de texto chega em seu celular, e a tela redonda se acende com uma luz azul.

Um pensamento malvado me ocorre, tão malvado que me surpreende. *Leia a mensagem.* Aqui está você, sozinha com o telefone dela; por que não? A maioria dos jornalistas que conheço leria sem hesitar. Para começo de conversa, usamos recursos escusos a fim de entrar no lar das pessoas, e, portanto, xeretar quando já se está dentro da casa não seria um crime tão grave. Alguns jornalistas considerariam uma postura ruim *não* ler a mensagem. Eu sou um deles?

Minha mente se agita. Eu teria de deletar a mensagem, claro, ou ela perceberia que a li. E se houver uma informação urgente e eu não puder revelá-la sem contar o que fiz? Ou se a pessoa que a enviou quiser saber por que não houve qualquer resposta, confirmando que a enviou, e Natalie chegar à conclusão por causa do horário...?

Ah, pare de ser tão banana, Rachel, eu penso. A maioria das mensagens de texto são tão importantes quanto aquelas que o Rhys costuma enviar do bar, embaixo da mesa, durante os jogos de perguntas e respostas: "*Em que ano Dirty Dancing foi lançado? Depressa*". Ou divertidas, como as de minha mãe: "*Você fez exame de Papanicolau este ano? A Wendy, do trabalho, foi diagnosticada com câncer de ovário*". Câncer, está aí uma coisa com que se preocupar, e não ler uma mensagem de texto que nem sequer foi enviada a você.

Estendo a mão e a afasto depressa. Onde estou com a cabeça? Onde estão meus princípios? Olho pela janela, e vejo Natalie ainda falando. Os segundos passam sem parar.

Depois de pensar mais um pouco, leio a mensagem: é de Simon, perguntando como está indo a entrevista. Normal. Será que ele vai dizer alguma coisa sobre mim? Trata-se de um cara que estou pensando em namorar. Ver a prova de que ele sabe ser mau talvez me livrasse de muita angústia. *Que se dane*, eu penso. Só uma alteração dos padrões, e serei discreta a respeito do conteúdo da mensagem. Natalie nunca precisará saber. Bisbilhotagem responsável. Verificando se ela ainda está a uma distância segura e distraída no papo felino, abro o telefone e clico na mensagem. As palavras de um desconhecido aparecem na palma de minha mão suada: "*Como você está hoje, N? Sinto muito a sua falta. Não consigo parar de pensar naquela noite. bjo PS: o que está vestindo?*".

Com os olhos arregalados, eu olho pela janela, de novo para a mensagem e tento entender. O telefone de Natalie não reconhece o remetente como um contato de sua lista, apenas como um número.

É do marido, eu penso, fechando o aparelho e colocando-o sobre a mesa. Claro. Ele deve ter acesso a um celular. Algumas pessoas não levam telefones para dentro da cadeia, escondidos em lugares absurdos? Sim, isso mesmo. É isso.

Mas... está falando "daquela noite". Lucas não tem uma "noite daquelas" com a esposa desde o ano passado. Ah... Número errado! Sim, foi engano. Não. Não pode ser. A pessoa a chama de "N".

Olho para fora de novo. Natalie ainda está falando. O pânico me domina: eu me esqueci de apagar a mensagem. Ela vai saber que a li. Pego o telefone de novo, abro-o, hesito, rolo até o número. Só vou dar uma olhada no número do Simon e pronto. Deleto a mensagem e volto a colocar o telefone sobre a mesa de centro, tomando o cuidado de virá-lo de modo que aponte para onde Natalie estava sentada. Tomo um gole grande de chá, como se ela fosse entrar de novo, ver o líquido em minha xícara e dizer: "Está com 200 ml; é muito".

Espero, escuto a conversa, pensamentos sobrepondo-se.

— Me desculpe; o gato dela saiu correndo enquanto eu o alimentava. Um pesadelo completo — Natalie diz, sentando-se no sofá. Ela checa o telefone. Meu coração bate forte: *tum-tum-tum*.

Ela liga o gravador e confere se está funcionando.

— Por onde quer começar? — Pigarreio. — Quando o júri leu o veredito de culpa, como eu me senti?

34

Aparência frágil de Natalie contradiz sua atitude forte, do tipo exigido para criar duas crianças pequenas sozinha, coordenar a campanha do marido por justiça e, acima de tudo, manter a fé de que ele vai voltar para casa logo. Será que ela ainda pode crer em um sistema que, segundo ela acredita, levou o marido à cadeia? Sua resposta mostra como uma ex-assistente de oftalmologista de Bury entrou de cabeça em um processo judicial e o poder do pensamento positivo.

"Os tribunais podem cometer erros. O sistema judicial não existiria se não fosse assim", ela diz, e "a equipe jurídica de Lucas confia que a evidência nova será suficiente para derrubar o veredito, e eles não permitirão uma nova apelação." Em suas visitas a Lucas, conforme explica, eles nunca conversam sobre a possibilidade de a apelação dele não dar certo. "Conversamos sobre as meninas, se eu paguei as contas. Coisas chatas, mas Lucas diz que isso o mantém são."

Enquanto alguns parentes e amigos caíram no choro quando a sentença de Lucas foi proferida, Natalie permaneceu firme. O que estava passando em sua mente, naqueles momentos terríveis? "Eu sabia que precisava ser forte pelo meu marido", ela explica. "Ele é inocente, é isso o que importa, e a verdade virá. Se eu me entregasse, como poderia ajudá-lo? Ele precisa de mim para apoiá-lo. Ele depende de mim."

Desvio o olhar de minhas anotações, sentindo-me meio zonza, como se não houvesse chão sob meus pés.

Se a mensagem é o que parece, e Natalie estiver tendo um caso, fico tentando imaginar se começou antes de o marido ser preso. Em algum momento do passado, eu teria ficado assustada. Mas, realmente, só as duas pessoas envolvidas no relacionamento sabem o que realmente acontece. *E às vezes, nem elas*, uma voz diz.

Uma hora depois, estou fazendo a revisão do texto e preparando-o para enviá-lo à edição. Não passa de um trabalho comum, não haverá competição, mas quero terminar, concluí-lo logo. Não quero mais pensar no número que não era o do Simon.

Ken envia um e-mail vinte minutos depois. "*Bom texto*", está escrito. "*Vamos esperar até a semana do julgamento. Boa foto também.*"

Se estivéssemos ao telefone, tenho certeza de que ele diria: "Ela é bonitona!". No e-mail, Ken é político: nunca se deixe enganar pelo lance do e-mail; nunca deixe registros eletrônicos.

O fotógrafo me telefona para saber a grafia dos nomes das gêmeas.

— Que estranho ela não ter fotos do marido à mão, não? E teve que sair à caça de uma que pudéssemos usar.

— Provavelmente é muito doloroso para ela ficar olhando para a foto — eu digo, e encerro a conversa.

☜ .. ☞

Todo trabalho tem seus desfafios, e o meu envolve comédia stand up gratuita ou, para dar um título formal, desrespeito ao tribunal. Sempre que um personagem desarticulado ou exibido sobe à tribuna, as palavras se espalham. E não são apenas os jornalistas, pois advogados e assistentes se unem no falatório.

"Entre no 2, depressa" se espalha como fogo no palheiro, e de repente o tribunal fica repleto de pessoas simulando um motivo para estar ali.

A pose preferida é se sentar em uma cadeira do fundo, observando a sala vagamente, como se tivesse uma mensagem para entregar a alguém que não consegue localizar imediatamente sem perturbar o andamento.

Entre os principais, estava uma pessoa da rua que mostrou um seio tatuado a um juiz e disse que ele "parecia um cliente" (Gretton não estava, porque tinha ido ao dentista fazer um canal, assim não sei o que foi mais dolorido para ele: o dente ou a teta perdida), um homem com distúrbio de personalidade múltipla que respondia a cada pergunta com um sotaque diferente, e um DJ que solenemente tirou a camisa no meio do tribunal para mostrar uma camiseta na qual se lia: "Só Deus pode me julgar". (Diante de um juiz que escorregou os óculos pelo nariz e disse: "Infelizmente para você, Ele deu esse direito a mim".)

Então, na segunda-feira, na hora do almoço, quando um cara desengonçado de um jornal semanal enfia a cabeça na sala de imprensa e diz, meio sem ar: "Você soube...?", já penso que alguém deu uma de doido e disse ao tribunal lotado que é um membro importante da Cientologia e, por isso, conhece a maior parte dos segredos cabeludos de nosso universo humano.

Paro de digitar minhas anotações a respeito da entrevista com Natalie Shale.

— Não, o quê?

Em vez de dar as coordenadas acerca de onde está acontecendo o babado, ele entra, estende à minha frente uma cópia do *Evening News* e a abre na seção de classificados.

— Aqui — ele diz, apontando um anúncio grande, em fonte 16, numa moldura preta e grossa.

"*Procurando Pinto desesperadamente*", está escrito. "*Zoe Clarke, do* Evening News, *está procurando, sem sucesso. Se você tiver alguma informação de onde ela pode encontrar o Pinto, por favor, telefone*", e ali embaixo, um número de telefone. "*Ela vai pagar extremamente bem a quem tiver informação que levem ao Pinto.*"

— Genial. Que jeito com as palavras. Quem fez isso? — pergunto.

O grandalhão ri e dá de ombros.

— Está na cara que ela irritou alguém..

— É bem desnecessário — digo, e de repente entendo por que Gretton estava tão feliz. — Como você soube disso?

— Todo mundo do escritório viu.

Folheio o resto do jornal e encontro uma página dupla sobre a matéria da lipoescultura, que rendeu duas condenações aos médicos, apesar de a enfermeira ter escapado. Não menciona Zoe, só o meu nome, apesar de os primeiros oito parágrafos terem sido escritos só por ela. Eu observo o anúncio de novo e saio à procura de Zoe no tribunal. Não a encontro, mas depois a vejo pelas janelas da frente.

— Por favor, não ria, estou irritada o dia todo. Já recebi telefonemas ofegantes e já me cansei — ela diz, com uma expressão de raiva.

— Não vou rir; achei péssimo. Você reclamou com o editor? Aquela coisa não deveria ter entrado.

— Sim, o Ken disse que servia para chamar nossa atenção e entrou em contato com o pessoal dos anúncios para que eles fiquem atentos, mas só. E para que fazer mais? Todos sabemos quem foi.

— Se foi o Gretton, foi chutar o traseiro dele por você.

— Só pode ser ele.

Eu quase disse: "A menos que você tenha irritado outra pessoa", mas me controlei.

— Muito provável.

— É bom conversar com alguém que não achou graça.

— Não tem graça. O Gretton é um cara vingativo. E obrigada por incluir meu nome no caso da lipoescultura. Você deveria ter deixado como dupla, porque fez muita coisa.

Zoe parece surpresa, com a mente em outro lugar.

— Claro. A base estava muito detalhada. Dá para ver que você tem experiência.

— Você não está errada. Quer beber com uma velha algum dia desta semana?

— Sim, por favor. Enviarei a você meu novo número, quando tiver.

— Novo número?

— Não posso manter este, porque todo maluco de Manchester está me ligando.

Procuro algo para alegrá-la.

— Você vai à minha *open-house* no próximo fim de semana? Só algumas pessoas foram convidadas.

Zoe me olha.

— Sim.

Ao devolver a alegria a Zoe, procuro Gretton do lado de dentro. Deve ser a primeira vez que o procuro pelo tribunal.

— Posso conversar com você, por favor? — digo, puxando a manga da jaqueta dele quando o encontro em uma esquina.

— Woodford?

— O que você fez com a Zoe foi totalmente exagerado e nojento.

Gretton sorri como um vampiro.

— Ela colheu o que plantou.

— Ela é boa no trabalho, e mais jovem do que você, e uma moça, e essa tríade é demais para você tolerar.

— Como nós dois nunca brigamos, então?

— Porque eu o tolero. Mas a Zoe enfrentou você, que decidiu ir longe demais com a vingança.

— Deixe-me dizer uma coisa, afinal, pode ser que você esteja meio perdida desde que a sua vida amorosa morreu... — Cruzo os braços, contraio os lábios. Idiota impertinente. Não estou meio perdida. Estou? — Ela fez mais do que me enfrentar, ela me atacou, e pessoas desse tipo precisam ser controladas. Você deveria tê-la visto no fim do processo da "louca da lipo". Ela me empurrou para chegar aos parentes antes. E todos me lançavam olhares feios... Com certeza ela disse alguma coisa.

— Olha aqui, Pete. O processo da "louca da lipo". Você consegue parar para pensar em como isso pode ser ofensivo a Zoe?

— Por quê? A Clarke não é gorda. Parece que foi atropelada, mas não é gorda.

— Você não sabe de nada a respeito da vida dela, de sua história, ou... Veja, esse é um dos motivos pelos quais as pessoas civilizadas não saem por aí usando termos como "louca da lipo".

— Chega, querida. Vá trabalhar se quiser progredir.

— Esse anúncio idiota é a gota d'água, certo? Chega de brincadeira. Fique longe da Zoe. Promete?

— Se ela começar com...

— Vou falar com ela. Prometa!

Gretton enruga o nariz.

— Por você, então. Não tenho problemas com você.

— Obrigada.

— Mas seu editor achou engraçado.

— É?

— Telefonei para o Baggaley anonimamente para dizer que estava no jornal e ele riu. Pode apostar. — Senhoras e senhores, a pessoa responsável pelas minhas avaliações. — Está a fim de uma cervejinha? — Gretton pergunta, de um modo amigável, fora do comum.

Balanço a cabeça.

— Preciso falar com um cara.

☞ 35

Passo pelos primeiros lojistas da tarde e funcionários dos escritórios, e vejo Rhys do lado de fora da Holland & Barrett, aparentemente precisando relaxar. Ele está usando uma parca azul-marinho e, no rosto, uma carranca. Eu me lembro de que antes puxava os cordões do capuz para apertá-lo no pescoço ao me despedir. Só aconteceria agora se eu tentasse interromper o fluxo de sangue.

Espero sentir uma pontada de dor — estou angustiada com esse encontro há 24 horas —, e ali estamos, frente a frente, sem que eu sinta emoções fortes, mas apenas um pesar resignado. Somos somente duas pessoas que já foram próximas e que agora não se relacionam mais.

— Oi — digo.

— Quase desisti. Nós dissemos uma hora.

— Só se passaram cinco... — Olho o meu relógio. — Dez minutos. Desculpe. Um caso se estendeu. — Hum. O caso da mulher atrasada que estava lendo revista.

Rhys me entrega uma bolsa de lona.

— Aqui está.

— Obrigada. — Abro o zíper e olho dentro. Livros, um colar, uma chaleira que eu tinha me esquecido de que era minha. Como deixei para trás tudo isso?

— Por que você não pegou tanta coisa? O que devo fazer com elas? — Rhys pergunta.

— Pensei que a ideia fosse que eu deixasse as coisas por lá.

— Sim, os móveis. Eu não disse para você largar 90 por cento de suas porcarias pela casa. Você quis sugerir que queria escapar tão depressa que acabou deixando as marcas dos pneus?

— Não. — Vejo a sombra da dor atrás da máscara de irritação perpétua de Rhys. — Não queria esvaziar a casa, só isso. Se quiser que eu pegue mais coisas, posso voltar lá.

Rhys balança os ombros.

Tento decidir se convém que sugira um almoço.

— Por que não está trabalhando?

— Separei um dia para ir atrás de um carro.

— Não vai ficar com o outro?

— Queria mudar. Você sabe como é. — Pausa. — Então, a sua casa é no centro? — Rhys pergunta.

— Sim. Northern Quarter. Apareça qualquer dia, se quiser.

Rhys faz uma careta.

— Não, pra quê? Pra comer Doritos e assistir a *X Factor*?

— Sei lá. Para ser civilizado.

— Hum. Como é?

— O apartamento?

— Não, *X Factor*. Claro, o apartamento.

— É... — Não sei por que acho que dizer o quanto é incrível seja tão pessoalmente difícil, mas é, e eu murmuro: — Legal. Meio apertado.

— Apertado para uma pessoa sem pertences. Deve ser minúsculo.

Preciso mudar de assunto.

— Você já comeu?

— Já — Rhys responde, esticando o queixo.

— Certo.

— Não me leve a mal, mas não vou almoçar com você como se nada tivesse acontecido.

— Não quis dizer isso.

— Com certeza faria você se sentir melhor.

— Rhys, pare...

Olho para os rostos que passam e, ao ver Ben entre eles, sinto algo parecido com um soco no estômago. Nós nos olhamos ao mesmo tempo, e, desse modo, não dá para virar as costas. Ele sai de onde está a fim de se aproximar e me cumprimentar, e para de sorrir quando vê minha companhia.

— Boa tarde! — digo, tentando parecer casual. Rhys olha para trás. — Rhys, você se lembra do Ben, da faculdade? Ele se mudou para Manchester.

Acho que estou levando numa boa. Mas Ben faz cara de amedrontado.

— Oi. Nossa! Quanto tempo. — Ben estende a mão.

Rhys a aperta.

— É mesmo. Como vai?

— Bem, e você?

— Tudo certo.

Numa conversa, fica claro que não temos mais o que dizer. Ben olha para a bolsa que seguro e começa a se afastar, trombando com as pessoas que passam.

— Estou com pressa — ele diz. — Hora de voltar ao trabalho. Legal revê-los.

— Tchau — digo.

— É, tchau — Rhys se despede. Ben volta para o meio das pessoas, bem apressado. — Que estranho — Rhys diz, e eu o olho assustada e confusa.

— Por quê?

— Porque não me lembro dele.

36

Posso dizer que completar a terceira década e a vida desmoronar muda seu peso antes de uma festa. O velho vestido vermelho que pego para o meu *open-house* de repente serve perfeitamente e contorna meus "air-bags duplos e apoio de mãos na lateral", como diria meu ex-noivo.

Recebo gritinhos de aprovação quando Caroline e Mindy chegam com seus agregados, deixando as bolsas perto da porta. Caroline me pediu para dormir na minha casa porque marcou uma aula experimental em uma academia do centro da cidade, às 9h30 da manhã seguinte (nada muda) e, quando Mindy descobriu, pediu para ficar também.

— Mindy, você mora a dez minutos de carro daqui — comento.

— Se ela vai ficar, eu também quero — ela insiste. — Vai ser como nos velhos tempos!

— É disso que tenho medo — retruco, lembrando quando ficávamos acordadas até de madrugada conversando. Hoje em dia, preciso dormir. Mindy pôs fim à questão dizendo que havia espaço suficiente para três pessoas na cama de Rupa, e não pude negar.

— Rach, este é o Jake — Mindy diz, apresentando-me um rapaz magro, de cabelos pretos e com cara de nervoso, que segue Mindy, toda produzida, para dentro do apartamento. Não gosto de pensar que parecemos velhas, mas ele parece jovem.

— Prazer em conhecê-lo — digo. Ele cora. Sim, *muito jovem*.

Mindy dá uma voltinha com seu vestido preto de lantejoulas.

— Este vestido tem cara de Studio 54 ou "cinquenta paus pra quem quiser ver"?

Antes que eu responda, Ivor se intromete:

— Você nunca seria tão barata, Mind.

Ela se vira para ele.

— Lá vem.

— Cem paus para quem quiser ver, além da limpeza a seco, e não no rosto.

— Pronto! — Mind diz.

Ivor mostra uma bebida e pergunta:

— Onde coloco?

— Ali — respondo, apontando para a geladeira cor-de-rosa.

— Você já bebeu demais, não é, Rach? Por isso está corada? — Graemer pergunta.

— É blush — explico. — Estou com o look Palácio de Versalhes.

A única maneira de lidar com Graeme é entrar na brincadeira. Ou, pelo menos, é a única maneira de tratá-lo por ser casado com uma de minhas melhores amigas.

Graeme olha para a pia.

— O que diabos está acontecendo aqui?

Preparei copos com flores brancas, peônias, lilases e rosas, com os cabelos enrolados e curvados dentro da água. Vi essa decoração cheia de estilo em uma reunião de um consultor de moda, certa vez, e sempre quis copiar. Não era possível quando eu vivia com Rhys. Ele teria criticado, e eu responderia de modo grosseiro.

— Acabaram os vasos? — Graeme pergunta.

— Gray — Caroline diz. — Deixe de ser chato.

— Os vasos são para o molho — Ivor explica.

Graeme parece não se abalar.

— Você fez um ótimo trabalho — Caroline elogia, olhando ao redor e, pensando bem, fiz mesmo. Coloquei "feixes de luz" com velas dentro do copinhos de vidro em linha reta e há pontos muito iluminados pela sala. Nunca fui muito fã desses detalhes quando vivia em Sale, mas há um quê de delicadeza que combina com o apartamento.

— Parece uma sala de velório, sem o defunto — Graeme comenta, o que ele pensa ser algo que apaga tudo o que ele falou antes.

— Poderíamos providenciar um — Caroline retruca, cruzando os braços.

— Então... — Graeme olha para mim com olhos úmidos. — Nossa Senhora do Mau Gosto Caro, quanto você paga de aluguel?

— Não é da sua conta — digo, torcendo para parecer meiga.

— Só estou preocupado com você. Está voltando para o mercado imobiliário com apenas uma renda, e seis meses aqui é uma parte de sua grana, aposto.

Olho Caroline para que ela o cale, mas minha amiga já se afastou para pegar uma bebida.

— Ainda não posso comprar.

— Por que não?

— Porque me separei de alguém com quem passei metade da minha vida e eu não sei o que quero ou onde quero morar.

— Você vai precisar de um teto, certo? Ou vai morar numa tribo de beduínos?

— Não é possível fazer o que faz sentido sempre... Tem bebida, Caro, sirvam-se.

Ela assente, entrega um copo a Graeme, beberica sua bebida e olha para baixo.

— Viver um dia de cada vez é ótimo quando temos 20 anos, mas precisamos planejar o futuro em algum momento — Graeme continua. Sei que ele quer dizer que ninguém vai fazer isso por mim agora. — As coisas não se encaixam do nada.

— Talvez.

Quando ele começa outro monólogo, eu o interrompo:

— Graeme. Fes-ta. Substantivo, duas sílabas, um encontro social com o propósito de diversão.

Ben, Olívia e Simon chegam enquanto estou ocupada secando uma bebida que caiu, e Caroline abre a porta para eles.

Ela os guia até a cozinha, e, quando me aproximo, Simon está lhe dizendo:

— ... Tomei umas bebidas na Canal Street. O Ben disse que era um local de héteros e homos, e aí, a única mulher do lugar tinha um pomo de Adão que mais parecia uma bola de tênis. Pra você ver.

Simon estava sempre fazendo piadas.

— Trouxemos para você um homofóbico e isto — Ben diz para mim, quando Olívia entrega um lírio da paz em um vaso dourado — para ajudar a alegrar seu apartamento.

Ben está vestindo calça jeans cinza e blusa preta. Como sempre: *ufa*. Olívia usa um vestido simples cinza. Eles devem *adorar* cinza. Ele se inclina e me dá dois beijos de novo. Estou mais preparada para esse gesto desta vez, mas ainda coro, feliz porque a flor me dá um assunto sobre o qual comentar.

— Incrível — Ben diz a Olívia, olhando o apartamento, abraçando-a. — Não é, Liv?

— A casa de vocês é muito mais bacana e é de vocês de verdade — digo a Olívia, com sinceridade, e ela sorri.

37

Eu havia me esquecido de que aproximadamente quatro por cento das festas, assim como quatro por cento das experiências em boates, são incríveis, e é por isso que você perde tempo, dinheiro, roupas de baixo caras e esperanças com os outros 96 por cento. E, surpreendentemente, apesar de todas as coisas contra, meu *open-house* se enquadra na minoria mágica. As conversas não param, as bebidas fluem, a trilha sonora está indo bem, a decoração foi admirada, a circulação acontece sem esforço, minhas opções domésticas de aperitivos (salgadinhos quadrados, salgadinhos redondos, aqueles que lembram fatias de bacon) foram bem recebidas e, pelo menos, degustadas.

Zoe aparenta se divertir demais, ri sem parar, e parece ter se esquecido do anúncio de Gretton.

Sinto como se estivesse subindo uma montanha por muito tempo e, de repente, o sol apareceu e encontrei um ponto onde me sentar para admirar a vista. Tenho sentido falta de Rhys, como se sentisse falta de um braço, mas, pela primeira vez, eu não sinto a falta dele. Hora de tomar mais uma bebida.

Conforme a noite avança, Mindy assume o controle da música, o que torna as coisas mais estridentes. Jake acena para mim quando sai, porque explicou que precisa acordar cedo de manhã; Ivor revira os olhos atrás dele. Caroline está conversando sem parar com Olívia. Eu estou perto da janela panorâmica, com Ben e Simon.

— Natalie disse que a entrevista foi boa — Simon comenta.

— Ótimo, fico feliz — digo, afastando um certo desconforto. — Também achei.

— E quando vou poder levar você para jantar?

Ben tenta escutar.

— Quando você quiser — respondo.

Ben tenta escutar mais ainda.

— Você gosta de comida italiana? — Simon pergunta.

— Claro. Gosto de comida em geral, na verdade.

— Rachel está aprendendo italiano — Ben diz.

— Sei um pouco de italiano; passei um tempo em Pisa em uma viagem de intercâmbio — Simon explica. — *Parli bene*?

— Hum... *non*.

— *Non*?

Ai, merda! Preciso mudar de assunto depressa.

— Eu estava lendo umas dicas a respeito de quebra-gelos hoje — digo. — De preparativos para festas. Posso testar alguns em vocês dois? Certo. Contem o que aconteceu de mais embaraçoso no ano passado. Comecem.

— Semana passada. Minha faxineira letoniana me viu pelado — Simon diz.

— É mesmo?

— Peguei a coisa mais próxima que encontrei e que fosse grande o bastante para cobrir minhas vergonhas.

— E o que foi?

— Meu contracheque.

— Não acredito! — Eu começo a rir, o que tem se tornado normal perto de Simon.

Vejo Ben olhando para nós com uma leve preocupação, sem dúvida tentando descobrir se estamos nos relacionando. Quando chegar a uma conclusão, quero que ele a explique para mim.

— Ele preparou antes — Ben diz.

— E você? — pergunto-lhe.

— Além de ter esquecido seu nome totalmente quando a encontrei depois de dez anos? Deixe-me pensar...

— Verdade? — Sinto os joelhos fraquejarem.

— Claro que não, sua boba.

Ben faz cara de incredulidade, como se perguntasse *como você pôde cair nessa?*

Porque pensar que você me apagou e me arrastou para seu lixo mental é algo recorrente, o motivo de meus pesadelos ansiosos, junto com aquele em que estou vagando pelas ruas à noite, nua, escondendo minhas intimidades.

— Foi oferecer a uma garota albina o meu assento no ônibus. Eu só a vi de costas, e pensei que ela tivesse 72 anos, não 22. — Ben morde o lábio ao se lembrar, Simon ri e eu faço uma careta.

— A falta de pigmentação pode sobrecarregar as pernas — Simon diz.

— Ei, sua intenção foi boa — afirmo.

— Sim. *Simon.* — Ben enfia uma mão no bolso enquanto bebe.

Percebo que Ben e Simon estão competindo. O que querem? Minha atenção? Com certeza não. Não o Ben, pelo menos. Ele é casado. Estou paquerando ao rir com eles? Imagino Olívia voltando para casa e dizendo de modo ácido: "Ela é bem *dada*, mesmo".

— Querem beber mais? — Simon pergunta e vai para a cozinha.

Eu me reequilibro sobre os saltos e pigarreio para dar uma explicação sobre o encontro com Simon.

— Ah, meu Deus, de volta ao passado. Teenage Fanclub? — Ben pergunta, virando-se na direção da música. — Você teria se divertido com a primeira dança que fiz com a Olívia.

Provavelmente *não teria me divertido,* penso.

— Por que diz isso?

— No primeiro ato da vida de casados, deixei que ela fizesse o que queria.

Ele diz "Coldplay" e faz uma careta.

— Ah, bem. Eu estava fazendo os planos para o casamento há pouco tempo. Que bom que vocês resolveram a questão do DJ/banda ao vivo. Para mim e para o Rhys, esse assunto foi a Faixa de Gaza. — De repente, sinto vontade além do normal de contar a Ben o que aconteceu. De falar sobre a minha vida real, não o tipo de coisa que se diz a qualquer um, com um amigo de verdade. — A ideia de nos casarmos foi o que nos levou ao fim — acrescento, e Ben assente. — Dizem que é o dia mais feliz da vida, mas, bom, depende. Se você não está feliz, é difícil não perceber.

— Foi de repente? Ou vocês estavam infelizes havia um tempo?

— Hum. Bem. Nós atravessamos a década dos 20 anos com dificuldades. Sofríamos a pressão da banda dele e dos meus amigos. Mas os 30... aí é uma época de decisão, o casamento, os filhos. Percebi que não éramos suficientemente felizes para que o próximo estágio funcionasse. Faz sentido?

— Um pouco — Ben assente de novo. — Você parece estar muito bem.

— Às vezes, sim; às vezes, não.

Ele sorri com tristeza e doçura e olha para o chão.

— Qual foi a música do Coldplay? — pergunto, tentando animar a conversa. — Ah, deixe-me adivinhar. É meio assim: "Dum dum dum da dum dum... *Desculpe, todos os nossos operadores estão ocupados neste momento. Por favor, aguarde, sua ligação é muito importante para nós*".

Ben fecha os olhos quando dá risada.

— Você não mudou! Sua *boba*...

— Você que deu corda, tem que admitir.

— Deu corda para o quê? — Olívia pergunta, quando ela e Simon se aproximam.

— Ela estava tirando sarro da música que escolhemos para a nossa primeira dança — Ben diz.

— Não! *Você* disse... — Não posso repetir que Ben estava tirando sarro primeiro, porque vai causar um rebuliço ainda maior. Sei que esse insulto vai ser encarado de modo totalmente diferente por Olívia. *Graças ao Ben.* — Eu gosto um pouco do Coldplay... — concluo, tentando consertar.

— Sim, claro! — Ben diz, deixando tudo ainda pior.

— E qual música você escolheria para a sua primeira dança? — Olívia me pergunta diretamente.

Ben a olha, provavelmente para sinalizar que não se deve perguntar a alguém que acabou de romper um noivado qual teria sido sua primeira dança.

— O Rhys disse que queria *What Have I Done to Deserve This?*, do Pet Shop Boys. Então, eu acabei ali mesmo.

— Mas o que você escolheria? — Olívia insiste.

— Liv... — Ben está abismado, sem entender por que ela está se revelando tão insensível, enquanto eu e Olívia nos entendemos perfeitamente.

— Pelo jeito como as coisas estão indo, provavelmente vai ser Etta James, *At Last*, que fala de "finalmente". E com jovens voluntárias me ajudando a me sentar. — Ninguém ri. — Nós tínhamos escolhido *May You Never*, de John Martyn, para a nossa primeira dança — admito.

Ben assente, impressionado.

— Bela escolha.

— Nunca escutei — Olívia confessa.

Ah, deve ser ruim, então.

— Talvez um pouco rápida demais — Ben diz. — Eu escolheria *Couldn't Love You More*, do John Martyn.

Concordo balançando a cabeça. Não tenho muito o que comentar em relação a isso, mas minhas pupilas se dilatam, e eu continuo a beber e talvez deva continuar até acabar com meu fígado.

— Então, por que você não pediu? — Olívia pergunta a ele.

— Eu queria que você escolhesse a que quisesse — Ben responde.

— Acho que devemos escolher uma música que adoramos na primeira dança, não uma bacana — Olívia diz, me olhando, e parece que não consegue me perdoar.

— Ninguém pode dizer que você escolheu Coldplay por ser bacana — Ben ri. Ele estará em apuros quando chegarem em casa, e nem imagina. Olívia cruza os braços e não para de me olhar. Eu olho para o gelo em meu copo.

— Eu conheço essa — Simon diz, esticando o pescoço. — *Unfinished Symphony*.

— *Unfinished Sympathy* — eu o corrijo.

— Foi o que eu disse.

38

— De qual lado você costuma dormir? — Caroline pergunta, depois de colocarmos Ivor, mais pra lá do que pra cá, no sofá. Quando chegou a hora de chamarmos o táxi, ele estava em um tipo de coma alcoólico e percebemos que seria melhor ficar com ele em casa. Nós o deixamos no sofá com uma toalha embaixo do corpo, uma bacia do lado e um pano de compressa em sua cabeça. Ele estava pálido e mantinha as mãos unidas sobre o peito, como um funeral egípcio de um faraó com muitos bens.

— Ainda não me acostumei. Não estou aqui há muito tempo. — O que quero dizer é que não há um lado a escolher agora que o Rhys não está mais comigo.

— Você no meio, então — ela diz, afastando uma ponta do cobertor. — Vou ficar aqui, e a Mindy do outro lado.

Mindy volta depois de escovar os dentes, vestindo um belo pijama chinês vermelho. Ao lado de Caroline, com uma camisola preta com borda de renda, fico feliz por ter deixado de lado as camisetas do Velvets manchadas de pasta de dente.

— Ivor, acorde — Mindy fala. — Ele faz um barulho parecido com *BWORK. BWORK. BWOOOORK.* Então, sai correndo em direção ao banheiro.

— Alguma coisa foi avariada?

— Não, eu fui atrás dele e o empurrei mais depressa do que a velocidade do vômito.

— Ótimo, ótimo.

Nós nos ajeitamos, e então apagamos a luz do abajur.

— Como a Rupa fez para subir com um colchão tão grande como este pela escada? — pergunto.

— Deve ter sido pelas janelas — Mindy responde.

Sinto meus músculos relaxarem contra as molas.

— O que está rolando entre você e o Ben? — Caroline pergunta.

Toda a tensão volta. E mais um pouco.

— Como assim? — tento demonstrar total surpresa enquanto estou deitada e invisível para ela, mas com certeza minha amiga conseguirá sentir o tom de culpa que uso.

— Bem... — Caroline diz. — É estranho.

— O que é estranho? — continuo tensa entre elas. Vou negar tudo. Para sempre.

— Quando a lâmpada queimou e você subiu na cadeira para trocá-la, com Simon segurando-lhe as pernas, vi que o Ben olhou vocês dois com uma cara...

Silêncio. Piadinhas bobas não funcionarão agora.

— Foi muito intenso, muito sério. E, quando o Simon a ajudou a descer e conseguiu apertar sua bunda, juro que o Ben quase fez uma careta.

— Ele não é um grande fã de Simon. Acho que não considera muito boa a ideia de estarmos marcando um encontro — eu digo, esperando que seja o suficiente para encerrar o assunto.

— Sim, aí é que está. Se eu não soubesse como as coisas estão, eu diria que se tratou apenas do velho ciúme de homem. — Por que ele não quer que você namore o Simon, mesmo?

— Ainda bem que você sabe — comento. — Afinal, o Ben está muito bem casado.

— Mesmo que ele esteja bem casado, não pode ter uma quedinha por você?

— Não.

— Certo. Número um: não existe casamento feliz...

— Ah, Caroline! — Mindy geme. — Já chega!

— Não terminei.

— Sei que não terminou, porque eu ainda tenho um pouco de esperança — Mindy fala.

— ... Não existe casamento feliz se esse casamento for invulnerável. Todo relacionamento tem seus momentos bons e ruins.

— Não é preciso ser casada para saber disso.

— Eu sei, eu sei — Caroline concorda, tentando me acalmar. — Não estou menosprezando o que você teve com o Rhys. Mas ele andava com os amigos dele da banda o tempo todo. Você nunca teve que se preocupar com amigas.

— Ainda não entendi o que você está querendo dizer.

— Que, se estou certa e o Ben tem uma coisinha por você, precisa tomar cuidado. Não deve causar problema incentivando-o sem querer. Vocês não eram bem próximos na época da faculdade? Você suspeitava de alguma coisa na ocasião?

— Não! E o Ben *nunca* teria um caso — finalmente consigo dizer algo com bastante certeza.

— Como você sabe?

— Eu sei. Sinceramente, sei disso como sei meu nome. O Ben nunca faria isso. É totalmente leal. E eu não dormiria com um homem casado. Espero que você não pense isso.

— Nãããoooo — Caroline diz, sem imaginar a agonia que essa conversa está me causando. — Mas acho que você pode acabar envolvida sem perceber. Vocês dois estavam muito próximos conversando. Ninguém fuma um cigarrinho de vez em quando achando que vai ter câncer de pulmão.

— Não estou sorrindo para a Olívia, convidando-a para festas e dando em cima do marido dela!

— Não estou dizendo que você está dando em cima dele — Caroline retruca.

— Olha — eu continuo, com a boca seca devido à desidratação causada pelo álcool. — O Ben e a Olívia são casados, Ben não está interessado em mim nesse sentido, não vou atrás dele e vou marcar um encontro com o Simon. E pronto.

— Não sei bem se está tudo ótimo entre Ben e Olívia. Tenho a impressão de que eles têm sofrido para chegar aonde chegaram. Ela está a quilômetros de sua família e amigos, e acho que ela sente falta do emprego antigo — Caroline explica.

Pausa.

— Se quer meu conselho, Rach, o momento de começar a se preocupar é quando ele disser que as coisas em casa estão complicadas — Mindy diz. — *Nunca* está complicado. "Está complicado" quer dizer apenas: "Bom, tem outra pessoa na parada, mas quero comer você também".

— O que querem dizer com isso é: não está tão complicado quanto gostaria que estivesse — Caroline diz, rindo. Mas não estou rindo. — Ah, sinto muito, eu não queria perturbá-la — ela continua. — No máximo, se o Ben está sentindo alguma coisa, é nostalgia da juventude. Sei lá, se vocês tivessem que ficar juntos, teria acontecido no passado.

— Verdade — concordo, feliz pela escuridão do quarto.

— Todos nós sofremos um acesso de "e se?" de vez em quando.

— É.

Nós dizemos boa-noite. Caroline e Mindy adormecem.

Eu estou bem acordada, com a cabeça a mil.

39

Se você fosse bem moderno, a noite de sexta seria sinônimo de ir a um lugar informal e dançante, mas, se preferisse cervejas e violão, iria até a 5th Avenue ou a 42nd Street. Se você fosse um estudante bem menos moderno, iria a um lugar mais ajeitado onde proibiam o uso de calça jeans e tênis e tocava música própria. E, se você fosse realmente dramático, iria às boates para beber cidra em copos de plástico, dançar em um salão que virava cantina durante o dia e se acabaria.

Mas não ter grana define muita coisa e, no segundo ano, com os gastos de "viver fora" da casa dos pais, muitas pessoas que conhecíamos trombavam na boate. Certa noite, estávamos reunidos em um grupo de dez, com Ivor, que havia acabado de voltar depois de uma semana fora, e Ben e sua mais nova namorada, Emily. Eles estavam juntos havia alguns meses, com tudo OK para o Ben.

Ela era bacana de um jeito que eu nunca poderia esperar ser: tênis de hip-hop, minissaia jeans, cabelos loiros em dois tons presos no topo da cabeça. O look era de predadora, mas, ainda assim, bonita de modo convencional de um jeito claro, do tipo "É óbvio demais, não posso negar". Percebi que ele sempre ia atrás de loiras. Eu ainda nem sequer tivera a chance de conhecê-la e, por isso, fiquei decepcionada por eles se sentarem na ponta da mesa, só me cumprimentando com um aceno. Se eu quisesse conhecer as namoradas de Ben, tinha que agir depressa. Nenhuma delas ficava no posto por muito tempo. Assim, eu pensava que a garota capaz de segurar Ben, no futuro, seria muito especial.

Quando chegou a vez de Ben buscar bebidas, ocorreu-me que seria uma oportunidade para conversar. Afastei minha cadeira e caminhei até ele para ajudá-lo. Mas, ao me aproximar do bar, vi que um monte de caras havia puxado papo com ele. Ben jogava futebol, tinha um cromossomo XY e, assim, existia como ser humano, e não como um alvo de interesse.

— Oi. Você sabe do que a chamamos? — perguntou um dos caras do rúgbi, logo que me aproximei deles. — O Ben sabe. Ei, Ben, conte para ela do que a chamamos.

Ben pareceu bastante desconfortável. Eu franzi o cenho para ele.

— Rachel *que pega forte*. Hahahahahah.

Ben murmurou:

— Eu não experimentaria.

Eu não sabia se deveria gostar da verdade ou levar como brincadeira, enfim, não entendi aquela negativa. Ben e eu nos revezamos entre o bar e a mesa, com dois ou três copos por vez, e nos encontrávamos no meio do caminho.

Senti que todos do grupo olhavam para mim quando me afastei, arrependida por ter vestido a calça preta nova, um pouco justa no traseiro. Enquanto carregava a segunda rodada de copos para onde estávamos sentados, eu senti um beliscão dolorido na bunda, e me virei.

— Ai!

— Foi ele — todos apontaram um para os outros, com os braços cruzados, fazendo piada.

Eu não podia reagir estando com as mãos cheias, então apenas os olhei com cara feia.

Quando voltei para pegar mais bebidas, tomei o cuidado de mostrar que não toleraria mais nenhuma palhaçada, e fiz cara feia de novo para eles. Erro: eles se divertiram mais.

— Não leve a mal, mas queremos ver você de costas — disse um deles, bem desagradável, baixo, atarracado e cheio de espinhas no rosto. Eu vi que ele estava tentando compensar a insegurança comportando-se de um jeito pior do que o dos outros.

— Vamos lá. Tente de novo e arrebento sua cara.

Rachel contra dez jogadores de rúgbi era uma ideia que provavelmente não faria com que nenhum deles sentisse medo, mas eu sabia que precisava me impor.

— Não vou tentar isso de novo — retrucou o jogador que parecia um hobbit. — Posso olhar ou também não é permitido?

Ele estendeu o braço e apertou meu seio esquerdo, como se fosse a buzina de um carro antigo. Os caras começaram a gritar e rir.

— Ei! — gritei. — Seu imbecil!

— Desculpa, desculpa, eu errei — ele disse. — Na verdade, foi o peito direito que me chamou a atenção.

Então fez o mesmo absurdo no meu outro seio, e eu parti firmemente para cima dele, que segurou meu punho antes que eu conseguisse lhe acertar o rosto. Eu já tinha visto aquele movimento em telenovelas ruins e não acreditava que alguém pudesse agir do mesmo modo na vida real. Ele me segurou com força. Sem conseguir me soltar, senti meus pulmões se contraírem e comecei a entrar em pânico.

— Me larga! — eu gritei, e só ouvi mais risos. Ainda conseguia sentir a pressão daqueles dedos nojentos. Eu havia perdido o controle e senti meus pulmões continuarem se contraindo.

De repente, alguém do meu lado soltou meu braço. Eu me virei a tempo de ver Ben partindo na direção do espertalhão, acertando-lhe um soco na mandíbula com uma pancada forte.

— Ai! — ele gritou. — Eu... — Mas não conseguiu dizer nada, porque o Ben o acertou de novo, com muita raiva, e dessa vez, desequilibrado, ele tombou no chão. Por um momento fiquei preocupada, pensando que os amigos do sujeito, para defendê-lo, poderiam partir para cima de Ben. Mas, em vez disso, eles deram um passo para trás e o observaram cair. Bons garotos.

— Peça desculpas! — Ben gritou. A violência tinha tomado conta de tudo, e eu senti vontade de vomitar. Estávamos em um bar, não num inferninho da periferia.

— Desculpe — disse o cara, esfregando o rosto, receoso de tomar mais um gancho.

— Não para mim, para ela!

— Desculpe — ele disse, olhando rapidamente em minha direção.

— *Idiota* — Ben falou, com raiva. Pegou os últimos dois copos, e eu o segui de volta à nossa mesa.

Enquanto nos afastávamos, o cara gritou num tom tão alto que fez o bar todo parar para olhar, ou melhor, a parte do bar que ainda não estava olhando.

— EU NÃO SABIA QUE ELA ERA SUA NAMORADA!

Eu me retraí. Tive certeza absoluta de que Ben também se retraiu. Quando chegamos ao nosso grupo, todo mundo quis saber o que havia acontecido.

— Eles agiram como idiotas — Ben murmurou, sentando-se ao lado de Emily de novo.

— Ele me atacou! — gritei, encobrindo a minha vergonha com uma encenação.

— Como assim? — Caroline perguntou.

— Ele apertou minhas tetas! — eu disse, sentindo que precisava explicar que a reação de Ben fora razoável.

— E você bateu nele? — Caroline perguntou a Ben, maravilhada, deixando clara toda a paixão que sentia.

— Parabéns — Ivor disse. — Estou torcendo para alguém fazer isso desde que conheci aqueles caras.

— Sim, parabéns, foi um ato heroico — afirmei, agradecendo de novo a Ben. Parecia que ele não queria olhar para mim, nem para ninguém, e bebeu a cerveja em goles grandes.

— Eu não sabia que você era durão! — Mindy disse. — Pode ser que agora comece a desejá-lo em segredo.

— Não sou durão, e estou morrendo de dor — Ben disse, colocando o copo na mesa e esfregando a mão. — Não sei se fiz o certo.

— Que cara bacana você está namorando — disse outra menina do grupo de Emily. E então percebi a expressão de surpresa dela, que parecia ter levado um soco. *Ela deve estar preocupada porque ele esteve muito perto de apanhar*, pensei. Apesar de não ter pedido que Ben me ajudasse, eu me senti muito culpada e ansiosa.

Uma semana depois, fiquei sabendo que Ben e Emily haviam terminado.

40

Ivor está acordado quando Mindy e eu nos arrastamos para fora da cama, porque Caroline o acordou quando saiu para ir à academia. Ele está sentado no sofá, sem camisa, e puxa o cobertor quando aparecemos.

— Você está achando que vamos admirar seu físico e esquecer o vexame? — pergunto.

— Minha camiseta estava meio suja — Ivor se justifica. — Meu Deus, eu fiquei muito mal?

— Ele ficou muito mal, Rach? — Mindy se vira para mim com sarcasmo, mãos no quadril. — *Ele ficou muito mal?*

Coço a cabeça, bocejo.

— Como posso dizer? Fogueira da dignidade, Johnson.

Preparo xícaras de chá doce e, quando eu as entrego a Mindy e Ivor, ela volta para debaixo do cobertor ao lado dele.

— Fiquei sabendo que você tentou mostrar ao pessoal de 23 anos como é que se faz — pergunto, voltando com a minha xícara, e me sento em uma poltrona.

— Russos brancos — Ivor diz, soprando o chá. — Eles estavam mais para russos beges. Eu me sinto péssimo. Minha língua parece inchada.

— Então, o Jake ganhou?

— Ah, não — Ivor diz. — Eu ganhei. — Ele mostra o corpo seminu. — É este o cheiro do sucesso, meninas. A colônia da vitória. Respirem fundo. — Mindy e eu rimos. — Acho que eu estava bebendo para esquecer — ele continua, pousando o chá na mesa e esfregando os olhos embaixo dos óculos, gesto que os faz se deslocarem para cima e para baixo. Ivor sem óculos não parece ele mesmo. — A noite anterior foi um grande erro.

— Você ficou irritado quando um adolescente belga o venceu no *World of Warcraft*?

— Não.... — ele coça a cabeça. — Foi a Katya.

Mindy levanta a cabeça, que estava na dobra do braço dele.

— Você não lhe permitiu estender o tempo na casa? Ivor, o que há de errado com você?

— Não, ela vai sair.

— E daí? — pergunto.

— Nós bebemos o vinho caseiro dela.

Ivor sorri de um modo maquiavélico, que acredito interpretar corretamente.

— Você não a obrigou a comer carne, não é? — Mindy pergunta, virada para a axila dele.

Ivor ri e faz uma careta.

— Não diga coisas engraçadas porque dói.

— Por que isso é engraçado?

— É engraçado no contexto do que fizemos.

Após uma pausa, Mindy se afasta de Ivor como se tivesse sido lançada pelo impacto de sua explosão verbal.

— *O QUÊ?!* — Ivor se assusta com a força da reação e fica, por um segundo, sem palavras. — Você transou com ela? — Mindy quer saber, olhando para ele.

— Hum. Um pouco.

— Isso não é engraçado, Ivor! É nojento!

— Estávamos bêbados. Foi uma vez só. Não vou deixá-la ficar nem nada disso.

— Não é esse o problema, mas o fato de você fazer *isso* com *ela*. Você a odeia!

— Ela não é tão ruim... — Ivor murmura.

— Você não para de reclamar de Katya! E, na primeira oportunidade, você se enfia na cama com ela? O que essa atitude diz sobre você?

— Não foi a primeira oportunidade. Ela está sempre fazendo vinho.

— Quando dissemos para você bater o pinto na mesa, não era LITERALMENTE!

Tomo um gole de chá antes de começar a rir, e vejo que Mindy não vê a menor graça na situação. Na verdade, Ivor também não está rindo, com o rosto vermelho de vergonha ou raiva. Ou as duas coisas.

— Ah, claro, então vou levar lição de moral da Senhorita Superficialidade 2012?

— O que quer dizer?

— Quero saber se você pensa que é superior a Katya. Será que eu deveria tê-la conhecido por meio de anúncios e ignorado suas características irritantes se ela fosse um pouco fotogênica?

Ivor tem razão. Ele me olha em busca de apoio, mas de jeito nenhum entrarei no meio de uma briga que está se tornando desagradável.

— É isso o que as pessoas normais fazem — Mindy grita, reagindo como uma fera indomada com seu pijama vermelho. — Elas namoram! Elas não se aproveitam de pessoas embriagadas que moram na mesma casa e ainda de aluguel. O que você vai fazer? Deixar o último mês de graça?

— Mindy... — digo, nervosa.

— Eu me aproveitei dela? Está mesmo dizendo que isso foi um *estupro*? — Ivor grita.

— Estou dizendo que é a maior sordidez que ouvi nos últimos tempos.

Ivor se levanta, apenas de cueca, sem se constranger.

— Não existe a palavra sordidez, sua cabeça de vento.

— Vá para o inferno! — Mindy grita, chora e corre para o quarto.

Ivor se senta no sofá, boquiaberto.

— Jesus — ele diz por fim, com as mãos na cabeça. — Que merda foi essa?

— Pouco açúcar no sangue?

— Não me orgulho do que fiz, mas foi tão ruim? Mindy está se comportando como se eu tivesse explorado Katya. Como se pensasse que eu... — Ivor está incrédulo. — Não quero gastar meu tempo perto de alguém que me julga capaz de tal coisa. Ela também pode ir para o inferno.

— Precisamos nos acalmar. A Mindy é emotiva, só isso.

Fico aliviada por Ivor não me perguntar por que ela é emotiva. Eu não sei muito bem o que diria.

— E o que ela falaria se eu estivesse saindo com pessoas de 23 anos? Qual é o grande exemplo de vida que ela representa que lhe dá o direito de me dizer tudo isso?

— Vamos beber mais uma xícara de chá...

— Não, eu vou embora, Rachel — ele diz, pegando a camiseta no chão. — Desculpe, não é sua culpa.

— Tudo bem.

Em seguida vou atrás de Mindy, que está deitada de bruços na cama, a cabeça enterrada no travesseiro.

— Oi — digo, batendo no quadril dela. — O Ivor está indo embora. Acho que estamos todos abalados por causa dos excessos de ontem.

Mindy se senta, os cabelos despenteados.

— Diga ao garanhão que eu disse tchau.

Eu fecho a porta depressa.

— Hum. Sei. Talvez não. Qual é o problema?

Ela funga e não diz nada.

— As coisas não estão indo bem com o Jake? — Mindy encolhe os ombros. — Você quer falar sobre isso? — insisto. Ela balança a cabeça negando. — Então, vou me despedir do Ivor.

Quando alcanço a porta, Mindy diz:

— Rachel. Posso falar. Quando ele for embora.

Ouvimos a porta da frente se fechar.

— Ops — digo.

— Eu peguei pesado com ele? — Inclino a cabeça para o lado e abro minha boca para dar uma resposta diplomática que não seja: *Bem, você me assustou, e eu só era uma observadora sem culpa de nada.* — Você quer saber? Eu não me importo! — Mindy grita. — O que ele fez foi...

— O que as pessoas fazem — eu a interrompo. — Não que eu esteja dizendo que foi uma ótima decisão.

— Sim, as pessoas, ou os homens sem noção e sem padrões. Além disso, eu não sabia que Ivor era o tipo de cara que pega o que aparece. E logo a *Katya*. Ela usa Crocs. Com meias. Crocs com meias! Acho que já a vi usando papete da Reebok como se fosse sapato de verdade. Como é possível que ele tenha ficado ereto para o ato?

— Talvez ele esteja se sentindo sozinho.

— Por que se sentiria sozinho? Ele tem a nós.

— Por mais legais que sejamos, acho que não satisfazemos as necessidades dele. Faz um tempo que ele não sai com ninguém. Desde aquela que se mudou para Copenhagen.

— Hannah — Mindy funga, enxuga os olhos. — Estranha, e se comportava mal à mesa. Não foi uma grande perda.

Eu me sento na cama ao lado dela.

— O que está acontecendo?

— Está acontecendo o que está acontecendo.

— Certo.

Uma pausa.

— Ah, não sei. O Jake é legal. Mas você repassa todos os itens e descobre que seu par ideal não é ideal. Não se escolhem amigos assim. Veja nós, eu, você e a Caro. Totalmente diferentes. Ela foi ver Simon and Garfunkels no Hyde Park.

— Garfunkel. Sim. Eu entendo o que está dizendo. — Talvez não seja a hora de sugerir que Mindy amplie a pesquisa e inclua homens que não sejam o que ela chama de "bem legais".

— Todo mundo sempre diz que na idade de 30 anos tudo faz sentido, sabe? Você lê as entrevistas com atrizes e elas dizem: *Ah, não gostaria de voltar a ter 20 anos, porque foi um período turbulento, e agora tenho uma sensação de tranquilidade e sei quais roupas me caem melhor, peças clássicas*, blá-blá-blá e é bobagem. Os 20 anos são um começo do Você Não Precisa Ter Entendido Ainda. E os 30, mais o prato principal de Talvez Assim Sejam as Coisas. Ainda não encontrei ninguém com quem valesse a pena manter um relacionamento. E tenho 31 anos. Como podemos dizer que até os 41 as coisas terão mudado?

— Ah, pare com isso, você está na flor da idade e tem muito tempo para encontrar alguém. — Hipocrisia: não me lembro de essa frase ter funcionado comigo.

— Estou falando sério, Rachel. E se não acontecer comigo? Parece que todo mundo cresceu e se mudou e ficou mais sério, menos eu. É provavelmente por isso que estou saindo com caras de 23 anos. Estou presa nessa idade.

— Sim. Conheço essa sensação de não estar feliz e não saber o que fazer em relação a isso.

— Mas pelo menos você ficou noiva. Viveu 13 anos com o Rhys. Foram noivos.

— Estar com a pessoa errada é mais solitário do que estar sozinha. Ou é tão solitário quanto, mas de um jeito diferente, pode apostar. Eu não estava namorando nem procurando, como você. Preciso entender se perdi todo o tempo que tinha para encontrar a pessoa certa esperando que Rhys e eu déssemos certo.

— Sinceramente? — Mindy diz. — Nós não sabíamos. Vocês pareciam bem.

— Eu sou um desastre para perceber como me sinto, Mind. Parece que não revelo o segredo nem mesmo para mim.

Pausa.

— Pelo menos você tem o emprego que sempre quis. O Ivor acha que sou a filhinha de um belo empresário, uma princesinha mimada que ganhou tudo de mão beijada. Não sou a Rupa!

— Ele não pensa isso.

— Você ouviu o que ele disse: cabeça de vento.

— Ele estava rebatendo, falou da boca para fora.

— Não, ele estava falando sério. As pessoas dizem o que pensam durante discussões.

— Elas dizem o que acham que mais vai machucar.

Uma pausa.

— Eu preciso achar que o Ivor é uma boa pessoa, Rachel. Se ele for ruim também, eu desisto. De verdade.

— Ele é bom. Ele fez algo de que você não gosta, só isso, e parece que ele também não gosta muito, pensando friamente.

Mindy recosta a cabeça no meu ombro, e eu a abraço.

— E talvez, quando vocês fizerem as pazes, se quiser ser bem má, pode dizer ao Ivor que, apesar de a frase ter sido meio estranha, "sordidez" existe.

— É mesmo? Rá. Bem feito, Zé Mané.

41

Quando anoitece, meus saltos fazem *clip clop clip clop* na calçada, e, ao olhar a hora e apressar o passo, eles fazem *clipclopclipclopclip-clop*. Descobri que o máximo de viver no centro da cidade é poder ir a pé a qualquer lugar e que a droga de viver no centro da cidade é ter de andar para todos os cantos.

Eu me sinto nervosa por causa desse encontro com Simon, mas sinceramente não afirmo que meu nervosismo se relaciona à ideia de que posso me apaixonar perdidamente, nem mesmo acabar numa cama. Ele é atraente, sei disso. Mas aprecio muito que as outras mulheres não pareçam perceber. Caroline, entretanto, está certa: é melhor eu me comportar como solteira e sair com algumas pessoas logo de cara do que esperar mais um ano. Se eu já me sinto sem jeito agora, só vai piorar.

Às vezes, eu acho que preciso de um GPS mandão preso ao cinto. "*Na primeira oportunidade, faça um retorno...*"

Chego à esquina perto do restaurante, diminuo o passo e, instintivamente, passo a mão na parte de trás do vestido para ver se não ficou preso na calcinha. Depois de entrar com o andar meio manco, procuro adotar uma postura mais relaxada, com um pé na frente do outro.

Li em algum lugar que as pegadas de uma debutante na areia formam uma linha comprida, e não marcas lado a lado. Ignoro a dor aguda em meu calcanhar, indicando que as calçadas de Manchester não são a praia e que não sou nenhuma mocinha. Procuro fazer cara de livre, leve e solta.

Depois de dizer que podíamos jantar, percebi, tarde demais, que não queria ir a nenhum lugar assustadoramente exorbitante com o Simon e aumentar a expectativa. Sugeri um restaurante italiano perto do Printworks, na verdade uma pizza expressa melhorada, e pensei que ele fosse discordar, sugerindo que fôssemos a um lugar mais distinto, mas ele concordou rapidamente. Deve estar no DNA inglês não se opor à escolha de uma mulher. Ou, então, ele gostou dos preços justos.

Vejo Simon do lado de fora, e obviamente o DNA inglês também deve registrar que não se deve entrar no local sem a mulher. Ele poderia ter me ouvido chegar: eu batia os saltos na rua como um cachorro que precisa cortar as unhas.

Ele me cumprimenta assim:

— Boa noite. Você está fantástica. Vamos entrar?

Não estou, nem de longe, tão bonita, arrumada e pronta para um primeiro encontro como ele: um vestido simples que, infelizmente, parecia de sarja, mas agradeço o elogio e concordo que podemos entrar.

Somos levados ao sofá na área de espera, adornada com uma palmeira gigante. O restaurante é uma sinfonia de talheres e louça e bate-papo. Garçons vestidos de preto andam de um lado a outro na coreografia do serviço atencioso. É aqui que o resto da sociedade tem passado as noites de sábado, não na cama com livros de bolso às dez da noite, enquanto seu parceiro assiste a *Match of The Day*.

Simon recebe a carta de vinhos e, enquanto folheia, de modo autoritário, as folhas finas, diz:

— Você conhece bastante o Ben?

Até você, Simon?

— Como assim?

— Vocês já namoraram, ou algo do tipo?

— Não. Velhos amigos. Por quê?

— Foi o que ele disse. Mas, ainda assim, Ben me passou um sermão, dizendo que eu tinha que cuidar de você, blá-blá-blá... como se eu fosse o lobo mau tentando entrar na cesta da menininha.

Fico tocada, e me surpreendo. Tento não demonstrar.

— Ele tem uma irmã mais nova. É uma síndrome comum... Os irmãos mais velhos sempre protegem as amigas também.

— Certo. Então você nunca embarcou na dele?

— O quê?

Ele está perguntando o que ninguém mais perguntaria de primeira? Se estivéssemos em um livro infantil, a Rachel do desenho estaria com a boca como a de um gato vagabundo e, dentro do balão de fala, estaria escrito "ARGH".

— Você nunca *subiu* no nosso Benji?

Meu choque dá lugar ao riso pela audácia da pergunta. Eu deveria dizer: "Olhe para a minha cara, olhe para o Ben. Olhe para a Olívia. Parece provável?".

O garçom avisa que nossa mesa está pronta.

Simon fica de pé e fecha um botão do blazer, como se estivesse sendo levado ao pódio em uma cerimônia de premiação, com a carta de vinhos enfiada embaixo do braço como uma prancheta.

— Você primeiro.

Depois que recebemos os cardápios, eu me inclino sobre a mesa e sussurro:

— Não, nunca. Não acredito que você está perguntando isso. Ele é seu amigo. Não lhe perguntou?

— Sempre interrogue as pessoas separadamente.

— Ah, claro. Talvez você queira fazer isso na suíte de algum hotel?

— Não haveria luz suficiente — Simon sorri. — Eu gosto de saber o que é o quê.

— Entendi.

— Na verdade... — Simon parece pouco à vontade, o que é uma novidade — ... a última mulher por quem me apaixonei era casada. Então, digamos que comecei a tomar cuidado com complicações.

— O que aconteceu?

Ele age como se não tivesse me escutado, retirando fiapos imaginários da manga.

— Não queria falar sobre isso antes de pedirmos o vinho.

— Pode continuar. Não conheço as regras dos encontros modernos.

— Eu estava interessado. Ela era casada. O marido descobriu. Ela ficou com ele. Fim da história.

— Garanto que não sou casada.

— Disso eu sei. Não há nenhum outro segredo terrível que gostaria de declarar?

— Só que não entendo nada de vinhos.

— Permita-me — Simon diz, voltando a ser quem é. — O que vai querer comer? Carne ou peixe? Você não é problemática, certo?

— Problemática?

— Vegetariana, peixetariana, humanitariana. Qualquer outro eufemismo para "contra o prazer".

— Não como nada que tenha cara — digo, brincando.

— Ah, não se preocupe. Tudo o que vou comer já teve a cara arrancada.

Eu me preocupei achando que a natureza arredia da conversa com Simon poderia ser difícil quando eu saísse com ele. Tolice minha. Ele não para de fazer perguntas educadas. Conta sobre os clientes, eu conto sobre os casos no tribunal. Trocamos histórias sobre advogados que ambos conhecemos. Ele reclama dos jornalistas impetuosos e xeretas, e eu reclamo dos advogados desnecessariamente discretos e fechados.

Simon parece verdadeiramente interessado e contente, e eu, depois de um tempo, percebo que estou gostando de ter alguém que me ouça. A atenção que ele me dá é levemente inebriante, mas não tanto quanto o vinho tinto que ele escolheu.

Rhys estaria ali reclamando, olhando na direção da saída, batendo o pé no chão, totalmente impaciente. Além dos ensaios da banda, ele gostava de fazer sempre três coisas: ir para casa, para o trabalho e para o bar, e qualquer mudança o deixava agitado, quase ressentido.

Ao analisar as diferenças, aos poucos vou percebendo que, enquanto Rhys era todo grosseiro, o Simon é mais comedido, mais maleável, sendo simples introduzir alguns assuntos para conhecê-lo melhor. Em determinado momento, ele se altera inesperadamente, quando falo de um colega dele que deixa todas as moças do tribunal babando.

Simon pergunta: "É mesmo?", como se fosse impossível de entender, e logo muda de assunto. Tento imaginar se ele é do tipo ciumento.

Começamos a falar sobre um casal do mesmo departamento da empresa de Simon, e sobre como os funcionários misturam as coisas.

— Sempre achei má ideia ter o mesmo tipo de trabalho. Muita coisa profissional em casa, e rivalidade.

— Ben e Olívia parecem se virar bem — digo.

— Eles passam por alguns momentos difíceis.

— É mesmo? — Não entendo muito bem o que ele quer dizer e tento esconder minha curiosidade.

Simon se serve do resto do vinho.

— A Liv é o homem da casa, sem dúvida. Acho que a mudança para Manchester foi a primeira vez que Ben se impôs, e ela ainda está tentando se acostumar. Eu disse a ele: "Não se case com uma mulher que tenha muito mais dinheiro do que você. Ela vai se sentir a gerente do casamento". E foi dito e feito...

— A Olívia ganha muito dinheiro?

— O problema não é o que ela ganha, mas o dinheiro que já possuía antes. O pai dela vendeu a empresa de transporte e se aposentou quando tinha 40 e poucos anos. Olívia não precisa trabalhar.

Caramba! Além de bonita, rica.

— Talvez ela goste de ser independente — digo.

— Ah, sim. Não me leve a mal. Quem não tem teto de vidro pode atirar a primeira pedra.

— A maior parte das coisas que diz é irônica, não é?

— Até agora, só sou sexista quando culpo as mulheres por tornarem o James Blunt um sucesso. Vamos? — Simon pergunta, sinalizando para chamar a garçonete e pedir a conta.

— Quero a conta — digo decidida, e faço um gesto para pedir.

— É bom saber.

A garçonete analisa quem tem mais poder e a conta é entregue a Simon em um pires. Ele coloca o cartão em cima e o devolve.

☞ 42

Quando Simon disse que "conhecia um lugar", eu imaginei um clube de cavalheiros com poltronas reclináveis, papel de parede listrado e lareira crepitando. Simon mostraria um cartão de associação ou trocaria um aperto de mão maçônico com o porteiro, e os portões seriam abertos.

Mas entramos em uma rua pouco iluminada que leva a um bar cujo tipo de clientes não exige muita coisa.

— Atenção. *O vômito* — Simon diz com voz de funcionário de metrô, e segura meu cotovelo para eu desviar de uma poça de vômito do tamanho de uma tampa de cesto de lixo perto da porta. No local há apenas uma placa iluminada com a propaganda de uma cerveja. Perto dali, vários sujeitos estranhos dão as costas para nós para evitar que nos lembremos de seus rostos, no caso de um retrato-falado.

— Você sabe divertir uma mulher, não? Encontra seus clientes aqui?

— Ah, pare com isso. A Rachel que estou conhecendo não precisa de guardanapos rendados sobre a bebida.

Simon segura a porta aberta para mim. Sinto certa atração por ele, percebendo também que ele é bem alto e que a bebida já me deixou bem alta, e que gosto do fato de ele fazer surpresas.

A fachada meio estranha condiz com o ambiente interior ainda mais estranho, um porão com banquinhos e uma jukebox estilo Wurlitzer bem grande, como um brinquedo enorme. A luz é regulada como um crepúsculo noturno, e, no ar, sinto um odor ácido inconfundível de latrina suja.

— Você quer tônica com vodca, certo?

— Obrigada — concordo, apesar de não querer, já que essa é a bebida preferida de Caroline, e não sei se isso é importante. Encontro uma mesa. Ele coloca as bebidas e se senta de frente para mim, e a calça faz barulho no estofamento de vinil.

— Com certeza não é um lugar com a sua cara — digo. — Você está me atirando uma bola com efeito para ver se consigo pegá-la.

— Depois de um encontro ou... — ele afasta a manga da camisa para checar um possível relógio Breitling, o que reforça minha opinião — ... dois terços de um encontro, como você poderia saber qual lugar tem a minha cara?

— Ah, vamos, é claro que não tem. — Eu paro. — Então me conte o que falou sobre a hipocrisia do casamento na festa do Ben e da Olívia.

Simon sorri.

— Eu imaginei que você tocaria nesse assunto.

— Não estou perguntando porque me incomoda — comento, de modo direto e sorrindo.

— Por quê, então?

— A maioria das pessoas convidadas à casa de alguém evita assuntos polêmicos como aquele.

— É controvertido dizer que a maioria das pessoas, quando se casa, está desistindo? Aposto que eles concordaram comigo. E duvido que alguém consiga ser totalmente honesto a respeito desse assunto estando ao lado do cônjuge.

— Você não estava pensando em ninguém em especial?

Simon ergue as sobrancelhas.

— Estou me aconselhando e não digo nada. O que você acha de me contar algo sobre o noivado que rompeu?

— Tenho que fazer isso?

— Bem, é normal descobrir algo pessoal a respeito da pessoa com quem você sai em um primeiro encontro, e, até agora, sei apenas que você não gosta de beterraba.

— Não tem muito o que dizer. Passamos muito tempo juntos, noivamos e ficou claro que nenhum de nós queria se casar, e eu tomei a iniciativa de dizer isso.

— Ele não queria terminar?

— Não.

— Existe chance de reconciliação?

— Duvido.

Apesar de meus melhores esforços, minha voz ficou embargada.

— Quanto tempo ficaram juntos?

— Treze anos.

— Ai. Pensei que tivesse sido muito mesmo.

Tenho certeza de que Ben deve ter contado sobre o rompimento, então eu faço a vontade dele perguntando por quê.

— Você tem o olhar sério da monogâmica em série que inesperadamente voltou para a floresta dos solteiros e se esqueceu de que precisa de um facão. — Dou risada. — É mais difícil para as mulheres — Simon diz. — Os caras solteiros com 30 anos são exigentes; as mulheres se preocupam com a possibilidade de se tornarem vítimas dessa exigência. — Eu me surpreendo e Simon acrescenta: — Mesmo sem qualquer garantia. Bom, existem coisas piores. Como Matt e Lucy. Que chatos eles são!

Eu dou risada de novo, assentindo vigorosamente.

— Então, Ben era popular na faculdade?

— Ele teve algumas namoradas, sim.

— Fiquei surpreso por saber que você não foi uma delas.

— Por quê? — nervosa de novo. Espero que ele não venha com uma cantada barata, dizendo que sou irresistível. Duvido que seria sincero.

Simon balança os ombros e bebe o resto de sua vodca.

— Você é bonita, e vocês dois se dão bem.

— Como eu disse, durante 13 anos eu fui comprometida — reafirmo.

— Nem sempre isso é impedimento.

— Você está à procura de... como dizem? Conversa de bebedouro?

Simon ri.

— Meu Deus, as mulheres no trabalho são loucas por ele.

— Sim, é o Efeito Ben — dou risada, e torço para que tenha sido discreta. — Por que você me chamou para sair? — pergunto, e, assim que o faço, já me arrependo. — Sei lá, não pensei que fosse seu tipo.

— E que tipo achou que seria o meu?

— Uh. Zara Phillips? Alguém firme e safada, mas que ainda seja possível apresentar à mamãe.

Simon ri bastante ao ouvir isso.

— Você me considera um idiota, não é? Não seja tão rápida em acabar comigo.

— Ah, como se você, por sua vez, não tivesse feito a mesma coisa.

— Claro que não. Gosto de pessoas com um pouco de mistério — Simon rola o copo vazio entre as palmas das mãos.

— Eu sou misteriosa?

— É, sim. Definitivamente, tem alguma coisa que você não está contando.

Pela primeira vez, uma resposta espertinha não me ocorre.

☜ .. ☞

Duas bebidas no bar e a paisagem começa a girar. Não quero perder o controle e não enfrento resistência da parte de Simon quando digo que está na hora de ir para casa.

Ele insiste em me acompanhar de volta a meu apartamento e diz que pode pegar um táxi de lá, se por acaso eu estiver pensando que está com segundas intenções.

Gosto da cidade à noite, o barulho de música e os feixes de luz lançados de bares que ainda estão abertos, montes de baladeiros vestidos com roupas coloridas, os táxis que buzinavam e o cheiro de gordura de carne e cebola das vans que vendiam hambúrgueres. Caminhamos depressa, passando pelos grupos de pessoas que bloqueiam a calçada, e chegando perto de meu prédio na hora dos embriagados. Na saída, a mesma distância, aparentemente, levou o triplo de tempo para ser percorrida.

— Boa noite, então. Obrigada pela noite incrível — digo, surpresa por perceber que não consumi álcool suficiente para tornar o momento menos estranho. Maldito ar fresco.

— Venha aqui — diz Simon, com a voz baixa, e me puxa ao encontro dele, e penso como é típico ele dar ordens em vez de fazer pedidos.

Ele beija como eu teria previsto que fosse, se tivesse pensado antes: com firmeza, quase força, como se um de nós acabasse sendo declarado vencedor quando nos separássemos. Não é desagradável, mas decido que não envolverá línguas, e me afasto. Pensei que a primeira pessoa que eu beijasse depois de Rhys seria um divisor de águas, mas a sensação é... que palavra usar? Prosaica. Como se os 13 anos nunca tivessem acontecido.

— Qual é o veredito, então, jornalista de tribunal? Podemos nos encontrar mais vezes? — ele pergunta, baixinho, e de um modo exageradamente sugestivo.

Estou me sentindo lisonjeada e bêbada. E surpreendentemente perdida. Uma parte de mim quer dizer sim. Mas a maior parte de mim sabe que não é o que quero, e só está aqui.

— Hum... Simon.

— Hum... Simon — ele imita, falando mais alto. — Ah não.

— Eu me diverti muito. Até mais do que pensei que me divertiria.

— A intensidade do elogio depende do quanto você pensou que se divertiria, não é?

Eu fico tentando imaginar se existe um intervalo durante o qual Simon é menos articulado e argumentativo. Ele deve ter afiado essas habilidades brigando todos os dias com os advogados de defesa.

— Está meio cedo para mim depois de Rhys e tudo o que aconteceu. Podemos ser amigos por enquanto? Não sei nem o que estou pensando e não é justo me envolver com ninguém.

— Tudo bem. Bom, obviamente eu preferiria estar a todo vapor, mas você é quem sabe.

Eu dou risada, sentindo uma onda de alívio por evitar intimidade com um homem que usa as palavras "a todo vapor".

— Obrigada. — Uma pausa. — Boa noite — digo.

— Boa noite.

Pego as chaves de minha bolsa. Quando me afasto, Simon me chama de novo:

— Sabe por que estou numa boa com isso, Rachel?

Balanço a cabeça, negando, e olho ao redor.

— Porque vale a pena esperar por você — ele diz, erguendo uma mão. — Boa noite.

Enquanto tento enfiar a chave três vezes na fechadura, fico pensando se aquilo foi uma hipótese ou um elogio.

43

Depois de um grande dilema interior, tentando decidir se é adequado, envio um e-mail a Ben para contar como foram as coisas com Simon. Não quero que ele pense que estou provocando.

Envio: "*Oi... Meio estranho, mas me diverti com o Simon, ainda que não saiba se vamos nos ver de novo. É meio cedo etc. Espero que você e Olívia não fiquem chateados*".

Volto de um intervalo do tribunal e encontro a resposta dele: "*Bem... Pedimos que você se case com ele para tornar os planos de jantares no futuro mais fáceis. É pedir demais?*".

Rio como uma idiota ao ler isso, e então vejo o PS: "*Estou tentando ser saudável durante meu almoço e vou comer um sanduíche e andar no Platt Fields à uma da tarde para escapar do escritório... Quer ir comigo e bater um papo? Não tem problema se não puder; não vou bancar o chato*".

Imediatamente respondo que sim e entro em um ônibus, já que Platt Fields não é muito perto, mas insistirei em dizer que é, se ele perguntar. É bom mudar, descansar, qualquer coisa assim.

Quando chego à entrada do parque, vejo que Ben está segurando sacos de papel, agachado, conversando com uma menininha de casaco escuro. Uma mulher na faixa dos 40 anos, assustada, se aproxima, e, quando eu chego perto, Ben diz com uma voz de personagem de desenho:

— Aqui está a minha amiga! Oi, Rachel!

— Oi! — respondo, tentando mostrar alegria, sem saber se devo falar como adulta ou criança.

Conforme nos afastamos, Ben murmura:

— Se falamos com o filho perdido de alguém hoje em dia, corremos mais risco de sermos presos do que de ouvirmos um obrigado. Fiquei feliz que você chegou.

— A menos que eles pensem que você é sósia do Brady Hindley — digo.

Ben ri.

— Eu me esqueci de que sentia falta de seu excelente senso de humor. — Antes que eu decida se devo me importar por ele ter me esquecido ou me sentir feliz por ele ter sentido saudade, Ben acrescenta: — Você trouxe comida?

Percebo que, na pressa, não levei nada.

— Comprei isto para você. Ainda come presunto e picles?

Ele me entrega um dos sacos de papel. Eu olho dentro e vejo um sanduíche de ciabatta enrolado em um guardanapo.

— Obrigada!

Eu nunca pensaria em almoçar ao ar livre no meio de um dia no tribunal, mas, de repente, sou invadida pela boa sensação da primavera, com a luz refletindo no lago.

— Então... Simon e Rachel não vão engrenar? — Ben pergunta.

Ele abre um amplo sorriso quando começamos a comer a ciabatta. Sempre compro esses sanduíches achando que são uma boa ideia, mas na prática eles parecem tijolos cosmetíveis cobertos com pó de gesso. Desisto e começo a puxar pedaços de presunto para fora do pão, dentro do saco, querendo que Ben não pense que enfiei a cara num saco de farinha.

— Fomos jantar e foi surpreendentemente divertido... — Quando paro, pensando em como continuar, Ben, de repente, parece um adolescente sendo forçado a ouvir a história de sua concepção. — Olha, não vou contar nada de inconveniente. — Vendo sua expressão assustada, não consigo resistir e continuo: — Acho que não, porque, quando uma mulher e um homem gostam *muito* um do outro, eles têm um tipo de carinho especial...

— Argh! Pare agora mesmo! Meu Deus, só de pensar em Simon segurando a cabeceira da cama e gritando "Bravo! Cheguei à minha conclusão! Preparando para tirar o membro em três, dois um..." — Ben estremece. — Encontre outro confidente para essas coisas.

— Estou brincando! — digo, rindo, apesar de me sentir tensa. — Foi um jantar *à deux, home un une.*

Ben finge que está passando o guardanapo na testa.

— Simon foi mais enigmático, claro. Oh, *ela é demais, Ben.* — Ele ergue a sobrancelha ao estilo Roger Moore, como Simon, e, então, faz cara de nojo.

Rimos.

— Não sei se combinamos, sabe? — comento. — Ele é muito esperto, inteligente e espirituoso. Mas acho que somos muito diferentes. Com certeza Simon seria um desafio. Ele me assusta um pouco, para ser sincera com você.

— Hum, não sinto muito por você dizer isso.

Eu penso na observação de Caroline, no meu apartamento. Essa declaração franca de Ben torna mais provável o fato de ele estar agindo normalmente. Sinto alívio, e uma pontadinha do que poderia ser decepção.

— Não?

Ben balança a cabeça enquanto mastiga e engole.

— Eu me dou bem com Simon, mas não confio muito nele. Não recomendaria a uma amiga namorá-lo. — *Uma amiga.* Sou uma amiga de novo. — A Liv acha que estou sendo ridículo e que vocês dois poderiam ser um ótimo casal, então não sei. — Espero que saiba bem mais do que ela no que diz respeito a mim, mas não digo isso. Ben continua: — Para ser sincero, fiquei surpreso por você ter concordado em sair com ele.

Pego mais um pedaço de presunto.

— Quando é o momento certo para procurar outra pessoa depois de 13 anos? Como ter certeza de quem é a pessoa certa com a qual sair? Caroline disse que eu precisava experimentar, e eu achei que ela estava certa.

— Você precisa confiar em seus instintos. A Caroline é ótima, mas as escolhas dela são dela, não suas.

Eu me sinto tão sensibilizada pelas palavras que digo:

— É muito cuidadoso de sua parte. Você é o que chamamos de "suficientemente gay".

Ben balança a cabeça e diz, com a boca cheia de pão:

— E eu a estava incentivando. Alguém já lhe disse que você é uma bruxa sem coração?

— Sim, um cara na faculdade, certa vez. — Balanço a mão para mudar de assunto.

Muito longe. Ben engole em seco, e esboça um sorrisinho logo depois. Apesar da reabilitação, sinto uma pontada de uma velha ferida, lembrando que não devemos exagerar, não forçar demais ainda.

O que Ben e eu somos um para o outro? Não existe palavra para definir. Não somos ex-namorados e, apesar do que ele disse e do que quero acreditar, também não somos exatamente amigos. Não é à toa que outras pessoas pediram uma descrição. Sinto vontade de abordar o assunto, mas estragaria tudo.

— Então, um segundo encontro com Simon não deve acontecer? — Ben pergunta, e penso que deve estar à procura de algo a dizer.

— Não deve acontecer. Mas não é impossível.

— Vou dizer a Liv que se trata de um "talvez definitivo". Assim, ela vai deixar você em paz e não vai ofender Simon se ele perguntar a ela.

— Boa ideia — digo, agradecida. — Ele tem umas ideias interessantes, tenho que admitir.

— Ah, e sobre aquele assunto do jantar, de todos termos nos casado com as pessoas erradas? Ele não tem muito respeito pelo relacionamento dos outros, de modo geral, pelo visto — Ben comenta.

— Acho que sei a que você está se referindo. Se é sobre o passado, ele contou.

— Ah. O que ele disse?

— Que ele se apaixonou por uma mulher casada e ela voltou com o marido.

Ben assente.

— Ele me contou isso também. E sabe qual é a minha opinião. Ainda que ele fosse maluco por ela, não deveria ter tentado.

Viu, Caroline?, penso. *Esse é o Ben. Ele pode ter se divertido com o sucesso que teve na área, mas não é favor de entrar embaixo da saia de qualquer uma.*

— Mas ele é seu amigo?

Ben encolhe os ombros.

— Ele conhece a Liv desde a faculdade e tem sido bom comigo no trabalho. Não quero namorá-lo. — Ele franze o cenho. — Sinto muito se desanimei você. Mantenha os olhos abertos, porque nunca se sabe. Pode ser que você seja a pessoa ideal para ele. Mas não vejo muitas coisas que combinem com você, só isso.

— Não vou morrer velha e sozinha?

Ben ri.

— Até parece. Posso pedir sua opinião a respeito de algo?

— Claro.

— Liv quer voltar para Londres daqui a um ano.

— Ah! — *Vou dar conselhos com meus interesses envolvidos. Que maldade.*

— Se eu concordar, o dinheiro não vai dar para comprar lá o mesmo tipo de casa que temos aqui. Então ela quer que eu permita que seus pais nos comprem uma casa gigantesca perto deles. Eles se ofereceram para levar a filhinha de volta ao Sul, acredito. Eu neguei. Estou sendo pouco razoável?

— Quais são seus motivos...?

— Além do fato de eles estarem morando em Surrey, lugar horrível, é demais. Não quero ficar devendo uma fortuna a meus sogros. Não me entenda mal, eles são boas pessoas. mas não quero ser comprado. Eu sabia que eles eram incríveis antes de nos casarmos. Essa demonstração de generosidade me faz pensar que não os valorizo o suficiente.

— Eles não lhes dariam o dinheiro para comprarem aqui?

— Ah, não — Ben sorri. — Não que eu fosse aceitar, mas não. Não é esse o acordo.

— E o que Olívia pensa disso?

— Ela acha que sou egoísta. Estou colocando em risco a felicidade de minha esposa e a segurança de nossos futuros filhos por um capricho qualquer. Ela diz que, de qualquer modo, é um dinheiro que vai acabar herdando. Olívia partiria daqui amanhã mesmo. Ela diz que tentou morar no Norte por mim, mas não gosta, e a experiência acabou, dever cumprido. Apesar de eu estar feliz como não me sentia há anos.

Patético, já que eu sou um dado irrelevante, mas o último comentário me deu vontade de abraçá-lo.

— Difícil.

Sei que qualquer comentário meu poderá ser repetido a Olívia, e a questão não é da minha conta. Há apenas alguns minutos eu estava ouvindo que minha opinião é mais importante do que a de Caroline, e, ao mesmo tempo, a situação é bastante semelhante ao que Caroline disse que eu deveria ficar atenta. Ben não tem mais ninguém com quem conversar aqui, eu digo a mim mesma para me acalmar. Tudo bem. Somos dois velhos amigos conversando. Apesar de o papo de "amigos" não ser muito adequado.

— Consigo entender por que você se sente assim. Não pode haver um acordo de você pagar a seus sogros o que deve em um determinado número de anos?

— Estamos falando de uma quantia que eu nunca conseguiria pagar, Rachel. Devolver o dinheiro não é o plano. Quando estivermos ali dentro, teremos que encher os quartos...

Ele faz uma pausa. A questão dos filhos. Não perguntarei sobre isso.

— Acho que você está certo de querer manter sua autonomia — digo. — Quanto à segurança, Didsbury não é uma favela, certo? — Ben balança a cabeça, negando. — Olívia vai mudar de ideia quando se acostumar melhor a Manchester — acrescento.

Ben ergue as sobrancelhas, olha ao longe e faz um "Humm".

Sinto que ele tem muito mais a dizer, mas que já se sente desleal.

Há uma pausa demorada.

— Como é a família de Simon? — pergunto, já que é a minha vez de encontrar um assunto.

— Você não sabe?

— Não.

— Os pais dele morreram quando ele tinha sete ou oito anos. O tio e a tia ganharam a guarda dele, mas não foram pais muito cuidadosos, e o matricularam em um colégio interno. Acho que o colégio foi pago com o dinheiro do seguro de vida dos pais.

— Ah, não, que terrível. — Eu me sinto péssima. E me lembro de ter dito algo sobre os pais dele. — Mas eu disse uma coisa sobre...

Ben balança os ombros.

— Você não tinha como saber.

O sol já se escondeu atrás de uma nuvem. Olho a água calma, às vezes agitada pela ação do vento.

— Por isso não deveria ter dito.

O clima mudou. Arranco mais um pedaço de pão com a mão.

— Posso dar este pão aos patos?

— Fique à vontade.

Muitos patos verdes, creme, pretos e amarelos se aproximam para pegar os pedaços da ciabatta.

— E aquele atrasado que não consegue pegar nada? — Ben pergunta.

— Onde?

— Ali! No fundo. Coitadinho.

Entrego a Ben um pedaço grande de ciabatta e ele sorri para mim, mas não o velho sorriso de antes, meio comovente, alegre, de matinê de domingo à tarde, até meio amarelo sob as lentes da objetiva. Ele começa a jogar pedaços de pão com mais vigor do que eu.

— Alcancei! Aí vai, amigo. A vida não é tão injusta quanto você pensava.

— Uhu! É, sim — digo.

Ben me olha de canto de olho. Percebo que "Um Momento" está nascendo.

— É claro que estamos matando peixes, na verdade — digo. — Parece que o pão que sobra apodrece e a água fica tomada por muito nitrogênio, ou coisa assim.

— Ah, Capitão Estraga-Prazer — Ben diz. — E eu aqui, pensando que esta paisagem é legal.

44

Enquanto me seguro em uma alça dentro do ônibus, estou perdida em meus pensamentos a respeito de Simon órfão, que de repente ganha meu carinho e solidariedade, apesar do caso com a mulher casada. Ainda que confie no que Ben deixou subentendido, não consigo parar de pensar na versão de Simon para o que aconteceu. Penso no que fiz com Natalie Shale e minha conversa com Caroline, e suspeito de que preciso ficar mais durona e *encarar* as coisas, como o Rhys diria.

Meu telefone toca com o canto de passarinhos abafados no fundo de minha bolsa. Eu a coloco na frente do corpo e rapidamente o pego. É o Ken. Mau sinal.

— Alô?

— Woodford? O que está achando de Zoe Clarke?

— No trabalho?

— Não, num jantar à luz de velas. SIM, NO TRABALHO.

— Hum... ela é... — Bloqueio o barulho do trânsito e da conversa ao meu redor com um dedo indicador fechando o ouvido. — Hum... ela é excelente. É uma ótima jornalista e não precisa de orientação. Tem me ajudado e sei que, se deixar uma matéria na mão dela, sempre vai entregar uma história.

— Certo. Conversei com o editor e gostamos de como ela trabalha no tribunal. — Uh oh... Será que perdi meu emprego? — Então... queremos tentar um novo esquema, fazer uma experiência...

Meus músculos ficam tensos. Inútil argumentar. Quando Ken decide uma coisa, principalmente ao passar o assunto pelo editor, é impossível pará-lo. É mais fácil tirar um tanque de guerra do caminho esticando a perna para que ele tropece.

— Vamos deixá-la no tribunal o tempo todo... — Isto não está acontecendo. Não estou prestes a descobrir que voltarei ao escritório como jornalista geral, com reuniões de pauta, turno estendido e sem horário para sair. Não. Eu me recuso. Vou embora. Ah, sim... *E quem vai pagar aquele apartamento idiota que você está ocupando?* — ... como sua assistente. Assim, você terá mais tempo para cuidar de outros assuntos, como a matéria da Natalie Shale. Gostamos daquela também. Bom texto e direto. Não encheu linguiça.

Eu começo a gaguejar:

— Ah, legal, obrigada...

— Começa semana que vem? — Ben pergunta.

— Sem problemas.

Ele desliga sem se despedir, e Ken Baggaley é a única pessoa fora dos filmes que faz isso.

As portas do ônibus se abrem com um zumbido hidráulico, e eu saio, respirando o ar de monóxido de carbono do centro da cidade de Manchester, e espero o desespero de momentos atrás começar a passar.

Uma assistente. Eu teria tempo de abordar matérias mais importantes, talvez até redescobrir o amor pelo trabalho. Eu sabia que a matéria com Natalie Shale seria um ponto positivo para mim. Só não esperava conseguir uma promoção. Sorrio para mim mesma quando começo a caminhar em direção ao trabalho.

Caroline deu a entender que fazer amizade com Ben de novo poderia trazer coisas ruins. Até agora, só trouxe boas.

☜ .. ☞

Gostaria de ir a um lugar bacana para comemorarmos nossa promoção, mas o valor de meu aluguel está pesado. Mesmo com um aumento de salário, duvido que Zoe esteja podendo esbanjar, por isso acabamos indo ao The Castle, odiando a escolha previsível. Zoe vai pegar as bebidas enquanto eu observo o cardápio cheio de trocadilhos a respeito do Clube do Curry de Quinta-feira: "*Tire a noite longe da cozinha!*". Ela volta com duas taças enormes de vinho branco, e proponho um brinde pelo trabalho no tribunal.

— Ao trabalho em equipe — digo, erguendo minha taça para Zoe encostar nela. — E a Pete Gretton, que nos deu algo em comum desde o primeiro dia: um inimigo.

Nós bebemos.

— Você sabe que tudo isso foi graças a você, Rachel.

— Não seja tola; é graças a você, por ser tão competente mesmo tão jovem.

— Mas é sério. Eu me lembro daquele primeiro dia em que eu não sabia o que estava fazendo. Agradeço-lhe a paciência.

Começamos a falar sobre compras, e, quando estamos na segunda rodada, decido que posso me abrir um pouco mais.

— Zoe, você consegue guardar segredos?

— Ai, adoro segredos. É claro que sim.

— Quando estava entrevistando a Natalie, li uma mensagem de texto em seu celular. Pensei que pudesse ser sobre mim. Saí com o advogado dela. Não que isso seja uma desculpa.

— E? — Zoe está com os olhos verde acinzentados arregalados.

— E era de um... amante. Acho.

— *Caraaaamba*. O marido está preso e ela está aprontando. Winnie Mandela versão sem-vergonha.

— Eu queria saber se era o cara com quem saí. Mas não era o número dele.

— Você guardou o número?

Eu me retraio.

— Sim. Só para compará-lo com o de Simon.

— Você não ligou para esse número?

— Acho que não vou conseguir descobrir muita coisa escutando uma voz qualquer.

— Está com o número aí?

— Por quê? O que você vai fazer?

— Basicamente, vou telefonar sem me identificar.

— E perguntar o quê? "Você é o cara que está com a Natalie?"

— Não.

— Um telefonema sem dizer nada nem perguntar nada? Parece uma atitude em vão.

— Veremos.

— Você jura que não tem risco?

— Nenhum. Pode confiar em mim.

Pego meu caderno da bolsa e o abro. Uma voz interna bem alta me diz que eu estaria pensando com mais clareza se não tivesse tomado mais da metade de uma garrafa de vinho com o estômago vazio. Ali está o número, rabiscado do lado de dentro da capa de papelão, ao lado das palavras "BOM ENCANADOR", para o caso de Gretton começar a copiar números aleatórios ao olhar as minhas coisas, pensando que podiam ser de Natalie.

— Pode falar — Zoey diz com a caneta posicionada nas costas da mão. Eu dito os números e ela os escreve, cobrindo a pele com tinta azul. — Certo, venha comigo. — Zoe sai do assento e procura um orelhão dentro do bar. Deixo meu casaco nas costas da cadeira, coloco a bolsa no ombro e vou atrás dela. Após inserir moedas, ela tecla os números enquanto eu fico olhando ao redor, sem saber direito para quê.

Zoe faz cara de superanimada enquanto espera tocar, como se estivesse desesperada de vontade de ir ao banheiro. A gerente lança um olhar suspeito em nossa direção. Desde os 15 anos não me sinto assim, quando brincava de polícia e ladrão.

— Oi, é a Liz? — Zoe pergunta a quem atende. — Desculpe. Foi um engano.

Ela desliga.

— É um homem.

— Acho que isso não nos rende a medalha Woodward e Bernstein de investigação.

— Paciência — ela diz, e eu fico pensando que talvez Zoe tenha se tornado minha mentora.

Ela tecla o número de novo.

— O que você está fazendo? — pergunto sem emitir som, e ela leva um dedo aos lábios.

Desta vez, ela não fala e desliga.

— Bingo.

— O que foi?

— Poucas pessoas atendem um telefonema por engano duas vezes. Desta vez ele deixou cair na secretária eletrônica.

— E?

— E Natalie Shale está transando com alguém chamado Jonathan Grant, que não pode atender a ligação agora, o safado. Só precisamos descobrir quem é esse Jonathan — Zoe explica. — Vou dizer uma coisa: ele parecia despojado, não um Zé Mané qualquer... Você está bem?

— Zoe, eu acho que sei quem ele é — digo.

— *Caraca*. Quem?

— É o último advogado de Lucas Shale.

Ficamos olhando uma para a cara da outra, Zoe boquiaberta.

— Porra! — um cara grita ali perto quando uma máquina caça-níquel começa a despejar um monte de moedas.

45

— Preciso pensar com clareza — digo, reforçando a frase ao levar uma terceira taça cheia de vinho aos lábios, e Zoe assente com seriedade. — Por um lado, é uma matéria, com certeza — acrescento, sem necessidade.

Zoe levanta a mão suja de tinta azul.

— Por outro lado, é uma matéria de matar. — Os olhos dela brilham, e de repente ficam mais claros e luminosos. — Você é uma lenda.

Apesar da sensação de ter espiado embaixo de uma pedra e encontrado um inseto, sinto a cabeça meio zonza. Pelo menos estou fazendo Zoe se divertir.

— Não sou nenhum gênio do jornalismo. Mas obrigada.

— Por outro lado...?

— Por outro lado, Natalie Shale será acossada. A apelação de Lucas poderia ser prejudicada com toda a atenção que o caso ganharia. Imagine só estar preso por algo que você não fez e descobrir uma coisa dessa? Jonathan Grant provavelmente vai perder o emprego. Não sei bem como isso funciona na lei. Acho que, após uma uma pessoa fazer uma coisa tão antiprofissional como essa, ela é despedida.

— Verdade. Ela decidiu começar a mexer com o marido, e vice-versa. Não é sua responsabilidade.

— Eu sei, mas eu não teria descoberto se não tivesse espiado enquanto estava dentro de sua casa.

— Onde ela estava quando você olhou o telefone?

— Estava no quintal, conversando com uma vizinha.

— Mas você precisa lembrar que isso é enorme. É a história sobre a qual eles falariam no discurso de despedida. Você pode telefonar para a Natalie e saber se ela pode falar sobre isso.

— De certo modo, acho que não será possível, e não tenho como sondar sem causar comoção. Sou amiga do atual advogado dela. — Mais do que amiga, talvez. — Terminaria com todo mundo enlouquecido e exigindo que eu cortasse minha entrevista. Garanto.

Zoe faz uma careta.

— Se eu não tivesse telefonado para aquele número, você não teria que se preocupar com isso.

— Tudo bem — digo rapidamente. — Vou ao banheiro e, quando voltar, terei a resposta.

Enquanto arranco papel higiênico do rolo com mais força do que o necessário, um pensamento bêbado me ocorre, como um bichinho em uma maçã podre que eu chamo de cabeça. Deixe Natalie com o caso dela, deixe-os em paz, porque quem pode dizer como ela encontrou a felicidade? Lucas talvez seja um marido horroroso. Ela pode ter-se apaixonado perdidamente por Jonathan. É possível que tudo acabe quando Lucas for solto. Um mero "momento de loucura" do qual ela se arrependa, como dizem os políticos. Realmente importante para mim não é a moralidade do que eles estão fazendo, nem um escândalo de primeira página. É um homem em Manchester. Quero fazer algo que o deixe orgulhoso, mesmo que ele nunca saiba nada a respeito. Existe uma maneira de contar essa história e não irritar Simon nem alienar Ben? Eu a usaria se ela existisse; deixar Natalie na dela? Amasso o papel higiênico, miro no cesto de lixo e erro.

Volto para perto de Zoe, ansiosa, à mesa.

— E então? — ela pergunta.

— Bem, não teve nenhum raio, e isso é frustrante, já que costumo ter todas as minhas epifanias no banheiro do The Castle.

Zoe ri. Eu me sinto irritada.

Está na hora de parar de fingir que sei o que vou fazer.

— Não, vou deixar pra lá, Zoe — digo. — Não é a decisão mais inteligente que tomei, mas conseguirei dormir à noite.

— É mesmo? — Zoe pergunta.

— É mesmo. Nada de bom pode resultar do que eu fiz. Foi errado. Minha intuição está me mandando ficar longe disso tudo.

— Acho que você, provavelmente, tomou a decisão certa.

— Sabe de uma coisa? Tenho certeza absoluta de que é o certo. Eu sinto isso.

— Meu Deus, dá para imaginar o que Gretton faria se tivesse essa informação? — Zoe ri. — Ele morreria e iria para o céu.

— Gretton não vai para o céu; ele vai para um lugar quente — comento. Por falar em quente, aceita afogar essa história toda em curry?

46

Comemorei meus 21 anos com um jantar indiano no nosso restaurante preferido em Rusholme: os garçons nos conheciam, brincaram conosco e nos trouxeram *kulfi* de graça, juntamente com menta e um prato com toalhinhas quentes com cheiro de limão enfiadas em saquinhos plásticos.

Quando reservei o local, expliquei a razão, e, quando chegamos, vimos que eles haviam, gentilmente, colocado bandeirinhas que acabaram sendo arrastadas em nosso chutney de manga. Não foi uma grande comemoração, como nunca é aos 21, mas as provas finais estavam acabando e todo mundo se sentia um pouco assustado, tenso e cansado.

Como Ben não conhecia muito bem meus amigos, ele levou sua mais nova namorada, Pippa, que eu sabia ter curtido um sentimento por ele muito tempo antes de começarem a namorar. Eu me perguntava se ele também estava apaixonado. Afinal, já havia escutado um amigo de Ben descrevê-la, com admiração, como “o pacote completo”, tocando no ponto que me deixava desconfortável em relação a Pippa. Ben já tinha namorado muitas meninas bonitas, mas nunca uma *tão* bacana. Cabelos ruivos, proporções de uma Polegarzinha pornô e, o pior, interessante por dentro e por fora.

— Você está linda — ela me disse com sinceridade, em seu leve sotaque irlandês, o que deixou tudo ainda mais sincero.

— Obrigada!

Eu não estava linda. Havia passado uma hora criando um penteado com cachos, no estilo Shirley Temple. Imaginei cachos grandes e brilhantes, semelhantes a fio de telefone, como nos comerciais. Mas acabei com uma cara de maluca, parecendo uma rainha de baile americano que tivesse sido flagrada agarrando-se com o rei do baile no estacionamento.

Caroline quis saber o que Rhys havia me dado de presente.

— Coisas de mulher. Perfume, lingerie. Mas gosto de cueca.

— Você é um travesti? — Caroline perguntou, pegando um paparis com cebola.

— Eu a admiro. Você precisa ver as coisas que ela costuma usar... como uma cueca da marca St. Trinian.

— Calem a boca! — eu ri, cobrindo a boca para não espirrar pedaços de comida sobre a mesa.

— Alguns homens gostam disso — Caroline disse.

— Não os mais machos.

— Rhys!

— Ah, acho que gostam, sim — Caroline comentou, pegando uma colher de molho de menta.

— Um de meus namorados pediu que fizéssemos uma brincadeira na qual eu o chamava de Maharaja — Mindy disse, e nós a ignoramos educadamente.

— Ela até tem roupa de baixo com personagens de desenho — Rhys continuou. — O que é aquela coisa de lã da Vila Sésamo? Aquela dentro da lata de lixo? — Com o rosto corado, dei um chute em Rhys por baixo da mesa. — Ai, caramba! Doeu!

Olhei Ben para ver se ele tinha escutado aquilo. Ele fingiu estar absorto no cardápio, para eu não ficar constrangida, mas me envergonhei mais ainda.

— Oscar, o resmungão — Caroline disse.

— Resmungão? Ela é legal — Rhys comentou.

— Estou falando do desenho.

Ao ajeitar o vestido quando voltei do banheiro, percebi que Ben não estava na mesa, onde a bebida rolava à vontade. Eu o vi lá fora, recostado na janela. Todos ainda comiam *jalfrezis* escuros, além de *dhansaks*, *kormas* e um monte de arroz amarelo. Saí sem ser notada.

— O que está acontecendo?

Ben se assustou ao ouvir a minha voz.

— Eu precisava tomar um pouco de ar. O que você está fazendo aqui fora?

Segurei minha barriga redonda por baixo da renda do vestido.

— Enchi o bucho, precisava ficar um pouco de pé.

Ele sorriu.

Um carro com escapamento furado passou por nós, com os quatro vidros abaixados e uma música idiota no último volume. Não falamos nada até o barulho diminuir, sentindo o frio do início da noite inglesa. No ar, o cheiro de fumaça e de asas de frango apimentadas sendo fritas no estabelecimento ao lado.

— Vinte e um, hein, Baixinha? Você está velha.

— Rá. É.

— Já tem um plano? Tudo ajeitado? Carreira, casamento, filhos, esse tipo de coisa?

— Não.

— Mas você vai voltar para Sheffield?

— Bom, sim, já que vou cursar jornalismo. — Surpreendi-me um pouco com a pergunta. Já que eu tinha me candidatado, passado e planejado tudo com antecedência, o que mais faria? — E você? Vai acabar o Grande Tour Mundial na Irlanda? — perguntei.

Ben e seu amigo, Mark, vinham planejando uma viagem de seis meses desde os 15 anos. A atitude zelosa de Ben no trabalho lhe garantira belas economias. Eles tinham comprado as passagens havia pouco tempo, e Ben me mostrou, animado, o caminho no mapa da Ásia em cima de uma mesa do refeitório.

A partida dele estava me forçando a encarar uma ideia que eu tentava evitar: como manteríamos contato, de modo a nos envolver um na vida do outro, além de alguns esporádicos cartões postais? Será que as namoradas dele me aceitariam? Será que o Rhys começaria a fazer piadas a respeito do meu "Outro Homem" a ponto de nos deixar constrangidos?

Ben e eu éramos uma dupla exclusiva, e ninguém mais podia se aproximar. Essa exclusividade se revelaria um erro. Apesar de todas as boas intenções, eu não conseguia acreditar que nosso relacionamento continuaria dando certo com a distância física e a questão do sexo diferente. Se alguém me perguntasse se Ben e eu continuaríamos amigos, eu teria dito sim, mas, se me levassem a uma sala de interrogatório e acendessem uma lanterna na minha cara exigindo saber a *maldita verdade*, eu sabia que enfrentaria problemas. Não haveria mais o lance de "Vamos ao cinema e depois ficamos um pouco na casa dele" quando o tempo passasse e namorados desconfiados estivessem envolvidos. As cartas e os telefonemas falariam sobre promessas de visita que nós dois consideraríamos estranho continuar fingindo que faríamos, então, o contato diminuiria. Diante de muitas questões, multiplicadas pelos anos, a amizade acabaria e, pior de tudo, nós desejaríamos esquecer e deixar o tempo passar, porque seria mais fácil assim.

— Você acha que eu deveria me mudar para a Irlanda? — ele perguntou.

— A Pippa parece bem legal — respondi, com sinceridade.

Nós dois olhamos para dentro do restaurante e vimos Rhys animado, torcendo uma bexiga para moldar uma figura e divertir Pippa, que ria.

— Isso não é resposta.

— Só você sabe se deve se mudar, Ben.

— A verdade é que não sei.

Diga algo significativo, pensei. *Diga que vamos continuar amigos e que a distância não importa.*

— De todos os meus amigos na minha cidade, eu era o único que nunca se estressava com nada — Ben disse —, porque achava que tudo se encaixaria. Mas mudei minha maneira de pensar. Se você não faz nada, nada acontece. A vida envolve decisões. Você as toma ou elas são tomadas por alguém, mas não é possível evitá-las.

— Você não tem que fazer nada que não queira.

A tristeza dele era quase palpável, como a névoa no ar antes da chuva. Apesar de estarmos em Manchester, provavelmente choveria mesmo. Com Ben meio chateado, eu achei que a noite poderia ter sido melhor.

— Peço desculpas pelo comportamento do Rhys hoje. Às vezes ele passa dos limites — eu disse.

Ele fez uma pausa quando pensei que diria alguma coisa.

— Por que você aceita?

Senti meu estômago revirar, apesar de estar cheio.

— O quê?

Ben não criticava Rhys. Quando eu lhe contava as discussões entre nós dois, o Ben sempre entendia o lado do Rhys. Eu fingia me irritar, mas era reconfortante. Da mesma maneira que amigos compreensivos sabem que não devem criticar sua família.

— Vocês não parecem muito semelhantes, na minha opinião. Você é uma pessoa confiante, mas isso some quando está perto dele. Não faz sentido.

Meu embaraço se disfarçou de irritação. Que merda é essa? É *meu aniversário*.

— Eu dou o que recebo. Não brigo em público, só isso. Olha, você pode estar chateado, mas não desconte em nós.

O "nós" foi proposital. Nós permanecíamos unidos, mesmo quando Rhys fazia um poodle de bexiga para outra mulher. Ben franziu o cenho e silenciou, olhando para a frente. Eu nunca tinha visto aquele jeito dele. Portanto, fiquei me perguntando se realmente o conhecia tão bem quanto pensava.

Por fim, ele disse:

— Para ser sincero, é bem estranho ter o Oscar da Vila Sésamo dentro de uma lata de lixo na roupa íntima que você usa. Qual é a mensagem? "Este é o meu lixo?".

A tensão diminuiu. Levantei a bandeira da paz.

— Era o Urso Fozzie.

— Ah, o Fozzie. Agora faz bem mais sentido. Retiro o que disse.

— Está escrito "Wocka Wocka Wocka" atrás.

— Hum. Só posso dizer que, se você fosse minha namorada, eu certamente estaria desesperado para que despisse essa peça — Ben disse, abrindo aquele sorriso de derrubar, apesar de o comentário incomum ter me desarmado.

— Melhor entrarmos — eu disse, meio nervosa.

Quando sentimos o cheiro de pimenta e o som das cítaras, começou um coro de "Parabéns a Você". Dois garçons apareceram com um sundae coberto com chantilly, cheio de velas ao lado dele. Quando Ben voltou para o lado de Pippa e todos começaram a aplaudir, assoprei as velas, fiz uma reverência e voltei para o meu lugar.

Rhys ficou de pé, segurando sua cerveja.

— Quero dizer algumas palavras...

— Rhys — eu disse. — O quê?

— Sei que isto é meio formal para 21 anos, mas todos vocês se formarão em breve, então pode ser a última vez que saímos juntos para jantar. Quero dizer que Rachel, além de ser a melhor namorada do mundo... — Ele parou aqui para dar espaço aos suspiros femininos da mesa. Melhor namorada? Ele achava isso, mesmo? — ...

Desde que comecei a visitá-la em Manchester, há três anos, vocês me receberam bem e eu senti que também são meus amigos. Quero dizer que valorizo muito isso. Fiquei sabendo até que, um dia, o Ben fez mais do que deveria e bateu na cara de um folgado que mereceu, por mim.

Pippa deu um grito de admiração e o abraçou, um alívio para mim, que temia que o incidente tivesse causado o efeito contrário em uma namorada anterior. Ben só pareceu assustado.

— Você é um cara gente boa. E eu achava que detestava estudantes e sulistas, e estudantes sulistas mais ainda. Você deveria ser minha criptonita.

Risos. Rhys virou a taça na direção de Ben, que ergueu a dele em resposta, ainda meio surpreso.

— A minha namorada Rachel. Feliz aniversário e saúde!

— Saúde! — eu disse, e erguemos as taças, brindamos e bebemos.

Escutei comentários cheios de admiração e inveja no grupo: *que sortuda, como ele é bacana, que coisa linda*. Eu tinha sorte. Rhys sorriu e piscou para mim quando se sentou, e o lance do Fozzie foi varrido dos registros. Retribuí o sorriso, agradecida, surpresa e um pouco passada. Se o botão da pausa fosse apertado na grande filmadora da vida naquele segundo, eu estava no topo e tinha tudo o que queria: um namorado dedicado, ótimos amigos, planos para o futuro e *naan* de alho.

Mas alguma coisa não estava legal. Alguém importante se sentia infeliz. Quando a discussão sobre a conta e sobre aonde ir em seguida começou, olhei para todos da mesa, para todos os rostos felizes, guardando aquela cena na lembrança. Forcei a mim mesma a incluir Ben na imagem. Ele estava carrancudo, distraído, diante de um prato de cordeiro que quase não tinha sido mexido.

Pensei no truísmo de que só sabemos que sentiremos falta de alguma coisa depois que ela termina. Eu senti falta do otimismo de Ben. Estava claro que havia saído da faculdade antes dele.

47

Olho para o relógio quando entro no cinema e descubro que, devido a uma brincadeira do Meridiano de Greenwich, o relógio adiantou uns dez minutos entre Sackville Street e aqui. Outro ponto negativo de viver no centro da cidade e andar para todos os lados é que não dá para colocar a culpa no trânsito.

Caroline me dá um tapinha no ombro e cruza os braços.

— Não precisa inventar desculpa — ela diz quando começo a pensar no que dizer. — Pode pagar meu doce como forma de retratação.

Marcamos nosso encontro de sexta-feira à noite no centro, porque o Graeme fez plantão até de manhã e precisa dormir. Caroline disse que beberia muito se ficássemos na minha casa, e ela precisaria receber os sogros no dia seguinte.

Ela atravessa o hall do Odeon, alta e esguia na calça jeans, e começa a colocar doces dentro de um saco de papel. Pego um copão de refrigerante zero e entramos no cinema. Só um terço dos assentos está ocupado, e a tela ainda permanece apagada.

— Por que não começou? — pergunto, ajustando os dedos no copo úmido de plástico.

— Porque eu disse que começava meia hora antes do que realmente começa. Vamos nos sentar ali.

Eu abro a boca para argumentar e, então, percebo que o fim justifica os meios. Seguindo Caroline, nós nos sentamos.

— Como foi o encontro com Simon, na semana passada? — ela pergunta, enfiando uma bala vermelha na boca.

— Bom, foi divertido. Jantar, beijo de boa-noite. Nada mais.

Caroline mastiga, com dificuldade, a bala grande e pegajosa.

— Que legal! — ela diz. — Quando vai encontrá-lo de novo?

— Hum... Não sei.

— Ele está bancando o difícil?

— Estou levando as coisas devagar. Não quero apressar nada.

— Apressar outro bom jantar? Ah, por favor.

— Você me entendeu. Não sei como me sinto ainda.

— Mas você gosta dele?

— Siiiimm. Ele é divertido. Ainda que assustador e excêntrico.

— Você precisa de um excêntrico. Você é excêntrica.

— Não sou, não!

— Claro que não se considera excêntrica. Ninguém se considera. Assim como ninguém acha que tem mau gosto.

— Eu tenho mau gosto?

— *Não*.

Puxo o refrigerante pelo canudinho fazendo barulho, e remexo o gelo com ele.

— Olívia contou que Simon perguntou a Ben sobre você; parece que está a fim — Caroline diz.

O fato de Caroline usar as mesmas palavras que escutei de Olívia no jantar me sugere que é uma repetição. Olívia deve saber que Caroline vai me dizer isso, então diminuo a importância das palavras porque existe nelas o fator propaganda. Estou muito mais interessada em Caroline ter encontrado Olívia. Sinto uma pontada estranha de insegurança.

— Você viu a Olívia?

— Fomos fazer compras à noite. Ela queria uma roupa para um casamento, então eu a levei a Selfridges.

— Como vocês tinham o número de telefone uma da outra?

Típica pergunta de gente ciumenta. *Que ônibus você pegou? Você tomou uma bebida depois? Onde passou a noite?*

— Trocamos nossos números na sua festa. Como eu disse, acho que Olívia anda meio sem amigos aqui. Precisamos almoçar com ela.

— Hum — resmungo, lembrando os olhares venenosos que ela me lançou durante a conversa sobre a música do casamento.

Pausa.

— Ela disse que o Ben anda meio distante — Caroline continua.

— Sei. — Faço uma pausa que se transforma em "insira uma explicação aqui". — Ele não está falando comigo sobre nada, se quer saber.

— Você não o encontrou mais?

Tenho a clara impressão de que Caroline já sabe a resposta.

— Nós fomos almoçar. Simon foi o assunto principal da conversa.

— A Olívia me perguntou como vocês eram na faculdade.

— É mesmo? O que você disse?

Escondo meu nervosismo enfiando a mão no saco de doces de minha amiga, e tiro um rato branco coberto com uma gosma cor-de-rosa.

— Que vocês eram amigos.

— Ela já sabia disso.

— Eu sei. Queria saber por que ela está perguntando.

Enfio o rato na boca.

— Está me dizendo que ela estava preocupada?

— Nããããooo... — Caroline diz, enfiando a mão no saco. — Acho que ela só estava curiosa a respeito do passado de Ben, como qualquer mulher.

— Então, pronto.

— Eles têm divergido desde que se mudaram para cá. Era para ser para sempre, mas agora estão discutindo onde ficar. Ele tem sido muito incompreensivo com o fato de ela sentir falta da família e de querer planejar um futuro no Sul, pelo menos segundo Olívia conta.

— Por que ela aceitou vir, se ficaria perturbando para voltar? — pergunto.

— Se eles tiverem filhos, claro que ela vai querer estar perto da mãe.

— Mas não combina muito com o Ben. Ele é tão tranquilo.

— Não é assim que todo mundo é com as outras pessoas que não sejam seu cônjuge? — Caroline parece bem irritada quando joga balas que imitam garrafinhas de Coca-Cola dentro da boca.

— Hum... — digo. Percebo que o melhor a fazer é não me comprometer com comentários; posso ter opiniões, mas não devo expressá-las.

— A propósito, quando chamei Ivor e Mindy para sair hoje à noite, os dois disseram a mesma coisa: "Não se você tiver chamado a Mindy/o Ivor" — Caroline diz. — Eles ainda estão brigados por causa da Katya? Acho que a Mindy precisa pensar antes de falar, às vezes.

— Sim, a discussão toda foi uma besteira. A Mindy ficou louca da vida. Pensei que fosse efeito da ressaca, mas parece que eles não fizeram as pazes. Ivor diz que está muito ofendido e anda ameaçando não sair conosco de novo. Precisamos colocar os dois frente a frente para que extravasem tudo. Os dois são extremamente teimosos.

— Eu tenho uma teoria — Caroline diz.

— Qual?

As luzes diminuem e o trailer começa. Uma hora e meia de risadas depois, eu me esqueço de repetir a pergunta.

48

Não consigo convencer Caroline a tomar uma bebida — "os pais de Gray conseguem detectar uma ressaca a trinta metros, e pensar em ter que tolerá-los me faz querer beber muito, uma combinação perigosa" —, então ela vai pegar o ônibus e eu volto para o meu apartamento, tentando decidir o que fazer no resto do fim de semana. A vida deveria ficar mais agitada conforme vamos envelhecendo, a tela mais cheia, um café de Renoir em vez de um dos campos industriais de Lowry. Mas aqui estou eu, na casa dos 30, e provavelmente tinha mais o que fazer quando adolescente.

A vida com o Rhys era sexta-feira com os amigos dele e sábado com ele, depois do ensaio da banda. Íamos a um restaurante do bairro, ou a um bar, ou, normalmente, passávamos a noite em casa com Rhys cozinhando algo apimentado, e nós dois bebíamos várias garrafas de vinho. Não é que o rompimento tenha aberto um rombo no meio de nossa vida social, mas estar com alguém serve de álibi para que a sociedade veja como estamos passando nosso tempo. Estou pensando em passar uma semana em Paris na data em que seria o casamento. Cidade do amor... Talvez não. Provavelmente verei um casal se beijando, como aqueles daquela famosa foto da guerra, e terei de ser arrancada do Sena.

Meu telefone começa a tocar e torço para que Caroline tenha mudado de ideia e aceitado beber comigo. Vejo que é Simon, e, quando me dou conta, estou sorrindo.

Ele não se dá o trabalho de dizer alô.

— Preciso mandar um quarteto para cantar *Take a Chance On Me* para você?

— Oi, Simon, por que você faria isso?

— Para ter a chance de um segundo encontro.

— Ah! Isso acabaria com toda a esperança para sempre.

— Então, resta um pouco de esperança?

— Nunca diga nunca.

— Amigos, então? Um homem e uma mulher podem ser amigos, ou o sexo sempre tem que estar no meio, além de outros clichês? — Então passa um monte de caras com camisas para fora, de todas as cores, gritando "que mulher!". Fico feliz porque, assim, não preciso responder. — Eu atrapalhei seu grupo de leitura? — Simon pergunta.

— Estou voltando do cinema.

— Sozinha? É melhor eu conversar com você até que chegue em casa em segurança.

— Muito gentil.

— Posso saber se, por acaso, o Ben tem dado as caras?

Mudo o telefone de orelha.

— Como?

— Pensei que o Ben pudesse ter conversado com você sobre mim. Talvez eu esteja errado. Mas, se ele conversou, prefiro que você mesma me julgue.

— Por que seria um problema se eu tivesse conversado com ele?

— Ele é bem protetor quando o assunto é você, lembra?

— Mas o Ben não vai depor contra você, certo? — *Foi bem o que ele fez.*

— Quando ele perguntou como foi o encontro, parecia que estava na varanda, na cadeira de balanço, com uma arma. Você *tem certeza* de nunca se agarraram sem roupas?

Aquilo me irrita e me diverte com a mesma intensidade. Ben virou um assunto recorrente em nossas conversas, e não consigo entender por quê. Penso em conversar com ele sobre a insistência de Simon. Mas isso seria praticamente admitir que está rolando alguma coisa. Sem chance. *Sempre interrogue as pessoas separadamente.* Consigo entender por que ele vai se tornar um sócio.

— Certeza, Simon. Acho que me lembraria. Por que você está tão obcecado com isso se já recebeu uma resposta?

— Sou um advogado, Rachel. Nós não paramos até conseguir uma resposta plausível.

— Que engraçado. Os advogados que eu conheço usam a resposta que acreditam que convencerá o chefe.

— Você é muito boa na arte de desviar de um assunto, não?

— Por que as nossas conversas mais parecem com uma guerra de egos?

— Você pode me dizer.

— Ah. Bem... cheguei em casa; obrigada pela companhia.

— Tenha uma bela noite — Simon responde, delicadamente.

Estou a três ruas da minha casa, mas a conversa já chegou aonde eu queria.

☞ 49

Acordo grogue na manhã de domingo, com raios de luz em meu rosto. As cortinas de voal magenta de Rupa, que arrastam no chão, são ótimas em todos os sentidos, menos em "manter o quarto escuro".

Passei a noite de sábado assistindo a DVDs e bebendo vinho sozinha sem um companheiro para me ajudar a esconder o quanto bebi. Dormi tanto que meus ossos estão meio duros. Imagino que seja de manhã, por causa do canto dos pássaros, até perceber, aos poucos, que é o toque de meu celular abafado sob as roupas jogadas. Saio da cama, afastando os cabelos do rosto e xingando quem pensa que pode me perturbar.

O barulho para quando atendo. Confiro o identificador de chamadas. Pete Gretton. O que diabos ele quer? Não consigo me lembrar do motivo de trocarmos números de telefones, mas tenho certeza de que o fiz sabendo que nunca lhe telefonaria. Percebo que ele já me ligou quatro vezes, sem deixar mensagem. Enquanto penso no tamanho da pulga que vou colocar atrás da orelha dele amanhã, o telefone toca de novo. Atendo, meio irritada.

— O que foi, Pete?

— Eu acordei você? — ele pergunta, sem se interessar pela resposta.

— Sim, acordou.

— Você viu as notícias?

— Claro que não, se ainda estou na cama. — Ah, droga! Falei sobre estar na cama para o Gretton.

— Pegue o *Mail*.

— Por quê?

— Não vou contar. Pegue, leia e me ligue.

— Olha, isso é me fazer de idiota. O que está aprontando, Pete?

— Vá pegá-lo.

Com o coração batendo um pouco mais depressa do que eu gostaria, coloco uma blusa por cima do pijama e saio à caça de sapatos.

Decido, a caminho da banca de jornal, que não lerei lá mesmo porque quero fazê-lo sozinha. A pessoa à minha frente compra raspadinhas e cigarros e passa muito tempo contando o troco. Quase volto correndo para o apartamento, bato a porta, jogo o jornal no chão e me ajoelho sobre ele. As páginas se grudam umas nas outras enquanto tento folheá-las. Pelo visto, uma mudança repentina na história da lipo. Talvez..

Abro em uma manchete de uma matéria que ocupa duas páginas: "*O assaltante armado, sua esposa, seu advogado — seu amante*".

Há algumas fotos de Natalie Shale com seu chapéu fedora puxado para baixo para lhe cobrir o rosto, como uma estrela popular saindo de um hotel, chegando a uma casa que não é sua. A porta é mantida aberta por uma figura magra e firme que reconheço como Jonathan Grant, o advogado na faixa dos 20 anos que costuma andar pelo tribunal todo cheio de si, paquerando as assistentes. Ali está também a foto da prisão de Lucas Shale, e uma foto de Natalie de pé atrás de Grant enquanto ele conversa com a imprensa do lado de fora do tribunal.

Quase não consigo me concentrar na história por tempo suficiente e só entendo algumas frases: "*Encontros secretos no ninho de amor dos Grant, avaliado em 350 mil libras...*"; "*Em público, Natalie Shale era uma esposa e mãe dedicada, que defendeu a inocência do marido, mas, em particular, os amigos dizem que ela estava "cada vez mais desespe-*

rada" e que Grant lhe oferecia um ombro para chorar..."; "A moça de 27 anos é considerada uma estrela em ascensão na empresa dele..."

E, então, eu vi. O fato que torna um fato tão ruim cem vezes pior. O primeiro nome da história é de um funcionário bem conhecido do *Mail*. Mas há um segundo nome embaixo.

Passo mais tempo do que o aceitável para alguém sem dificuldades de aprendizado tentando pensar se há outra Zoe Clarke.

Sem saber o que fazer, telefono para Gretton.

— Você viu?

— Sim.

— Sinto muito por você, Woodford, sinto muito, mesmo. Ela fez uma puta sacanagem. Acredito que você estava guardando essa história, e ela a roubou.

— Não. — Eu me sinto quente e zonza. Gretton não será o único a pensar que estou envolvida. Mas nem de longe.

— Então, como ela conseguiu isso?

— Não sei.

— Bom, com certeza ela roubou sua história e agiu pelas suas costas.

— Não acredito nisso... Não acredito que ela fez isso. Poderia acabar com a apelação de Lucas Shale. Jonathan Grant vai perder o emprego...

— Para dar um pouco de crédito a Clarke, ela teve bastante coragem para negociar um emprego com essa matéria.

— O quê?

— Fiquei sabendo que ela telefonou na noite de sexta dizendo que não voltaria ao trabalho.

— Ela foi embora na sexta? Por que ninguém me contou?

— Tentei ligar, mas seu telefone estava desligado. Deixei uma mensagem. — O filme, com a Caroline. Depois que terminei de conversar com o Simon, percebi que recebera uma mensagem de voz e achei que poderia esperar. Puxa. — Ela não disse por que ia embora — Gretton continua, e percebo que ele está se divertindo demais. — Ela disse que não precisava esperar o aviso prévio, de acordo com seu contrato, e fez o sinal da vitória com as costas da mão. Acho que você receberia a má notícia na segunda-feira.

Meu telefone começa a apitar indicando uma nova chamada. Faço uma boa ideia de quem pode ser. Despeço-me de Gretton.

— Você viu o *Mail*? — Ken pergunta.

— Sim — respondo. — Gostaria de ter mais tempo para pensar sobre como resolver isso.

— Então, é bom que me dê uma explicação maravilhosa.

— Não sei o que está acontecendo.

— Isso não cola! — ele grita tão alto que preciso afastar o telefone da orelha. — Não vai dar nem para o gasto! Tente de novo! Você faz a única entrevista com essa mulher e a garota do tribunal leva a história ao país todo! Está me dizendo que isso é uma coincidência? Você acha que eu nasci ontem? Qual é o seu problema?

Quando Ken começa a destilar seu repertório retórico, é sinal de apuros.

— Eu não tive nada a ver com isso; juro.

— Então, como ela conseguiu a história?

— Eu não sei.

— Se você valoriza seu emprego, faça melhor.

— Houve boatos. — Estou desesperadamente tentando pensar, com o sangue latejando em meus ouvidos e o telefone escorregando. — Houve boatos no tribunal, algum tempo atrás, de que Natalie e seu advogado pareciam próximos demais, e talvez seja por isso que ele tenha saído do caso de Shale. Só isso. Zoe tentou e deu certo.

— Eu diria que deu errado. Com base em nada além de um boato, ela foi ao *Mail* e nem uma vez contou a você o que estava fazendo?

— Acho que ela escondeu o fato porque sabia que acabaria com minha história e que eu alertaria você. — *Assim, bem melhor, Rachel.* Ninguém sabe sobre a mensagem de texto. Ai, meu Deus, e se a Zoe contou às pessoas sobre o que eu fiz, e o Ken só estiver checando se vou revelar? *Merda. Merda.*

— Por que você não levou o boato a sério?

— Nenhum de nós levou.

— Além da nova garota?

— Parece que sim — digo, desanimada.

— Olha o que eu acho. Acho que Natalie Shale confessou a você, num segredo entre mulheres, que estava saindo com o advogado, e, em vez de contar a história a nós, você fofocou com a jornalista júnior, que, apesar da punhalada nas costas, ainda assim conseguiu se comportar mais como jornalista do que você.

— Por que Natalie Shale me contaria? Aquela entrevista que fiz com ela foi só para manter um bom contato. Ela não desejaria ver isso nos jornais.

— E isso acabou com a nossa exclusiva, não é?

— Sim — admito, com tristeza.

Quando o choque inicial passa e a verdade a respeito dos fatos é absorvida, um nível alto de humilhação acontece. E pensar que eu confiava na Zoe. E pensar que ela mentiu ao concordar com minha decisão de deixar o assunto para lá. Zoe provavelmente riu de mim o tempo todo, enquanto eu bancava a experiente.

— Vou ter que explicar isso ao editor e você me ferrou — Ken continua. — Tenho muito mais coisas para dizer, e, se percebe a gravidade da situação, vai encontrar mais coisas para me dizer. Até amanhã bem cedo. — Ele desliga na minha cara. Pelo menos, isso é o que sempre acontece.

Caminho pelo apartamento tentando pensar direito. Certo, certo. Respire fundo, solte o ar. "Amanhã bem cedo" — eu provavelmente não vou perder meu emprego. Se Ken quisesse me tirar, ele me pediria mais tempo para conversar com o editor e checar se seria possível me mandar embora sem risco de a empresa ser processada. Mas, se a Zoe contar a alguém a mensagem de texto, tudo estará perdido.

Conclusão: o que fiz é ilegal. Eu me esforço para me lembrar de minhas aulas de muito tempo atrás sobre leis do jornalismo. Acho que é mais ou menos assim: você pode ver a primeira página de um documento que seja deixado a seu lado, mas virar a página para olhar ali dentro é invasão. Pegar um telefone e abrir uma mensagem de texto certamente seria classificado da mesma maneira, se Natalie quiser nos processar. Muitos jornalistas já ultrapassaram limites parecidos, eu sei que alguns deles até pegaram fotos. A diferença é ser pego no flagra. Ken Baggaley não teria o menor problema em me colocar na fogueira, tenho certeza, como castigo pelo crime de ter contado a história.

Cega de ódio, telefono para Zoe, escolhendo o nome dela na agenda de endereços, andando de um lado a outro enquanto espero que a ligação seja atendida. *Esse número não existe.* Eu me lembro de que ela disse que mudaria o número depois da história do anúncio, mas ainda não tinha mudado. Que momento mais inadequado para se organizar!

Antes de desistir, procuro Simon na agenda.

— Sim? — ele atende. Sua voz está normal e indecifrável, mas normalmente ele é assim. Talvez esteja com alguém.

— Simon, você precisa ler o *Mail*, a matéria sobre Natalie. Juro que não tive nada que ver com isso...

— Eu vi.

— Viu? — Ai, meu Deus, obrigado, ele viu e parece que não está fulo da vida. — Simon, eu...

— Já falei bastante sobre trabalho esse fim de semana. Encontre-me na praça St. Ann, à uma da tarde, amanhã.

— Claro, estarei lá.

Escuto o *tu-tu-tu;* ele desligou. Com certeza está com alguém do trabalho, por isso foi tão rude. Assim espero.

Depois de andar de um lado a outro mais um pouco, puxar os cabelos e xingar, telefono para Caroline, mas mantemos uma conversa insatisfatória porque ela está no campo de golfe com os pais de Graeme. Pode ser uma distração por causa do jogo, mas ela não parece entender por que esse fato me coloca em apuros e por que me sinto tão mal.

— Se ninguém pode provar que você contou a Zoe, então está em cima dela, certo?

— Eles desconfiam de que fui eu.

— Eles podem desconfiar, Rach, mas precisam de provas, e, se você enfrentá-los, vai sobreviver, com certeza.

— E se eles já souberem e estiverem me testando para ver se eu me entrego?

— Nesse caso, você está ferrada dos dois jeitos, então não diga nada.

— Acho que você está certa. — Não me ajudou muito.

Escuto Graeme ao fundo, chamando:

— Cee, rápido, estamos virando pedra aqui.

— Preciso ir — ela diz. — Você falou com o Simon?

— Por três segundos. Ele quer me encontrar amanhã para falar sobre isso.

— Sim, já vou, Gray. Preciso ir. Me conte como foram as coisas com seu chefe.

Quando meu telefone toca, uma hora depois, eu praticamente crio asas e atravesso a sala voando para atender esperando que Ben me conte o que está acontecendo. É Rhys. Pela primeira vez desde que parti, pensar nele me irrita e não gera qualquer culpa. Não tenho força para me sentir mal com mais nada no momento. Aposto que quer falar sobre logística e assuntos pendentes da casa.

— Oi. O que foi?

— Queria conversar com você — ele diz.

— Olha, se for provocação, pegue uma senha e espere seu número ser chamado.

— Caramba, o que foi? Parece que você está louca da vida.

— Estou.

Uma pausa enquanto Rhys parece avaliar a situação. Quando volta a falar, seu tom de voz é conciliador como não escuto há muito tempo.

— Na verdade, estou ligando para saber se você quer sair para beber alguma coisa. Tenho um show no centro semana que vem; pensei que a gente podia se encontrar antes. Para colocar uma pedra em cima de muita coisa. Mas parece que você está ocupada demais.

— Não — respondo, alerta. — Não. Eu gostaria disso. Preciso resolver algumas coisas no trabalho. Me liga, tudo bem?

— Claro. Hum... Cuide-se.

— Pode deixar. Obrigada.

Depois que nos despedimos, começo a sentir muita saudade de Rhys. Sinto falta do modo com que ele teria me ouvido, abraçando-me e dizendo uma piada sobre o caso, acrescentando que eu não precisaria do maldito emprego se tivesse filhos.

Ele estava diferente. Menos bravo. Foi a primeira conversa na qual ele parecia querer falar como um adulto e não como um inimigo em uma guerra sem fim. Fico feliz por perceber que ele está mais tranquilo e gostaria muito de ser amiga dele, se isso for possível. Mas me sinto uma fraude por ter concordado com “a próxima semana”, sendo que tenho de enfrentar o furacão amanhã, e o futuro é incerto no momento, como a terra inventada por C. S. Lewis, onde posso ter as pernas de um bode mágico.

50

Procuro caminhar de modo decidido no escritório pela manhã, repetindo por dentro o mantra "Ninguém se importa com a notícia de ontem". Mas "a notícia de ontem" não conta quando o "ontem" foi domingo e hoje é segunda, a primeira oportunidade para discutir o assunto.

Todos se viram para me olhar e posso jurar que percebo a expectativa ao redor quando me aproximo de Ken, que está ocupado falando com um colega na mesa da edição. Fico esperando até Vicky assentir para mim e ele se virar, lançando-me um olhar mortífero.

Ele se levanta da cadeira giratória e caminha em direção ao escritório, e eu o sigo, sentindo muitos olhos em cima de mim.

— Feche a porta — ele diz, aproximando-se da cadeira atrás de sua mesa. Eu a fecho e permaneço de pé.

— Vou dar um desconto porque ontem peguei você de cabeça quente. Hoje, quero escutar a verdade. — Abro a boca para responder, e Ken me interrompe: — E recomendo que você pense antes de falar, se não quiser passar o resto de sua carreira revisando as cartas da seção de culinária do *Banbury Cake*.

Eu me controlo. Controle sem controle. As palavras de Caroline a respeito de continuar negando ressoam em meus ouvidos. Passo a língua pelos lábios secos.

— Natalie Shale não me contou sobre caso nenhum quando eu a entrevistei. O nome daquele advogado nem sequer foi mencionado, e ele não era meu contato. Zoe trabalhou sozinha e estragou minha matéria. É só o que sei e não posso me defender nem explicar algo sobre o qual nada sei, ainda que pareça estranho, porque Zoe e eu trabalhávamos juntas e eu entrevistei Natalie.

Espero que Ken comece a berrar. Mas ele só assente.

— Eu só esperava isso, infelizmente.

— É a verdade.

— É?

— Sim.

— Certo, vou lhe contar umas verdades. Há dois motivos pelos quais você ainda tem um emprego, Rachel Woodford. Primeiro, porque não posso demiti-la sem prova de que você está mentindo. Acredite, eu analisei bem a situação, porque não suporto mentirosos ou jornalistas sem qualquer lealdade ao jornal, e, pelo que estou vendo, você é as duas coisas. Se eu conseguir uma prova, a situação vai mudar. Segundo, não tenho ninguém no tribunal para ocupar o seu lugar. Por enquanto. Até lá, você deve me enviar uma lista, no fim de toda semana, com as matérias nas quais está trabalhando, inclusive as sigilosas. Então, se houver algum boato de que a esposa de um réu está transando com o advogado do marido, recomendo fortemente que você a inclua. Decidirei o que vale a pena ser abordado. E, se eu souber de alguma história desse tipo e *alguém que estiver no tribunal o dia inteiro não a trouxer para nós*, vou lhe perguntar para que estamos lhe pagando.

Ken faz uma pausa para permitir que a veia enorme inchada em seu pescoço diminua um pouco.

— Você vai entrar em contato com a Shale e pedir uma entrevista a respeito da mais nova reviravolta no caso, e usará todo o seu poder de persuasão, sabendo que não será indicada para nenhum prêmio aqui durante muito tempo, nem sequer será convidada para a festa de Natal se não fizer um bom trabalho para limpar essa sujeira. Está me entendendo?

— Sim.

— Então, saia da minha frente.

Eu me viro, abro a porta e vejo a sala inteira da redação que fez leitura labial do que foi dito claramente do outro lado da parede de vidro. Quando conferem que eu não estou chorando, eles desviam o olhar e fingem não me notar. Por mais desagradável que seja, como ser mandada para a diretoria, na escola, poderia ter sido pior. Pedir para entrevistar Natalie é inútil, Ken sabe disso e sabe que não posso dizer não. Minha chance de conseguir é tão grande quanto seria vencer um rally com um carrinho elétrico para deficientes. Vou fingir que tentei contato, quando tudo se acalmar. Ou falarei com Simon.

Quando estou prestes a ganhar minha liberdade, Vicky me chama:

— Rachel!

Não tenho a menor vontade de falar com ela, mas não posso fazer mais inimigos.

— O que o Ken disse? — ela pergunta, lançando um olhar para ver se ele não saiu do escritório.

— Ele não está contente — respondo, desanimada. — E não é o único.

— Eu disse a ele que Zoe Clarke seria capaz de uma coisa assim — ela diz.

Claro que disse, Nostradamus que veste Zara.

— É mesmo?

— Sim. Teve um bafafá de que ela disse a um jornal que é jornalista sênior, sendo que é mentira. Eles nos enviaram uma carta sobre ela, e Zoe negou. — Abro a boca para perguntar mais, mas a história está toda exposta, e Vicky não para. — E também teve o que ela fez com você naquele caso da lipoescultura.

— O quê?

— Ela cobriu o veredito para você, não? E mandou a matéria com o nome dela. Eu vi e disse ao Ken: "Como ela escreveu uma coisa desse tamanho em uma hora?", e, então, percebemos que ela havia colocado o seu nome no *briefing*. Zoe levou a maior bronca dele e o nome dela desapareceu do texto. Você não sabia?

— Não.

— É mesmo, não teria como saber. Ela não ia lhe contar.

— Gostaria que você tivesse me contado — digo, tensa. — Assim, eu teria tomado mais cuidado com Zoe.

— Ah, sim... Bem, como eu disse, o Ken deu um jeito. Eu não queria ficar fofocando.

Controlo uma risada diante desse comentário. Por um momento, acredito que Vicky vai dizer algo realmente incentivador, mas ela verifica as horas no *Sky News* e diz:

— Aquele caso de apreensão de drogas não começa hoje de manhã?

Ou seja: você não pode dar mais nenhuma bola fora.

E eu não sei?

Ela se vira para sua tela, para mostrar que minha reunião acabou.

— Sim, estou indo — digo.

Eu tinha me esquecido dele, e começo a correr quando saio do escritório.

51

Depois de passar a manhã fazendo anotações com abreviaturas trêmulas e estranhas, parecendo que estou em recuperação de um derrame, desvio de Gretton e saio do tribunal à procura de ar fresco. Sigo na direção da praça St. Ann com o estômago revirado.

A cada passo, minha apreensão aumenta. Agora que Simon é o assunto principal, tenho mais tempo para pensar nos sentimentos dele, e minhas conclusões não são boas. Penso em nossas conversas e me lembro de como ele é cauteloso em relação a jornalistas, e como deve ter encarado essa história de um jeito ruim. Começo a tentar descobrir se o Simon calmo e urbano continuará assim, como esperava. Tive algumas dicas pela nossa conversa ao telefone.

Tenho minha resposta logo que o vejo andando de um lado a outro perto de uma fonte, esticando o pescoço para me identificar na multidão. As intenções homicidas dele ficam claras.

— Oi. — Minha tentativa de ser confiante falha, e Simon mostra os dentes para mim. Só então vejo bem, a testa franzida, ao lado dele. Isso é demais. Na verdade, Simon sozinho já é mais do que o suficiente. Não conseguirei tolerar o Ben atacando-me também. Não seria possível lidar nem com só um deles.

— Você está aqui para segurar o casaco dele? — pergunto.

— Estou aqui para não deixar que ele passe dos limites — Ben responde, parecendo magoado. — Como você está?

Fico tão surpresa ao vê-lo perguntar o que está na ponta da língua de todo mundo que não sei o que responder.

— É verdade que uma das pessoas envolvidas na história do *Mail* é sua colega no tribunal? — Simon pergunta.

— Sim. A Zoe. Era uma colega, e está no *Mail* agora.

— O que aconteceu?

— Não sei, Simon. Sinceramente, estou tão chocada quanto você.

— É o melhor que consegue fazer? O que é isto? Sua resposta automática de ausência? Rachel, tirou licença de um ano de seu juízo mental?

Eu procuro sugerir que lido bem com a situação. O pânico toma meu peito e minha garganta.

— Não é desculpa; é verdade. Isso arruinou a nossa entrevista...

— Ah, *você acha*?

— ... Por que eu destruiria minha própria matéria?

— Blefe. Você provavelmente deu a deixa para sua colega e vocês dividirão o dinheiro, ao mesmo tempo em que mantém seu emprego e as mãos limpas. Como estou me saindo, hein? Perto da verdade?

Um casal de idosos sentado perto de nós, comendo sanduíche com maionese, começa a prestar atenção.

— Eu não agiria assim — digo. — Você acha mesmo que tudo foi um plano? Acha que sou maluca?

— Você não quer que eu responda. Como a sua colega soube sobre esse caso?

Eu me retraio.

— Não sei. — Pausa. — Você sabia?

Simon faz uma careta.

— Isso é irrelevante.

— Era um boato; muitas pessoas podem ter contado a Zoe.

— Você pensa mesmo que sou idiota o suficiente para acreditar que não teve nada que ver com isso?

Apelo para a misericórdia, sabendo que não vai ajudar.

— Simon, estou tão chateada quanto você, e ainda ferrada no trabalho.

— *Você* está ferrada?

O casal do sanduíche está bem atento, olhos arregalados. Ben faz um "psiu" para Simon, que é como tentar apagar um incêndio numa casa jogando água com a mão em concha.

— ... Jonathan Grant foi suspenso. Estou sendo culpado pela brilhante ideia de ter envolvido a imprensa e, adivinha?, não serei sócio, como estava decidido. A apelação pode ir pelos ares. Natalie Shale e suas filhas estão escondidas devido aos idiotas acampados na frente de sua casa. Agora me diga: quem se importa com você?

— Isso é péssimo, eu entendo, mas não posso controlar o que meus colegas fazem.

— Tive minhas dúvidas a seu respeito desde o começo. Ben disse coisas boas — ele lança a Ben um olhar de acusação —, mas eu deveria ter confiado em minha intuição.

Se o Simon não dá trégua, tenho de me defender. Olho para ele e para Ben, e para Ben e para ele.

— Tantas dúvidas e ainda assim me chamou para sair?

Simon parece louco para me estrangular.

— E eu gostaria de saber quais foram suas intenções. Pesquisar, falar sobre o Jonathan para ver se eu morderia a isca. Depois disso, missão cumprida, piscadinha charmosa e o papo de "Ainda não esqueci meu noivo...".

— Simon, por favor — Ben se intromete, constrangido por mim.

— O estranho é que, quando telefonei para você na sexta, e então a história ainda era segredo, você não via a hora de desligar o telefone — Simon continua.

— Como assim? Nós conversamos.

— Durante alguns minutos, até você dizer que havia chegado em casa.

— Sim.

— E você estava indo para casa?

— Sim.

— Telefonei para seu fixo, deixei tocar por um minuto para dizer boa-noite e checar se você tinha chegado bem. Pensei que ficaria feliz com o gesto. Você não atendeu.

Simon parece triunfante.

— Ah, meu Deus, o que é isso? — pergunto. — Só falei de Jonathan porque ele é o advogado exibido que todo mundo admira. Foi uma coincidência. Conversamos sobre um monte de pessoas do trabalho naquela noite. E só me lembro de tê-lo mencionado porque você ficou todo estranho. E eu disse que já estava em casa porque me aproximava de meu prédio. Não subi pelo elevador e entrei em casa depois disso, e não imaginava nem de longe que faria diferença para você.

— Quanta mentira. Pensei que você tivesse algum outro motivo para se envolver comigo e, mais uma vez, ignorei minha intuição. Mas é bom ver você provar que consegue mentir de cara lavada quando é conveniente.

Faço um gesto de "eu desisto!".

— Não sei o que você quer de mim nem o que posso dizer.

Minha irritação é mera interpretação. Se Natalie e Jonathan descobrirem que eu estava na casa quando ele enviou a mensagem de texto que ela não recebeu, tudo estará acabado: trabalho, casa, respeito profissional... a amizade com Ben. E removerá a margem pequena de dúvida que está impedindo Simon de me trucidar. Estou quase tremendo.

— Quero a verdade a respeito do que você fez, mas é pedir demais, não?

Prometo a mim mesma que, em algum momento, vou contar pelo menos a Ben a história toda.

— Eu juro que não tive nada a ver com o fato de Zoe ter vendido a história.

— Nada a ver com o fato de ela ter vendido ou nada a ver com a história?

Advogados. Hesito.

— Nada a ver com nada.

— Certo, ela já respondeu — Ben diz. — Vamos acabar com isto e voltar para o escritório.

— Fique fora disso — Simon rosna de modo grosseiro.

— Não — Ben retruca, e vejo dois homens brigando por mim de um jeito que é bem menos divertido do que parece na tela. — Pare de usá-la como saco de pancada. Não é culpa dela se aquela mulher e Jon se envolveram, e não é culpa dela que outra pessoa escreveu sobre isso.

— O que há entre vocês dois? — Simon pergunta, olhando para mim e para Ben, fingindo divertir-se. — Ela ficou com os negativos das fotos depois que vocês terminaram ou o quê?

Ben ignora o comentário.

— Eu conheço a Rachel bem o suficiente para saber que ela não o enganaria. Se ela tivesse se recusado a vê-lo e não se importasse nem um pouco, não estaria aqui agora, certo?

— Talvez tenha vindo por sua causa? — Simon diz, retorcendo o lábio de um jeito muito desagradável.

— Mesmo não sabendo que eu estaria aqui? — *Obrigada, Ben.* — Quando você se acalmar, talvez perceba que ela não merece esse tratamento.

O brilho de ódio nos olhos de Simon finalmente começa a desaparecer. Eu me permito respirar, Simon percebe e volta a se alterar.

— Você é uma mentirosa. Uma mentirosa de merda que entregou todo mundo e nem sequer tem coragem de admitir.

— Meu Deus, já chega! — Ben grita.

Sem se deixar perturbar, Simon continua:

— Eu a admiraria se você admitisse aqui que fez tudo e não se importa. Não quero vê-la nunca mais.

Meus ombros se curvam, e sei que não conseguirei emitir nenhum som inteligível mesmo se quiser. Tento controlar as lágrimas, concentro-me em minha respiração e contraio a mandíbula.

— Certo — Ben diz, possivelmente percebendo a perda de controle, e se coloca entre nós. — Já chega, Simon.

Quando sente que Simon já parou com os ataques, ele se afasta de novo.

— Vamos. — Ele pousa a mão no braço de Simon. — Vamos.

Simon o afasta.

Faço a última tentativa de firmar minha voz e digo:

— Diga se houver alguma coisa que eu possa fazer para melhorar a situação toda...

— Você está brincando — Simon pergunta. — Isso tem a mesma graça de ouvir que o câncer tomou os ossos.

— Não.

— Você está tentando tirar o corpo fora *ainda mais*?

— Não é isso o que...

Simon olha para Ben.

— Independentemente do poder que ela exerce sobre você, eu cortaria pela raiz.

E sai andando. Não consigo falar. Olho para Ben. Ele me olha.

— Ele levou isso para o lado pessoal — Ben diz. — Como você deve ter percebido.

— Ben, essa história tem sido um pesadelo completo, eu nunca quis... — Tento engolir o que está me sufocando. Quando vou falar de novo, começo a chorar, o que poder ser comparado a um tipo de uivo. — Não pensei que isso fosse acontecer. Eu trabalhava com a Zoe, e ela era minha amiga. Nunca pensei que ela fosse capaz de fazer algo assim...

Ben olha para a direita e para que esquerda, como se estivéssemos no meio de um ponto de venda de drogas, e, para minha surpresa, me abraça. Por mais inesperado que seja, seu aconchego é muito bem-

-vindo, principalmente por impedir que as pessoas curiosas da praça olhem para a minha cara. Entre elas, há algumas meio perdidas que acham que estão participando de um teatro de rua. E também prefiro que Ben me abrace e não me olhe; não estou chorando com o mesmo charme da Julia Roberts.

— Eu sei que você não queria que isso acontecesse — ele diz, acalmando-me.

— Só você sabe disso — digo, molhando o tecido grosso de seu casaco.

— Não leve a fúria de Simon tão a sério. Ele teve um fim de semana quente. Os jornalistas telefonaram para Natalie no sábado para ver se ela queria "dar sua versão da história", e ela perdeu a estribeira, telefonou aos berros para o Simon, uma vizinha teve que ficar com as filhas dela...

Bridie, eu penso. Só pode ter sido a alegre Bridie, da história do gato fujão. Eu me sinto muito mal.

— Ele ligou para você? — pergunto, olhando para a frente. Não sei por que quero saber.

— Ligou, sim. Eu lhe garanti que você nada tinha a ver com o caso. Fui proibido de lhe telefonar. Achei que seria mais fácil se não conversássemos para ele não nos pegar. Simon não precisa de mais força para suas teorias da conspiração. Como estão as coisas no trabalho?

— Péssimas; só falta me demitirem.

Seco o rosto com a manga do casaco e volto a recostar a cabeça no ombro de Ben. Ele coloca a mão em minha nuca.

— Calma, essa história será esquecida em breve...

Ele movimenta a mão suavemente e penso que está se afastando. Não. Espere. Ele está... acariciando meus cabelos? Tensa, prendo a respiração. Acho que ele percebeu, pois, simultaneamente, nós nos afastamos.

— Desculpe, desculpe. Estou acabada — murmuro, limpando o rímel com a barra da manga.

— Sinto muito, Rachel. E eu aqui pensando que estava sendo útil ao colocar você e Simon em contato — Ben diz, um pouco mais alto do que o necessário, retomando a formalidade.

— Você foi útil! — protesto. — Eu é que deveria pedir desculpas.

— Eu sugeriria uma bebida, mas acho que ir ao bar com você seria visto como... uma estratégia política. Entende? — Eu concordo e abro um leve sorriso. — Amanhã o jornal será papel de embrulho. Hoje já é, na verdade. Já está forrando a gaiola de passarinhos. Levante a cabeça. — Volto a concordar. — Você se decepcionou com alguém em quem confiava. Acontece com todo mundo — ele conclui.

52

Ainda não tínhamos nos formado, mas a data do baile de formatura se aproximava. Os convites já estavam sendo vendidos. Levar um par, quando se tinha um, parecia mais importante do que o normal, e, depois do discurso efusivo que ele fez no meu aniversário de 21 anos, convidei Rhys para ir comigo.

O terno que eu havia alugado para ele estava pendurado na porta de meu guarda-roupa, dentro da capa de polietileno da lavanderia, ao lado de meu vestido de formatura de saia rodada. Eu o lembrava constantemente do evento, conforme o dia se aproximava. Mesmo assim, o telefonema que eu meio já esperava chegou um dia antes. Eu estava sozinha, pois Caroline e Mindy haviam voltado para casa a fim de levar a primeira parte de seus pertences, Ivor estava no estágio, e Derek, felizmente, em algum negócio sociopata por aí.

— Rach. Aquele lance. A festa...

— Meu baile de formatura?

— Isso. Não vou poder ir. Temos um show, e eu preciso fazê-lo.

— Rhys! — gritei! — Quando esse show foi marcado?

— Desculpe, amor. Foi de última hora. Não posso cair fora, Drugs Ed me mataria.

Eu havia perdido a competição com Drugs Ed. A menos que fosse uma competição para ver quem conseguia usar mais drogas, perder para ele representava uma vergonha.

— É muito importante para mim. Você prometeu!

— Ah, calma, haverá outras festas.

A insistência de Rhys em chamar o evento de "festa" me enervou. Era um marco, meu último momento como aluna, quando eu diria adeus a Manchester, à vida e aos amigos que havia feito aqui.

Na verdade, nosso relacionamento já estava meio estranho. As palavras de Ben no meu aniversário de 21 anos permaneciam em minha mente. A dúvida havia chegado e se plantado dentro de mim. A disposição de Rhys em dominar a minha vida passou a soar menos como apoio e mais como controle. O fato de ele conhecer todos os assuntos se tornara menos interessante e mais chato. O ódio que ele sentia de "aluninhos" o mantinha cada vez mais confinado em casa nos fins de semana, apesar de eu ter dito que ele viria a Manchester por mim, não por toda a população de formandos.

E, quando eu ia a Sheffield, ficava entre os amigos da banda no mesmo bar de sempre, tentando entender por que eu não percebera antes que eles nunca se interessavam por nada do que eu tinha a dizer. E, por mais incrível que tivesse sido o discurso dos 21 anos, algo nele me incomodou. E logo concluí que o mais irritante fora o lance de "melhor namorada do mundo". Ele gostava de me dizer que os tênis e a guitarra que usava também eram os melhores do mundo. Portanto, eu era mais um bem do Rhys, prova de seu bom gosto, com uma opinião tão valorizada quanto a dos tênis e a da guitarra. Rhys havia decidido, sem que eu me lembrasse de ter escolhido, que nós íamos morar juntos quando eu saísse da faculdade. *A vida envolve decisões*, pensei. As minhas estavam sendo tomadas por mim.

Eu sabia que o Rhys acabaria não indo ao baile porque o único propósito de sua presença no evento era me agradar. Não havia mais o que decidir: eu voltaria para casa, voltaria para ele. Era uma época de fins e novos começos. Meus pensamentos passaram a ser revolucionários.

— Você tem ideia do tanto de coisas que fiz? Gastei uma fortuna na Moss Bros.

— Eu lhe dou o dinheiro.

— Mas o dinheiro não importa, certo?

— O que é, então?

— Quero que você esteja presente.

— Sim, eu sei. Mas querer nem sempre é poder, Princesa Rachel.

— Ótimo, obrigada. Esperava que a festa fosse mais importante do que a banda. Haverá outros shows, mas eu só terei um baile de formatura.

— Ah, pare com isso. A vida vai além do seu mundinho, sabe? Você nem notaria a minha presença depois de meia hora bebendo.

— Por que você faz com que tudo relacionado a mim pareça idiota?

— Eu deveria ter adivinhado que não conseguiria me livrar dessa sem um sermão.

— Se livrar dessa?

Rhys suspirou.

— Bom, quando você voltar, encontrei um apartamento para vermos em Crookes.

— Eu nunca disse que queria procurar apartamento com você.

— Ah é? Nunca?

— Você não *perguntou*. Você me ignora. Eu me sinto uma sócia minoritária, uma estagiária. Não uma companheira.

— Bem, aja com mais maturidade e eu a tratarei como semelhante, amor.

Fervi de ódio. E disse:

— Quer saber, Rhys? Acho que é melhor assumirmos que chegamos ao fim da linha.

Silêncio de surpresa.

— Você está me chutando porque não vou a sua festa?

— Não é uma maldita festa; é meu baile de formatura. Estou "chutando" você porque não sou mais adolescente e não vou ser enrolada.

— Você quer mesmo terminar?

— Sim.

Rhys vinha agindo com calma na discussão e claramente não via motivos para mudar a atitude.

— Para mim, parece exagero.

— É como me sinto.

— Tá bom. Então, é isso.

Mais silêncio.

— Tchau, Rhys! — E desliguei o telefone.

Depois de um instante de hesitação, liguei para outro número no telefone público, escutando o cair da moeda dentro da caixa interna. Tentamos abri-la certa noite, quando estávamos bêbados, mas não conseguimos.

— Ben, e aí? Quer sair e beber?

— Eu disse que ia ficar aqui com meus amigos. Quer ficar aqui?

— Eu seria uma péssima companhia esta noite.

— Obrigada por me chamar, então!

Comecei a rir.

— Eu quis dizer que estava pensando em uma conversa a dois.

— Que se dane a festa aqui; conversa a dois é legal.

— Não quero arruinar a sua noite.

— Que nada, nós vamos ao baile amanhã. Ficaremos com todo mundo lá.

— Beleza. O Woodstock? Em nome dos velhos tempos?

— Existem velhos tempos aos 21 anos? — Ben perguntou, animado.

☜ .. ☞

Vou ao Woodstock primeiro, compro uma rodada e encontro uma mesa de piquenique no jardim. Comecei a beber depressa demais por causa do calor, gostando de sentir a grama pinicando minhas pernas nuas dentro do vestido de verão e das sandálias. Eu sabia que a pior maneira de lidar com o rompimento do namoro com Rhys seria acordando no dia seguinte e percebendo a realidade em meio à ressaca de matar, mas isso não me deteria nem por um segundo.

Fiquei me perguntando o que Ben diria. Não queria que ele declarasse temporada de caça, que me dissesse *eu avisei*; não queria ouvi-lo revelar que acreditava que o rompimento precisava ter ocorrido nos últimos três anos. E também não queria que ele me chamasse de *idiota*. Na verdade, não sabia o que queria que ele dissesse. Ele apareceu do outro lado do gramado, com mais duas bebidas na mão, sorrindo quando viu que havíamos comprado bebidas. Retribuí o sorriso. Na companhia de Ben, eu me sentiria melhor. Não era isso o que uma pessoa deveria fazer ao ser dispensada pelo namorado de longa data? Onde estava o chocolate, a recriminação, as músicas de Gloria Gaynor? Era como se, sem a câmara de eco de minhas amigas por perto, eu estivesse livre para inventar um novo protocolo.

— Vamos falar sobre as provas finais? É isso que a está deixando antissocial? — Ben perguntou, depois de me cumprimentar. — Se for isso, não tem nada com que se preocupar. Você é a rainha dos textos.

Princesa Rachel coroada como rainha dos textos. Eu não sabia se gostava do modo como os homens da minha vida me viam.

— Hum... — Encolhi os ombros para indicar *talvez*, ainda sem conseguir falar.

Ben passou o dedo indicador pelo suor da garrafa. Eu brinquei com minha taça de vinho, aproveitando a sensação agradável que o líquido causava dentro de mim.

— Como está a Pippa?

— Não sei. Nós terminamos.

Fui surpreendida. Pensei que Pippa seria o divisor de águas.

— Ai, meu Deus. Eu sinto muito. Por quê?

— Quando parei para pensar, percebi que não ia viajar para a Irlanda várias vezes quando voltasse de minha viagem. Pareceu mais justo terminar.

— Como ela encarou?

Ben balançou a cabeça.

— Não muito bem. Ainda. Melhor agora do que mais tarde.

— Sinto muito. Vocês dois eram muito legais juntos.

Nossa! Ele não havia ficado com Pippa. Ela era o tipo de garota que a maioria dos caras queria levar para casa, assim como ambicionavam o troféu da Liga dos Campeões. Por um segundo, minha imaginação criou uma deusa impecável, com ares de Cleópatra, que faria Ben se apaixonar por ela.

— Bom... Agora você está livre para pegar as Pollyannas de Richmond upon Thames — acrescentei.

— Quem?

— Moças ricas das festas da sociedade descobrindo um mundo além do materialismo enquanto gastam as libras do papai.

— Ah, tá. — Ben deu de ombros e levou a mão à nuca.

— Então, nós dois estamos curtindo a vida de solteiro — eu disse.

— Eu não diria curtindo, exatamente.

Parei para que a ficha caísse.

— Você disse "nós"?

— Sim. Terminei com o Rhys.

Ben parecia estar esperando que eu dissesse: *Aha! Não é verdade, eu enganei você, seu bobo*. Ele ficou me olhando, surpreso, de boca aberta.

— Você terminou? Quando?

— Pelo telefone, mais cedo. Ele pulou fora do baile da formatura sem qualquer motivo. Temos discutido muito ultimamente. Perdi a paciência e disse que estava tudo terminado. Meio gritando.

Eu sabia por que havia exagerado. Queria mostrar que conseguia me virar sozinha.

— Para sempre?

— Acho que sim.

— Sinto muito — Ben disse, olhando para baixo.

— Não se preocupe.

Fiz mais perguntas abordando assuntos superficiais. Eu estava agindo como eu mesma. Por dentro, perguntava-me quem eu era agora que não estava mais ligada a Rachel do Rhys. *Rhys e Rachel, Rachel e Rhys*. Parecia que Ben também estava pensativo, ajustando sua opinião sobre mim. Eu não tinha certeza se apenas imaginava que olhávamos um para o outro por um tempo mais prolongado, nos espaços entre as falas, ou se era somente a combinação forte de desidratação, nostalgia e o Pinot Grigio do bar.

— Solteira, terei mais tempo livre para visitar meus amigos do outro lado do país — comentei, no meio do caminho para o anoitecer, quando o sol já havia se posto e as lâmpadas tinham sido acesas.

— Sim, aquela reunião anual vai ser *uma explosão* — Rhys disse, com certa amargura.

— Ai, a gente pode organizar mais do que uma — retruquei, cutucando-o.

— Duas?

— Por que você está sendo tão negativo?

— Não vai ser como é hoje, certo?

— Nada será. A universidade é um mundinho, uma bolha de tempo separada de tudo antes e de tudo depois.

☞ 53

Ben me acompanhou até minha casa naquela noite, ambos caminhando pelas ruas silenciosas e suburbanas, pontuadas por árvores, iluminadas pelo brilho laranja dos postes entre as folhas. O ar parado e carregado, mesmo tarde da noite, como se estivéssemos no Mediterrâneo. E parecia que em Manchester estavam realizando uma festa de despedida para nós, com um clima especial. Chegamos ao portão da frente.

— Não quero entrar — sussurrei a Ben. — Não sei se o Derek assustador saiu ou não. Ele trancou a porta. Provavelmente vai começar a dar umas batidas na parede e uns urros às três da manhã.

— Você está sozinha? As meninas não estão?

— Elas só voltam para o baile amanhã. — Olhamos para a casa. A luz de dentro apagada a deixava na completa escuridão. — Brrr — eu disse a Ben.

— Se você está com medo do Derek, posso ficar aqui — Ben afirmou.

— É?

— Sim. Você tem almofadas e um cobertor extra?

— Tenho um saco de dormir em algum lugar.

— Fico no chão.

— Sério?

— Desde que você não ronque.

— Ótimo!

Ben fingiu estar irritado, e eu sorri como uma tola. A casa estava estranha, desprovida não só de boa parte de nossa decoração, mas também da pilha de sapatos coloridos de Mindy no corredor. Era nosso Fim dos Tempos. Ainda que Derek continuasse vivendo ali, provavelmente como a barata depois da guerra nuclear.

— Tenho uma garrafa de vinho, se quiser — eu disse.

— Vinho? Não, obrigado. Baile amanhã. Não posso ficar de ressaca.

— Concordo.

Eu me preparei para dormir no quarto do andar de cima, vesti meu pijama estampado com animais e escovei os dentes. Pensei em vestir a camisola, mas era curta demais, e, ainda assim, Ben já tinha me visto naquele pijama horroroso antes. Fiquei um pouco irritada por estar usando um pijama tão tolo dentro de um quarto com alguém tão bonito. Luvas de criança, calça de desenho, pijama de criancinha. *Se você fosse minha namorada, eu certamente estaria desesperado para você tirar essa peça.* Eu me retraí, mas enxaguei a boca e cuspi.

Ao voltar ao quarto, cruzei os braços e caminhei em direção às cobertas, tentando não ser vista. Ben havia improvisado uma cama. Com o efeito do vinho passando, a situação ficava mais íntima do que eu esperara.

— Posso pegar alguma coisa emprestada para dormir?

Eu me virei e comecei a procurar dentro das gavetas. Só consegui encontrar uma camiseta cinza GG, com uma cerveja na frente. Eu a abri.

— Ganhei esta em um jogo em um bar e ainda não a joguei fora.

— O que os perdedores ganharam?

— Certo. Pode dormir com as suas roupas, então.

Eu joguei a camiseta nele. Ele a pegou.

— Não, não, não posso exigir. Vai ter que ser essa. — Ele olhou a parte da trás da camiseta. — "Festeje demais".

Apaguei a luz principal do quarto, que ficou iluminado apenas pela minha luminária de luz vermelha em formato de foguete.

— Você vai deixar isso aceso? — Ben perguntou.

— Costumo deixar. Tudo bem?

— Claro. *Roooxxxaaaannneeee.* — Eu ri, observei os glóbulos de gosma vermelha se separando devagar, entrando em colisão na água marciana. Bem continuou: — Feche os olhos, então; não me troquei.

Obedeci, cobrindo os olhos com um travesseiro para que ele não tivesse dúvidas, e escutei os sons suaves das roupas caindo no carpete, o barulho do cinto, o ruído de Ben vestindo a camiseta. O fato de conseguirmos estar juntos lá era prova de nossa situação totalmente platônica. Senti uma vontade forte de olhar, porque, sabe, sou um ser humano.

— Você está vestido? — Engatinhei pela cama e olhei para baixo. Ben estava vestido até os cotovelos com a camiseta azul-marinho. — Confortável?

— Confortável como dá para ficar no chão, Baixinha. — Ele se remexeu.

— Podemos trocar de lugar, se quiser.

— Não precisa.

Eu me acomodei de modo a ficar deitada na beirada da cama, o mais próximo dele que consegui.

— Que dia esquisito — suspirei. — Estou solteira. Preciso me acostumar com isso.

— Hum.

Pausa.

— Olha, quer saber? Estou morrendo de medo por estar solteira de novo. — Eu esperava uma avalanche de *você vai ficar bem*, mas ele não disse. — Você é tão bom em começar e terminar relacionamentos. E olhe para mim — afirmei. Ben continuou calado. — Sei lá, você estava preparado para terminar com a Pippa — eu continuei.

— O que isso quer dizer?

— Nada, só que a Pippa é bonita e esperta e tem um sotaque irlandês lindo, e, ainda assim, você terminou com ela. Quais são as chances de alguém persistir comigo?

Ben disse de modo frio:

— Não estou entendendo a sua lógica, desculpe. Mulheres diferentes causam choques diferentes?

— Ela é linda. Eu sou menos. Dificilmente vou conseguir algo bom.

— Do que está falando?

Eu tive a sensação de que diria algo muito idiota e eu me arrependeria quando estivesse sóbria, mas as palavras já estavam saindo de meus lábios:

— Quando nos beijamos no bar, você disse que era como beijar uma irmã. Merda. Não sirvo para nada.

Um longo silêncio. O que eu queria ou esperava que Ben dissesse? Eu sabia que estava sendo injusta e envergonhando nós dois. De repente, senti falta do ego inflado ao ouvir uma pessoa atraente do sexo oposto confirmar que eu não era nojenta.

— Para de provocar — ele disse.

— O quê?

— Para de me provocar querendo elogios.

— Não estou fazendo isso! — *Não tinha feito. Ah, tinha, sim.*

Mais uma pausa estranha.

— Não precisa desse lance de baixa autoestima.

— Fácil para você dizer.

— Por quê? — Ben estava irritado. Imaginei que eu havia dito algo especialmente ofensivo ali, mas não sabia o quê. Talvez não tivesse sido muito adequado falar sobre Pippa sabendo que a situação ainda era recente.

— Você tem autoestima naturalmente. Do mesmo jeito que algumas pessoas têm bons dentes ou colesterol alto.

Ben suspirou, irritado.

— Não entendo você, às vezes. Mas acho que você também não entende.

Fiquei tentando entender por que estávamos falando daquilo e o quanto eu conseguiria conversar tranquilamente sobre como eu seria uma boa solteira.

— Estou sendo idiota — eu disse, e Ben concordou. — Mas, se tiver dicas sobre como conquistar garotos, para que eu tenha o mesmo sucesso que você tem com as garotas, agradeço.

— Não vou fazer isso.

— Por que não? Egoísta! Você é o próprio Don Juan.

— O que quer dizer? Que não tenho padrão?

— Não! É que você é popular com as meninas. Olha, se não quiser me ajudar... tudo bem.

— Baixinha, você é uma menina. Não terá problema algum.

— Sei — suspirei. — Só preciso encontrar os caras certos, não é?

— Você vai se dar bem.

— Se por acaso eu faço alguma coisa bem broxante a um possível namorado, como meu melhor amigo hoje, espero que você me conte.

— Você quer mesmo que eu responda àquelas perguntas? Se continuar perguntando, vou responder. Esse é o aviso final.

— Que perguntas?

— Perguntas sobre aquele beijo, minha ex-namorada e você.

— Sim, acho que perguntei tudo isso — eu disse, toda corajosa e casual, ainda que com certo medo. A irritação de Ben me fez pensar que talvez ele estivesse prestes a dizer que eu era meio sem noção.

Um silêncio muito barulhento.

— Certo, sinto muito se isso faz com que você se sinta desconfortável. Não aguento mais — Ben disse. — Eu falei que beijar você foi como beijar uma irmã? Sim, falei, porque estávamos sendo provocados para ficar juntos. Foi como beijar uma irmã? Não, foi muito bom, como beijar alguém de quem você gosta muito...

Eu me assustei, senti uma pontada no peito, meu coração bateu forte. Ele disse gostar? Não... Não seria possível. Eu provavelmente havia escutado errado.

— ... A Pippa era legal? Era, sim; ela não foi o problema. A questão foi você. Eu terminei com ela pelo mesmo motivo que terminei com todas as outras nos últimos três anos. Caras que gostam de uma mulher e namoram outra costumam ser péssimos namorados...

Eu suava frio. "Não acreditei no que estava ouvindo" costuma ser hipérbole, mas é a mais pura verdade. Eu ouvi, mas meu cérebro não absorveu. Quando Ben terminava um namoro, eu sempre pensava: "Ah, mais uma", mas não imaginava o motivo.

— ... Você vai encontrar outra pessoa? É a mulher mais esperta, engraçada, bacana, bonita, ainda que, às vezes, seja a mais irritante que eu já conheci, então, sim, tenho certeza de que haverá muitos caras atrás de você. Mas, como estou apaixonado por você, pensar em vê-la com outra pessoa me faz sentir vontade de matar um, então, perdoe-me por não poder incentivá-la com dicas úteis sobre como conquistar qualquer cara que não seja *eu*.

Meu peito foi tomado pelo choque. Eu não conseguia falar. E, mesmo que tivesse conseguido, não saberia o que dizer. *Apaixonado*. Ele havia dito isso.

— Qual foi a última pergunta? Se você faz alguma coisa bem broxante? O fato de você estar com outro cara era a única coisa que me incomodava. Mas, pelo menos, me dava a chance de sonhar que por isso você não estava comigo. Pronto. Falei. É isso.

Meus dedos se agarravam à cama como se, de repente, o móvel estivesse tombando para o lado.

Ben acrescentou:

— Sinto muito se você se sente superestranha. Diga se quiser que eu vá embora. Eu entenderei.

— Tudo bem — comentei com a voz meio rouca.

Pausa.

— Ótimo. Que momento ideal. Eu, dentro do seu quarto — ele disse, rindo sem jeito. — E olha, você não precisa me dizer que não sente o mesmo por mim. Eu sei que você não sente, pode acreditar. Esse é o meu problema. Simplesmente tomaremos um chá de manhã, ambos sem graça, e vamos nos despedir.

Amanhã de manhã. Eu estava tendo dificuldade para imaginar um mundo além daquele quarto, um mundo que continuaria girando, com luz do dia e, depois, mais dias. E me *despedir*?

— Você não sabia mesmo? — ele perguntou.

— Não — respondi.

— Ai, meu Deus. Sempre imaginei que você imaginasse, mesmo que não soubesse o quanto. — Ele parou, esperou, e eu não disse nada. Então, Ben continuou: — Meu Deus, por favor, pelo menos diga "Ai, que nojo". Esse silêncio está me matando.

— Não é nojento — comentei, tentando encontrar palavras em meio ao tumulto emocional.

Onde estavam as palavras de que eu precisava? A fala de Ben me deixou de frente para sentimentos que eu vinha ignorando, deformando e negando pelos últimos três anos. Era como não dar luz suficiente para uma planta crescer, mas regá-la de vez em quando, sabendo que a semente ainda está na terra.

Ele sentia e pensava aquelas coisas incríveis em relação a mim? "Igualmente", "Por quê?" ou "O senhor seja louvado! Aleluia!" não se encaixavam naquele momento.

De forma inesperada, tomei uma decisão repentina. Despi a blusa enorme do pijama. Também me livrei da calça, afastando-a com meus pés como os movimentos de um nadador. Peguei a bola de panos quentes e a joguei para fora da cama. Pensei que fosse o bastante para deixar clara a minha intenção, mas Ben não reagiu.

— Ben.

— Oi?

— Quer vir para a cama?

— O chão não está tão ruim, obrigado. E também... não.

— Não. *Na* cama. *Comigo*. — E, então, eu disse, como uma aventureira erótica maluca: — Tirei meu pijama.

Uma pausa assustada.

— ... Tem certeza? — ele perguntou, baixinho, à luz fraca.

— Muita certeza.

Foi quando a cena deveria ter ocorrido com um fundo musical muito sexy e em câmera lenta. Mas, em vez disso, Ben ficou preso dentro do saco de dormir, precisando de menos pressa e mais velocidade para conseguir livrar-se da camiseta e do saco de dormir que meu pai tinha comprado.

— Caramba — ele disse, tentando se soltar.

— Puxe o zíper — eu ri. — Eu o ajudaria, mas estou nuuuuaa.

— Você não precisa repetir isso; estou indo — Ben retrucou, e eu ri mais um pouco.

Havia algo absolutamente brilhante em estar naquela situação e também no fato de já sermos amigos. De repente, *que estranho estarmos fazendo isso* se transformou em *que estranho nunca termos feito isso*.

Ben se livrou de tudo e subiu na cama. Quando conseguiu tirar o calção (Rachel começa, não consegue; Ben assume a tarefa, ainda com dificuldade), de repente ficamos pele com pele, o corpo todo, Ben inteiro e Rachel inteira, um contra o outro. Foi estranho, mas um estranho muito, muito bom. Rhys era firme, mas fofinho em algumas partes, e peludo; Ben era esguio, um jogador de futebol, a pele lisa e musculosa. Eu não sabia que os corpos podiam ter pouca gordura como o dele e ainda assim funcionar. Acreditava que um corpo como aquele faria com que eu me sentisse meio estranha, mas, na verdade, eu me senti mais feminina, mais eu mesma, de certo modo.

Nós nos enrolamos no lençol, que logo foi jogado para o lado. Ainda que ele estivesse me vendo sob uma iluminação que provavelmente deixaria até o reitor da faculdade sexy, Ben não teve problema nenhum ao me ver como vim ao mundo. Agiu de modo confiante, e eu entendi o motivo. Ficou claro que não era a primeira vez dele, e torci para que eu satisfizesse e/ou excedesse suas expectativas, afinal, eu só tivera algumas experiências com um namorado desajeitado do colegial e com Rhys.

Só então descobri que existia um tipo de desejo intenso que beirava a náusea. Finalmente entendi do que todo mundo falava. Quem imaginaria que o desejo podia ser tão forte?

E não temi que não fosse recíproco: quando murmurei qualquer coisa a respeito dessa vontade, sem mencionar a náusea, claro, Ben respondeu:

— Nunca desejei *alguém ou alguma coisa* tanto quanto desejo você. — E me beijou tão forte que tive medo de ele machucar minha boca.

E, então, quando passamos do ponto de quase fazer ao ponto de realmente fazer, ele suspirou, enterrou o rosto no meu pescoço e disse meu nome. Meu nome verdadeiro. Outra coisa que acontecia pela primeira vez.

☞ 54

As primeiras palavras depois, quando nossa respiração voltou ao normal, foram importantes. Precisavam ser ditas por mim:

— Eu amo você. — Eu sabia que era verdade e, ainda assim, foi uma surpresa ouvi-las. O processo de me apaixonar tinha de ser gradual, mas conscientizar-me da situação veio com tudo. Por mais que eu evitasse, era complexo. Confrontado, foi extremamente simples.

— *Ama*? — Ben perguntou, deitando-se de lado para me olhar.

— Com certeza.

— Meu Deus, eu não acredito.

Como você pode acreditar que alguém não o ama?, pensei. Ben parecia feito para ser amado. Estávamos molhados de suor, e eu me sentia quase narcoticamente extasiada. Ouvi, pela janela parcialmente aberta, o barulho de alguns beberrões voltando para casa. Eu me lembrei de Derek, e percebi que não me importava se ele estivesse abaixado ali com um chapéu feito de papel-alumínio, equipamento de gravação e licença de divulgação.

— Claro que sim — confirmei.

— Hum, Rachel...

— Sim? — Era tão estranhamente emocionante escutar meu nome dito por ele. Eu me apoiei no cotovelo e beijei-lhe o rosto. Ben pegou meu braço e o colocou em cima de seu peito nu e firme, enquanto eu me acomodei em seu ombro.

— Não é exatamente um *claro que sim*? Sei lá; demoramos um tempo para chegar aqui.

— Sim, demoramos.

— Então, nada no meu jeito apaixonado me denunciou?

Eu ri e o apertei.

— Não. Mas fiquei feliz por você ter batido em alguém por mim.

— Oh, não foi nada... — Ben colocou uma mão na testa.

— Por quê? Foi demais.

— Eu me senti como se tivesse batido um garfo em um copo e dito: "Com licença, pessoal, tenho um anúncio a fazer, eu arrasto um bonde por essa garota. Todo mundo entendeu? OK, certo, continuem a noite, e aviso a todos os espertinhos que não se aproximem dela".

— Eu não pensei isso.

— Bom, a Emily pensou. Ela disse, naquela noite: "Não estou terminando com você porque bateu em alguém por ela; estou terminando pela cara que vi você fazer quando ela foi molestada".

— Sério? Meu Deus. Me desculpe.

— Não foi sua culpa. Eu teria acabado com ele mesmo se estivesse grávida de gêmeos. Ela sabia disso. Eu achei que todo mundo soubesse. Incrível você não perceber.

— Ah. Eu estava mais longe. E sendo molestada. Desculpe de novo.

Ele passou a mão pelo meu braço.

— Tenho sentido medo do momento de dizer adeus.

— Eu também.

— Eu ia dizer algo a você amanhã. No baile.

— Ia? — Olhei para ele. — O que ia dizer?

— Só como me sinto, que você deveria saber, se por acaso fizesse alguma diferença. Roteiro de Jack Daniel's. Vergonha por Calvin Klein.

— Vergonha?

— Eu não sabia que você estaria solteira, certo? Mas o fato de ser comprometida me impediu de me expor durante três anos. Seria a minha última chance, e eu faria uma exceção.

Eu o apertei de novo.

— Eu não fazia ideia. O fantástico rodízio de namoradas lindas, e nenhuma se parecia comigo. A maioria era loira. Loiras *autoconfiantes*.

— Por que diabos eu ficaria com garotas que lembrassem você se eu não podia tê-la?

Ele disse aquilo com tanta sinceridade que senti uma pontada maior do que meu ego inflado. Eu não tinha percebido que nosso relacionamento lhe causava dor.

— Desculpe se eu estou sendo meio intenso — ele disse. — Tenho mantido as esperanças há três anos. Não consigo acreditar que isto é real.

— Pareceu bem real para mim. — Pela primeira vez, Ben não riu de minha piada.

Ficamos deitados em silêncio. Eu queria dizer coisas interessantes sobre como ele era ótimo, como *aquilo* tinha sido ótimo, mas, apesar de minha mente inundar-se de pensamentos, também estava vazia. Eu ainda me ocupava com os sentimentos em vez de pensamentos. Ben me amava. Eu o amava. Paradigmas haviam mudado e meu pijama estava jogado no chão.

— E agora? — Ben perguntou.

— Agora o quê?

— Você quer que a gente continue se encontrando?

— Está brincando? Claro que sim — eu disse.

— Você vai voltar a Sheffield para fazer seu curso de jornalismo.

— Sim.

— E eu vou ficar fora do país por seis meses.

— Sim.

— Você poderia ir ao nosso encontro? No feriado ou coisa assim? — Ben perguntou.

— Seria ótimo. O pessoal do meu trabalho me avisou que terei o emprego de volta. Eu meio que preciso do dinheiro.

— Do seu trabalho? Do trabalho de Rhys?

— Sim. Mas isso não tem importância.

— Não gosto dessa ideia.

Ben franziu o cenho. Quase escutei sua testa enrugando-se.

— Você acha que sou tão influenciável que, se encontrá-lo de vez em quando, acabarei voltando com ele? Obrigada pelo voto de confiança — eu disse, fingindo ofensa.

Deixando de lado a brincadeira, senti que corríamos em duas velocidades diferentes. Eu estava feliz ali, deitada depois do sexo, aproveitando a proximidade. Ele precisava de algumas respostas; eu não tinha começado a pensar nas perguntas.

— Não posso cancelar minha viagem. As passagens estão compradas. Não posso decepcionar o Mark; ele ficaria muito bravo.

— Eu sei. E você sempre quis isso, e precisa ir. Não estou pedindo que não vá.

— Eu sei — Ben disse, mas ainda meio sério.

Fiquei deitada ali, tentando decidir qual era a nossa situação. Ele tinha razão. O próximo ano seria difícil para nós. Uma travessia que não parecia tão intransponível para mim quanto para ele. O principal era que sabíamos como nos sentíamos. O milagre havia acontecido. O resto envolvia só administração.

Ben tocou a minha mão.

— Venha comigo. Vamos. Atrase o curso. Compre as passagens.

— Não posso. Para começar, não tenho dinheiro.

— Eu pago. Tenho economias.

— Não poderia deixar você fazer isso.

— Poderia, sim. O que é meu é seu. Um empréstimo, se para você ficasse melhor.

— Aposto que Mark adoraria segurar vela na viagem da vida dele! — Eu ri.

— É com isso que está preocupada? Com os sentimentos do Mark? Ou com os seus?

— Oi?

— Você vai andar com Rhys para cima e para baixo enquanto eu estarei em Kanchanaburi. Quando eu voltar, você vai passar a semana na faculdade e os fins de semana no trabalho. Como nos veremos?

— Sei que será difícil, mas vamos conseguir. Ainda que eu precise esperar um ano para ficar com você, vou esperar.

Fez-se uma longa pausa, quando conferi se ele ainda estava vivo. Esperava que ele estivesse absorvendo o enorme elogio que eu lhe havia acabado de fazer. Ben se sentou.

— Um ano? Está dizendo, com sinceridade, que tudo bem se não nos virmos muito durante um ano?

— Eu não disse que tudo bem. Eu disse que esperaria. Se precisasse.

— Você realmente sente por mim a mesma coisa que eu sinto por você?

— Eu sinto!

— Você precisa ser honesta, e eu não acho que você e o Rhys realmente terminaram. Parece mais uma briguinha de namorados do que um rompimento.

— Não seja maluco, Ben. Se eu quisesse ficar com o Rhys, por que estaria na cama com você?

— Você ia me dizer alguma coisa antes de nos despedirmos?

— Hum. — *Não. Com enorme arrependimento: não*. Pela primeira vez na vida, eu estava de frente para uma falha de caráter, sem ter onde me esconder. Sim, eu me apaixonara por ele. Não, não correria o risco de lhe contar, principalmente porque acreditava que não seria correspondida. Eu ia fingir para mim mesma que não gostava dele e permitir que ele partisse. E não podia resolver aquela contradição sem deixar algo claro a meu respeito. Ou seja, amiguinhos: sou covarde.
— Eu não planejei nada, mas...

— Isso é um não.

— Eu não sabia que você se sentia da mesma forma!

— Como você saberia se não perguntasse?

— Não queria correr o risco de perder você como amigo.

— Acho que nós dois sabemos que amanhã, de qualquer jeito, seria o fim das coisas como as conhecemos.

Era verdade, e eu não tinha o que responder. Como explicar para alguém tão mais corajoso e bacana do que você que tamanha força de sentimento e total impotência podem coexistir?

— Você ainda ama o Rhys? Deve amar. Vocês terminaram ontem.

— Eu não sei — respondi. — Não se desliga um botão. Independentemente do que sinta, não quer dizer que estou *apaixonada* por ele e desejo ficar com ele.

Mais uma longa pausa, durante a qual pensei o que diria em seguida. Eu sentia que tínhamos subido na calçada e que era necessário pegar o volante para nos redirecionar. Minha política de falar as primeiras palavras que viessem a minha cabeça não tinha ocorrido ainda.

— Merda! — Ben exclamou de repente.

Ele pulou da cama como se alguém lhe estivesse apontando uma arma. Tive um momento de dissonância cognitiva de *coisa ruim acontecendo/mas que bela visão*. Percebi que ele estava procurando as roupas, vestiu o calção estalando o elástico, subiu a calça jeans pelas pernas.

— O que está havendo? Ben? — Eu me sentei, não mais tão à vontade com minha nudez. Peguei um travesseiro e o segurei contra o corpo.

— Me desculpe, mas preciso ir — ele respondeu, mais algumas palavras abafadas quando desapareceu momentaneamente enquanto vestia a camiseta. — Eu não deveria... Eu não consegui recusar. Droga...

— Não vá embora! Ben? Não estou entendendo. Vamos resolver a situação. Eu viajo, se é o que você quer...

Ele parou e olhou para mim.

— Não é o que eu quero. Você precisa decidir o que *você* quer, e não pensando que a faculdade acabou, estamos bêbados e dormimos juntos, e você brigou com o Rhys. Eu tenho sentimentos demais por você para vivenciar este momento. Preciso ir.

— Não é por isso que as coisas aconteceram! — Ele se curvou para calçar os sapatos e voltou a se endireitar. — Você fez comigo e agora está criando caso? — eu continuei, tentando, como último recurso, usar o código internacional dos não cafajestes.

— Não é isso. Não posso decidir por você o que vai acontecer em seguida. Sei que é assim que você está acostumada.

— O que quero que aconteça é que você não vá embora.

— Não posso... Não é sua culpa, mas não posso... — Ele parou e pigarreou. — ... Não posso ficar tão perto de você pensando que pode ser a única vez.

Em seguida, Ben pegou a carteira e as chaves de minha mesa, e eu observei, incrédula, quando ele partiu em direção à porta do quarto. Peguei o lençol do chão, enrolei-me nele como uma estátua grega e corri atrás. O tempo que demorei para me enrolar, no entanto, me atrasou para alcançá-lo.

— Ben, por favor! Não vá! — gritei, descendo a escada.

Ele se foi, e eu fiquei na porta da casa, chamando seu nome.

Escutei uma movimentação no quarto de Derek e corri para cima, ofegante, tentando entender como diabos os melhores momentos se transformavam nos piores.

55

Esforço-me para que minha mente sobrecarregada entenda a complexidade dos julgamentos dos casos de drogas, fazendo longas anotações em uma tentativa de levar minha imaginação solta a fatos importantes. Quando ocorre um intervalo para uma conferência no meio da tarde, eu sigo para a sala de imprensa, mas meu caminho é bloqueado por Gretton, que está mais corado do que o normal.

— Você a viu?

— Quem?

— Clarke! Ela havia deixado um gravador na sala de imprensa. Disse que precisava vir para pegar as coisas de seu apartamento, então pegaria o gravador também. Corajosa, eu disse. — Evitar me ver não valia mais do que o gravador. Você é danada, Zoe. Eu me viro e observo o tribunal. Os amigos e familiares do advogado me olham com suspeita. — Ela foi para Piccadilly — Gretton continua, olhando seu relógio. — Eu escutei quando ela disse a alguém no telefone que pegaria o trem. Se você se apressar...

Olho para Gretton. Nós dois sabemos que estou sendo atraída para uma armadilha, e que vou cair nela. Olho para meu relógio.

— Cubro qualquer coisa em seu caso se ele recomeçar enquanto você estiver fora. Palavra de escoteiro.

Gretton faz o gesto de levar três dedos à testa. Pela primeira vez, acredito nele.

Saio pela porta e parto para a cidade, passando entre as pessoas que caminham por ali à tarde, subo a rua para Piccadilly meio trotando, por estar atrasada, meio galopando, com pequenas corridas enlouquecidas. Chego à estação com os pulmões ardendo e uma dor no lado das costelas. *Ai.* É a falta de condicionamento físico que me acompanha desde a época da escola. Ao checar o quadro de partidas, vejo um trem que pode ser o de Zoe. Parece que já está na plataforma. Se ela passou pelos inspetores de passagens, danou-se. Olho para meu relógio de novo. Ela está, sem dúvida, dentro de um vagão de primeira classe, gozando os frutos de seu lucro obtido de modo escuso. Ah, ótimo. Pelo menos, eu tentei. Pelo respeito que tenho comigo mesma, se é que tenho.

Eu me viro para fazer o caminho de volta. Assustada, vejo uma cabeça de cachos espiralados mexendo-se, a alguns metros do Costa Café. *Aha!* Não me permito qualquer nervosismo.

— Zoe! — eu grito, caminhando em direção a ela.

Zoe me olha surpresa, mas não em choque, nem com medo, pousando no chão a mala de carrinho de flores que está puxando.

— Oi, Rachel! — Ela é educada, mas também se percebe sua tensão, como se eu fosse uma louca psicótica que mora na mesma rua.

Respiro fundo.

— Uma pergunta. Como pôde?

— Olha, sinto muito. De verdade. O *Mail* não ia divulgar a história logo, mas algo aconteceu no último minuto e a matéria estava pronta... Eu quis avisar você.

— Imagino que sim, pelo tanto de vezes que você tentou entrar em contato comigo na noite de sábado. O que, exatamente, queria me dizer? "Me desculpe por ter ferrado você totalmente, mas a oportunidade para mim seria boa demais?". — Zoe emite um som, um suspiro ou uma expressão de enfado. — Você não ia usá-la, e era uma ótima história, você disse isso. — Espero que não haja colegas andando por ali, ou essa ceninha será o meu fim. — Tão ótima que vai me ferrar.

— Eles não estão culpando você, estão? — Zoe pergunta, toda inocente. — Eu não contei a a ninguém o fato de você ter lido a mensagem de texto, eu juro.

— Puxa vida, parabéns! — ironizo, apesar de me sentir aliviada. — Você não se preocupa nem mesmo com o que fez a Natalie? Ou a Jonathan?

— A esposa do criminoso que estava tendo um caso? Não, não mesmo.

— Bem, espero que seu emprego de 25 mil por ano em um jornal valha todas as pessoas por cima das quais você passou para chegar aonde chegou. Prazer em conhecê-la.

— Você sempre foi muito legal comigo; sinto muito que as coisas terminem assim.

— Sim, sinto muito por eu ter sido muito bacana com você.

Não percebo, até aquele momento, que Zoe está com olhos arregalados.

— Eu sei que você não queria que isso acontecesse, mas você se envolveu.

— *Como é que é?*

— Por que você leu a mensagem de texto, Rachel? Por que anotou o número? Sua intuição estava certa e você queria segui-la, mas temia problemas, por isso passou o caso para mim.

— Foi o que você inventou para se sentir melhor em relação a tudo? Eu, inconscientemente, quis fazer isso desde o começo?

E fico pensando.

— É uma coisa muito estranha de se fazer com uma história na qual você não está interessada. Consigo entender por que você está irritada, mas vive um momento de negação.

Sinto minha pressão sanguínea subir como uma pipa. Ela nem sequer teve a decência de agir como uma pessoa culpada. Será que eu troquei de papel com Simon?

— Eu não estava passando a questão para você. Apenas conversei porque pensei que pudesse confiar em você.

Uma pausa, e ela me enfrenta:

— A única coisa que fiz foi usar uma coisa que você não quis. Peguei lixo.

— Se foi só isso, por que não me pediu?

— Você teria se estressado como está agora, com receio de que não fosse justo com as pessoas envolvidas. Desculpe, mas não estou nem aí. Quero seguir em frente. Não cabe a nós brincarmos de Deus e decidir o que vira notícia e o que não vira...

Eu grito:

— Isso não tem preço. O que pensa? Você é um tipo de dona da verdade e defensora da liberdade de expressão agora?

— Sou uma jornalista. É o que fazemos. Talvez você devesse fazer algo diferente se é tão contra assim.

Tais palavras foram um chute na boca do meu estômago. Uma coisa é um gênio do jornalismo me dizer que sou uma vergonha para a profissão. Outra é escutar isso de alguém que acabou de sair da faculdade...

— Há jornalistas bons e ruins. Pelo que posso ver, você não é diferente dos Grettons do mundo e vai sofrer as consequências do modo como trata as pessoas.

— Você está exagerando.

— Porque meu emprego está por um fio? A maioria das pessoas na minha situação acabaria com você.

— Eles não podem demiti-la por algo que eu fiz!

— É claro que podem, Zoe, mas não finja que levou em conta o impacto que sua atitude teria em mim ou em outras pessoas. Você fez o que quis e deixou os outros pagarem o pato. — Ela permanece em silêncio. — Tenho mais uma pergunta — continuo. — Sua mãe é gorda?

Zoe parece menos confiante.

— O quê?

— Não é difícil... Sua mãe está acima do peso?

— Não sei do que está falando.

— Imagino que não. Deve ser difícil acompanhar.

Um resquício de vergonha aparece em seu rosto e penso que não conseguirei nada além disso. Eu me viro e a deixo ali, agarrada a sua mala idiota, os cabelos desgrenhados e o coração de pedra, enquanto espero os meus batimentos cardíacos voltarem ao normal ao descer a ladeira de volta à cidade, de volta ao trabalho.

Quero seguir em frente. Meu relacionamento foi um fracasso e também o meu desempenho no trabalho, até onde estou vendo. Então me permito, por cinco minutos, me sentir a maior fracassada do mundo, e penso no que perdi. Concluo que fui uma má pessoa ao ler a mensagem de texto e uma idiota ao contar a Zoe. Se a falta de ética com que ela agiu fizer de mim uma jornalista péssima, e dela, uma jornalista eficiente, prefiro perder essa competição.

— Qual foi o prejuízo, então? — Gretton pergunta quando chego ao tribunal. Ele está fazendo um intervalo para fumar, com um cigarro aceso entre os dedos, a cara de gato que comeu o peixe. E a espinha, e uma bola com um sino amarrado. — Ela vai viver para contar a história?

— Vai, mas não aqui.

— Eu avisei você. Eu lhe disse que precisava tomar cuidado. Lembra?

— Ah, sim — respondo, apertando os olhos por causa do sol. — Pensei que você estivesse exagerando.

— Paranoico.

— Não, não foi suficientemente paranoico.

— A chapa esfriou?

Eu suspiro e sorrio.

— Ah, sim, você quer saber se eles enviarão um funcionário novo e verde e você ganhará um mês com as melhores matérias?

— Não — diz ele, batendo a cinza na calçada, imitando alguém magoado. — Na verdade, acho que nos damos bem trabalhando juntos. Conhecemos as regras. Espero que você fique.

— Estou sensibilizada — retruco. — Eu quase morri, mas sobrevivi e estou aqui. Quase morta, mas trabalhando.

— Não é sua culpa não ter notado qual era a dela — Gretton diz, com ar superior. — Eu tenho uns quilômetros rodados a mais. Já vi o tipinho de Zoe antes.

— Espero nunca mais encontrar ninguém do tipinho dela.

— Ela queimou pontes. Não vai voltar para os jornais e para as agências daqui, isso é certo. Baggaley é um homem rancoroso. É Londres ou nada para ela. É melhor que fique no *Mail*.

— Obrigada. — Eu quase dou risada. — Se o consolo fosse mais frio, seria nitrogênio líquido.

56

Uma pessoa mais corajosa, mais dinâmica e mais sensata poderia ter se levantado na manhã depois da noite de antes, no dia do baile de formatura, e partido para resolver uma discussão com o amor da vida recém-descoberto, recém-enroscado.

Eu roí as unhas, troquei a blusa três vezes, temi encontrá-lo durante o dia e lembrei as coisas que tínhamos feito à meia-luz. Fiz xícaras de chá, procrastinei, aperfeiçoei discursos em minha mente e perdi tempo. Então, as meninas chegaram com sacolas cheias de bobes, montes de maquiagem com glitter e vidros de perfume. Decidi esperar até reunir coragem para lidar com a situação no baile à noite. Foi só mais tarde, enquanto fazia um penteado em Caroline, no estilo dos anos 1960, com um monte de laquê, que percebi que Ben poderia não ir.

Essa ideia me faz parar, no meio da atividade, e Caroline perguntou:

— O que foi? Eu estou meio exagerada, não?

Eu estava no piloto automático; fingindo preocupação com minhas roupas, meus cabelos, com as fotos. E só conseguia pensar em ir ao Palace Hotel para o baile.

Quando chegamos, tomamos aperitivos em uma antessala bonita, e eu, desesperadamente, olhei ao redor, observando todos os rapazes de terno preto, procurando Ben, mas sem sucesso. Vi alguns de seus amigos espalhados por ali, mas não sabia em que canto do salão eles estavam reunidos.

No começo do jantar, eu me convenci de que ele não chegaria. Comecei a formular um plano. Quando ninguém estivesse prestando atenção, eu pegaria um táxi e iria para a casa dele. Conforme o tempo foi passando, precisei me controlar para não jogar o salmão na parede mais próxima, virar a mesa e descer a Oxford Road com meus saltos.

Então, quando a torta de limão foi servida e a música começou, eu já estava pensando em como fugir, mas ele apareceu. No meio do salão, como se tivesse caído do teto. De terno. Ben parecia um artista de cinema.

Ficou óbvio que ele tinha acabado de aparecer porque uma garota se levantou da mesa e o abraçou — o que me deu dor de estômago —, e um amigo lhe entregou uma cerveja. Eu estava fazendo papel de tola, mas já havia esperado um longo tempo.

Então me levantei e caminhei até a mesa dele.

— Posso falar com você?

Ben desviou o olhar dos amigos, surpreso, e colocou a cerveja sobre a mesa. Pensei que acabaria sendo detonada na frente de todos, mas valeu a pena ser corajosa. Ele balançou os ombros e disse “Claro”. Segurei a mão dele e o levei em direção à pista de dança. Ele faria uma declaração de amor para mim no baile, mas as coisas acabaram mudando.

Eu olhei para ele.

— Escuta, Ben...

— Estou tentando. Você quer conversar comigo aqui? — Pensei que a pista de dança seria o único lugar onde teríamos um pouco de privacidade, mas havia o contratempo dos decibéis. *To the End*, do Blur, ressoava dos alto-falantes. E estávamos cercados por pessoas que já tinham bebido o suficiente para cantar com animação na pista de dança. — A pergunta deveria ser outra...

— Oi? — Ben disse, virando a cabeça para mim.

— Tenho outra pergunta. A respeito de meus sentimentos. Ontem à noite, quando você perguntou se eu ainda amo o Rhys... — Tampo um ouvido para abafar a música de Damon Albarn e escutar Ben.

— O que foi? — ele perguntou, apertando os olhos, confuso.

— Vamos a um lugar mais silencioso! — gritei.

— Beleza.

— Me desculpe — eu disse, de modo sucinto. Finalmente, Ben conseguiu entender pelo menos uma frase.

— Também quero lhe dizer algo — ele gritou, balançando a cabeça.

Um sorriso. Ele estava *sorrindo*. Por um momento lindo, tudo ficaria bem. Eu me aproximei para pegar sua mão e senti seu braço ao redor de minha cintura. Ele prendeu meu cabelo atrás da minha orelha direita e se aproximou para dizer alguma coisa. Senti o calor de sua respiração no meu pescoço e estremeci, fechando os olhos.

O que aconteceu em seguida pareceu em câmera lenta, e não do modo ansioso, exultante, em ritmo de festa, do tipo *leitor, eu me casei com ele; rolem os créditos*. Senti Ben se afastar. Abri meus olhos. Ele havia visto alguém atrás de mim, e o sorriso sumiu de seu rosto, e ele parou de me abraçar.

Eu me virei e vi Rhys caminhando na nossa direção, de terno, sorrindo de orelha a orelha. Era o Rhys, aquele mesmo, o músico. Ele havia tentado domar os cabelos, penteando-os para trás. Olhei para Ben. Rhys chegou.

— Surpresa! — Rhys disse, abrindo os braços, como um mágico mostrando que não tinha nada nas mangas.

Ben cruzou os braços, olhou para mim e para ele. Esperou. Esperou palavras que, se tivessem saído, quase não seriam ouvidas, mas, ainda assim, seriam melhores do que nada.

— Tudo certo, cara? Não estou interrompendo, não é? — Rhys gritou com uma entonação brincalhona.

Ben não respondeu, apenas me olhou com a mandíbula tensa.

— Não! — eu disse, com uma resposta-reflexo, uma tapa-buraco até que conseguisse decidir como lidar com a situação. — Mas, hum... Ben e eu íamos... Nós... — *Fizemos e declaramos nosso amor?*

Antes que eu conseguisse dizer qualquer coisa, Rhys gritou:

— Venha aquiiiiii, amor! — E me envolveu em um abraço enorme.

— Espere, espere! — Eu tive a sensação de que estava me afogando, tentando respirar no meio do tecido preto, do perfume Issey Miyake for Men e do pânico completo. — Rhys! Pare!

— O que foi?

Quando me livrei, Ben desaparecera. E permaneceria desaparecido por dez anos.

57

Duas semanas depois do massacre na praça St. Ann, recebo um convite de Ben para beber alguma coisa após o trabalho.

— Meu Deus — Ben diz quando me aproximo dele na frente da Casa de Câmbio. — Você está atrasada só um minuto ou dois. Se eu considerar a margem de erro de meu relógio, talvez você até esteja no horário. Tem uma explicação para isso?

— Minha vontade de beber? — eu brinco.

— Eu deveria estourar uns fogos de artifício. — Ele sorri e partimos.

— Eu tenho muita coisa para lhe contar.

— Pode contar.

— Você não quis ir ao cinema com Olívia e Lucy?

Percebi que Ben sentiu a necessidade de explicar por que Olívia não pôde ir. Suspeitei de que ela deve ter perdido no quesito interesse em relação à disputa Simon Furacão X Raquel Detonada.

— Ninguém conseguiria me fazer ir ao cinema com elas nem amarrado.

— Estão dizendo que o filme vai ganhar o Oscar!

— Cri-cri-cri.

Nós dois rimos.

— O que acha de entrarmos aqui? — pergunto num impulso quando passamos por uma porta, e, assim que entramos, percebo que foi uma boa descoberta. Cadeiras e mesas de madeira pintadas em cores que não combinavam, luzes fracas, garçonetes com roupas diferentes, pôsteres de filme antigos nas paredes, todo o pacote hipster.

Nós nos sentamos sob o pôster do *Os homens preferem as loiras*, e Ben pega as bebidas, cerveja belga nas garrafas marrons. Ele tira o casaco cinza e o coloca nas costas da cadeira, e eu tento não perceber que a aparência de cansaço que marca o rosto oleoso das pessoas às seis da tarde só faz com que Ben pareça o James Bond depois de lidar com traficantes em Montenegro. Boa estrutura óssea, eu penso, faz com que o cansaço apresente outra aparência. Passei dez minutos com meu estojo de maquiagem no banheiro do trabalho, maquiando os olhos e os lábios de novo, como se estivesse pintando um ovo para a Páscoa.

Tento perguntar sobre Simon, quando Ben enrola as mangas da camisa e eu ignoro seus braços. Em que momento me tornei uma babona tarada? (*Tarde demais*, ouço Rhys dizer.)

Ele responde de modo curto e grosso:

— Você não é a primeira mulher que Simon acusou de ter estragado a vida dele e não será a última. Não pense mais nisso.

Eu respiro profundamente e me preparo para contar a Ben a verdade toda, aquela que não me arriscaria a contar a Simon. É a minha grande aposta. Eu sabia, enquanto vinha para cá, que o faria e que muitas pessoas considerariam maluquice. Consigo escutar o grito fantasmagórico de Caroline: *Cale essa boca.* Mas na verdade não quero que Ben me defenda porque eu menti para ele. A decisão que ele tomou de me defender não quer dizer nada até que conheça os fatos.

— Ben — eu digo —, se eu lhe disser mais uma coisa sobre o caso de Natalie Shale, você promete que não conta ao Simon?

Ele se assusta.

— É um fato detonador que vai mudar tudo? Eu adoraria não ter mais surpresas.

— É uma verdade libertadora a respeito de como Zoe teve acesso à história.

Ele está segurando o copo a caminho dos lábios. E volta a colocá-lo na mesa.

— Por favor, diga que não entrou na grana!

— Não, como eu já disse, não estou envolvida nessa venda da notícia.

— Então o que foi? Não me conte algo que eu não queira saber.

— Eu não tinha a menor intenção de usar o fato como matéria nem queria que a Zoe divulgasse nada, e, se eu soubesse que isso aconteceria, teria feito de tudo para impedi-la. Isso ajuda? — Ben parece indeciso.

— Promete que não vai contar ao Simon? — pergunto.

— Ajuda o fato de não querer irritá-lo ainda mais? Agora que chegou até aqui, é melhor me contar.

Eu explico. E, então, prendo a respiração.

Ben observa meu rosto enquanto absorve a informação.

— Ela pegou a informação e a usou sem você saber?

— Sim, eu juro.

— Por que você não fez a matéria?

— Não seria justo. Pensei nisso. Eu não seria tão cara de pau.

— Mas, ainda assim, você é cara de pau o bastante para ler a mensagem de texto de outra pessoa e fofocar sobre o conteúdo?

— Eu sei. Pode dizer que sou um lixo. Eu mereço.

Ben suspira.

— Por que está me contando tudo isso?

— Você foi muito gentil comigo e não quero mentir para você. — *Quero sua absolvição, acima de tudo. Poderei enfrentar todo o resto se você me perdoar.* — Eu não podia contar ao Simon porque tive medo de perder meu salário, e moro de aluguel. Não foi certo, mas é a verdade. Sinto muito pelo transtorno que lhe causei, Ben. Eu queria fazer um bom trabalho. Não tenho palavras para dizer como estou me sentindo envergonhada. É minha desculpa sincera.

Ben suspira de novo e olha em direção à porta. Por um momento, tenho a impressão de que ele vai dizer: *Estou caindo fora, garota.*

— Ai, ai...

— Vai ser irritante se eu ficar pedindo desculpas?

— Você não deveria ter lido a mensagem e contado à jornalista. Intencionalmente ou não, você parece ter sido o estopim de um Big Bang que espalhou merda para todos os lados.

— Eu sei.

— Mas você poderia tirar uma matéria ainda maior de tudo isso. E não tirou. Por causa do turbilhão que causaria na vida de outras pessoas, não porque não beneficiaria a sua. Certo?

— Certo.

— Então, você tem escrúpulos. Oficialmente, você é escrupulosa.

Eu solto uma risada de agradecimento, e volto a crer na generosidade de Ben.

No bar, uma música de Ella Fitzgerald, e nossos copos ainda estão cheios. Sinto-me mais em paz com o universo do que antes de chegarmos, com certeza.

— Você se arriscou me contando isso — ele diz, pensando enquanto olha o copo. — Posso correr um risco também, com a mesma confiança?

Sinto os pelos de minha nuca se eriçarem.

— Claro.

— Isso nunca, em tempo algum, deve chegar ao ouvido de seus colegas; jure. Fica entre nós dois, neste lugar, agora mesmo, e nunca deve sair. Prometa, Rachel.

Sou ligeira.

— Eu prometo.

— É melhor você manter sua palavra, ou contarei ao Simon a mensagem que você leu.

— Claro. Compreendo. Eu juro pela minha vida, e não pela minha honra.

— Mais seguro assim. — Ele passa a falar mais baixo: — Fiquei sabendo que, nos lençóis, Natalie disse a Jonathan que ela mentiu para poder dar um álibi ao marido.

Fico boquiaberta.

— Por que ele precisaria de um álibi falso?

— Por que as pessoas costumam precisar de álibis falsos?

— Lucas Shale é *culpado*? — sussurro, incrédula.

— Não sei. Sinceramente, não sei.

— Mas ele será declarado inocente. Todo mundo acha que ele é inocente. Eu tinha certeza de que ele era inocente.

Ben balança os ombros.

— Isso não pode, nunca, chegar ao ouvidos dos sócios. Se for verdade, é muito, muito importante que Jonathan deixe a firma continuar a representar Shale. Fim de carreira.

— O caso extraconjugal já não acabou com a carreira dele?

— Não. Só porque Natalie não era a cliente. Ele levou uma bela bronca e passou por uma repaginada com a chance de ser recontratado em Londres, na surdina, quando tudo passar.

— Merda.

— É melhor do que se ferrar.

— Então, acho que Natalie e Jonathan não estão mais em contato? Se ele vai para Londres?

Ele balança a cabeça.

— Duvido. — Pausa. — Ainda assim, é menos provável que eles conversem sobre a mensagem e cheguem ao seu envolvimento, certo?

Eu me retraio.

— Não foi por isso que perguntei.

— Sei que não foi, estou só provocando. Você não se preocupa o bastante com seus interesses, na minha opinião.

Eu esperava que Ben, com sua generosidade, pudesse me perdoar. Ele encontra coisas para elogiar... Não faço ideia do porquê ele sempre vê o melhor que há em mim. A pausa reflexiva se transforma em um silêncio confortável enquanto bebericamos a cerveja. Olho as luzes das velas que lançam sombras nas janelas. Uma bela garçonete com o cabelo preso em um coque meio frouxo, onde há um lápis atravessado, lança um olhar de "*Belo casal*". Eu retribuo com um sorriso de "*Ah, se você soubesse*".

— É ótimo que pudemos fazer isso, não? — Ben diz, por fim. — Você e eu sendo amigos de novo. Tantos anos depois.

— É incrível. Retomamos de onde paramos — digo sem pensar.

— Não exatamente de onde paramos — Ben retruca, erguendo uma sobrancelha.

— Não, não exatamente... uh...

A conversa para. Acabou a música da Ella. Nosso silêncio, agora desconfortável, é preenchido por um cover emo horroroso de *Brass in Pocket*, do Pretenders.

Ben bebe um grande gole de sua bebida, e espero uma mudança brusca de assunto. Mas, em vez disso, ele olha em meus olhos.

— Por que você dormiu comigo? Sei lá, eu entendi o motivo, mas gostaria de confirmar, depois de todo esse tempo.

Sua expressão firme e sardônica e o sorriso leve me desconcertam. Percebo que ele está pensando que eu não sei enfeitar uma verdade feiosa. Mas estou pensando em todas as coisas que poderia dizer, mas que não direi a um homem casado.

— Eu dei um motivo na época — minha resposta tem a intenção de ser assertiva. Minha voz soa firme.

Ele balança a cabeça.

— Tudo bem, faz muito tempo. Eu consigo aceitar. Você quis voltar com o Rhys, e sabia que não teria que me ver de novo. Não houve nenhum problema.

Nenhum problema? *Ele está brincando?*

— Isso não é verdade. Eu estava... — minha voz quase fica embargada. — Eu me importava muito com você.

Ben não se comove com minha declaração.

— Hum. Pensando bem, o reaparecimento do Rhys no baile foi bom para todos nós.

— Ben. — Uma emoção há muito retraída tenta ganhar vazão, mas eu impeço. — Não foi isso. Você ficou com a impressão errada... — Como dizer o que não posso dizer? Ah, não. Vou usar as palavras adequadas? Parece que sim. — ... É complicado.

Agora, escuto o fantasma de Mindy: *Caleeeee-seeeeee....*

— Mas, no fim, tive a impressão certa, já que você ficou noiva do Rhys?

Ponto para ele. Abro a boca e não sai nada. E pensar que eu queria desabafar? Já se passaram 10 anos, e um de nós está casado demais para que esta conversa seja qualquer coisa além de castigo.

— Eu tentei ligar. Escrevi para você. Não recebeu minha carta?

— Ah, sim. Para conseguir... — Percebo que Ben para, volta e retoma o que ia dizer. — ... passar por isso, precisei desligar o assunto. Sua carta não dizia nada do que eu não soubesse.

— Eu fiquei com medo de Abi abri-la. Você dizia que ela costumava fazer isso. Achei melhor ser breve. Era para você ter me telefonado.

Ben olha para seu copo.

— Desculpe se eu fui rude. Você merecia coisa melhor, já que éramos amigos e tal. Eu não estava muito bem durante aquele último ano, o que é meio irritante, porque estive em muitos lugares bons, mas não estava bem.

Ele tenta deixar a coisa mais leve, mas não consigo acompanhar.

— Me desculpe — digo sem jeito, mais sem jeito do que ele imagina.

— Ah, não precisa. — Ele remexe o líquido dentro do copo. — Eu não tive a intenção de parecer ressentido. Olho para trás agora e sinto vergonha...

Eu me retraio.

— Você tinha brigado feio com o Rhys, devia estar superconfusa, e eu comecei com todo aquele drama por causa de uma noite. Não sei, independentemente de seus motivos, o que rolou foi sexo, e eu não tenho do que reclamar. Tenho certeza de que você tentou entender o que estava havendo. Foi incrível que tenha me tolerado tanto. Muita bobagem de pessoas de 21 anos por nada, não? Mas podemos relembrar e rir. Bem, espero que você não ria *muito*...

Aquilo me fere.

— Não foi nada.

Não é nada. Para mim.

Ben encolhe os ombros e sorri.

— Pensei que o Rhys fosse me bater naquele dia em que nos encontramos. Eu não o culparia.

— Nunca contei a ninguém o que aconteceu.

— Sentia vergonha? — Ben faz cara de comédia.

— Queria que fosse um assunto nosso.

— Eu contei a uma pessoa.

Meu coração dá piruetas. Ai, meu Deus. Que não tenha sido a Olívia. *Por favor.*

— Contei a um cara australiano que conheci em um bar em Sydney, que teve que ouvir meus lamentos por horas. Ele disse que eu a encontraria de novo um dia, e que você estaria gorda e com quatro filhos gritando ao seu redor, e eu perceberia que tive sorte. Ele não era o que você chamaria de cara jovem.

— Ele tinha razão, tirando os quatro filhos. E só engordei um pouco — comentei de modo brincalhão, sentindo-me totalmente arrasada.

— Ele estava totalmente errado. É bom deixar tudo isso para trás.

O que devo dizer em relação a isso? É engraçado que ele esteja dizendo que é bom que nos vejamos quando pela primeira vez, desde que consigo me lembrar, não quero estar com ele.

— Ben...

Meu telefone começa a tocar na bolsa. Eu me xingo por não tê-lo deixado no silencioso.

Então o encontro e vejo que é a Caroline.

— Alô? Caro? É você? *A ligação está ruim* — digo, sem emitir som, para o Ben.

Logo depois de dizer isso, percebo que a ligação não está ruim: Caroline está chorando.

58

Bato à porta de madeira de Caroline e mudo o peso de meu corpo para a outra perna. Só consegui, ao telefone, que ela me garantisse que ninguém tinha morrido. Ben foi compreensivo quando saí correndo do bar e entrei num táxi.

Caroline abre a porta e pergunto:

— Você está bem?

O rosto dela está manchado do rímel preto borrado pelas lágrimas; a pele ao redor do pescoço está rosada, como se ela tivesse se coçado com nervosismo.

Eu me aproximo para abraçá-la, mas ela se distancia.

— Obrigada por vir — ela diz com seriedade, fungando e entrando em casa. Eu me esforço para fechar a porta, sigo Caroline e observo quando ela se senta onde acredito que estava antes de eu chegar: deitada de lado em cima do sofá de couro cheio de lenços de papel. Eu me acomodo em uma poltrona na frente, pego a garrafa de vinho que está quase vazia e o copo meio cheio ao lado dela sobre a mesa de canto.

— Onde está o Graeme?

— Graeme está tendo um caso — ela diz, e a última palavra fica embargada pelas lágrimas que escorrem quando minha amiga fala.

— Ai, Deus, Caro. — Eu me ajoelho perto do sofá, coloco a mão no braço dela quando começa a soluçar. É terrível vê-la assim, já que é sempre tão controlada. Soa tão desorientador quando flagrar os pais fazendo sexo ou ver seus avós sem dentadura. Não consigo pensar em mais nada para dizer além de: — Como você descobriu?

Ela seca os olhos com os polegares, e fala enquanto suspira:

— Ele deixou o celular em casa hoje cedo. E sei que ele não gosta de ficar sem o aparelho, por isso o levei para o trabalho, pensando em entregá-lo a ele na hora do almoço. Quando entrou a quinta chamada seguida de alguém que aparecia como "John", pensei em atender e ver o que "ele" queria. — Caroline para de falar para firmar a voz. Passo a mão em seu braço, torcendo para que o gesto seja consolador, e não irritante. — Então, eu saí do trabalho, liguei para ele, voltei aqui e esperei-o. — Ela pausa. — Ele tentou dizer que era invasão de privacidade o fato de eu estar com seu telefone. Que idiota.

— Onde ele está agora?

— Não sei; não me importa. Eu duvido de que ele esteja com *ela*, porque é casada e tem filhos.

— Ele trabalha com ela?

— Sim. Ele disse que foi um erro idiota e que se sente feliz por eu ter descoberto. Você consegue acreditar? Ele disse todas as coisas clássicas mais cedo. "Não tínhamos a intenção"; "Estávamos bêbados e longe de casa"; "Eu não sabia como parar". Ao ouvir os lamentos, qualquer pessoa pensaria que ele estava sendo forçado a tirar a calça sob a mira de uma faca.

O mais certo ali seria dizer que não esperava isso de Graeme, dentre todos os maridos, mas seria mentira. Resolvi dizer:

— Foi péssimo o que ele fez com você.

— Ele me disse que tenho que assumir uma parte da culpa por ter "me casado com o trabalho" e nunca estar por perto quando ele precisava de mim.

— O quê?! — tento não gritar. — Ele é igual a todos! Graeme sempre teve orgulho de seu sucesso. Não poderia estar com alguém que *não fosse* você.

— Parece que ele pode, repetidas vezes, em diversos locais pelo Reino Unido e pela Europa Central. Não é à toa que ele estava tão preocupado em aprender a mexer no pacote de *roaming* do celular. *Pacote de roaming*, rá!

Quanto mais penso na desculpa do abandono, mais me irrito.

— Há quanto tempo isto está rolando?

Caroline pega a taça, onde vira o conteúdo.

— Alguns meses. Se ele estiver dizendo a verdade. Ele deu provas, mas não consigo ouvir nada do que diz.

Eu balanço a cabeça.

— E você? Quer uma bebida? — Caroline se remexe, olha desconsolada para o vinho. — Tem mais na geladeira.

— Eu pego — digo, tirando o casaco. — Você fica aqui.

— Vou telefonar para o trabalho amanhã dizendo que estou doente, então posso ficar doente — ela fala quando me afasto.

Eu abro a geladeira enorme de duas portas e escolho uma das garrafas geladas. Caroline é suficientemente madura para ter mais álcool dentro de casa do que qualquer outra coisa que esteja bebendo naquela noite, bem servida em uma crise. Pego um copo do armário e o encho de Chablis. Talvez a qualidade ganhe da quantidade.

— E agora? — pergunto, quando já estamos com os dois copos cheios nas mãos. — O Graeme vai embora?

— Ele pode dormir no sofá de amigos, depois no quarto de hóspedes.

Aquilo me assusta.

— Então vocês vão continuar juntos?

— Claro que sim. Não vou perder minha casa e jogar fora tudo por conta de uma crise infeliz de meia-idade precoce em hotéis Best Western de três estrelas.

— Ah... tá.

A convicção instantânea que ela demonstra de que vale salvar a relação me surpreende. Eu não teria certeza de nada em um momento como aquele.

— Ele pediu desculpas? Disse que está arrependido?

— Ele se arrepende de ter sido descoberto. — Ela suspira alto. — É o que disse. Ele me implorou para aceitá-lo de volta. — Ela olha a foto do casamento no mantel. — Eu nunca pensei que eu seria isso, sabe? Um baita clichê enorme.

— Ah, você pode ser qualquer coisa, menos enorme.

Caroline sorri brevemente. Tento pensar em algumas palavras profundas adequadas à ocasião além de *Sempre pensei que Graeme fizesse coisas erradas*.

Admito que, na maior parte do tempo, eu achava que essas coisas erradas representavam o hábito dele de gozar das amigas de Caroline, uma atitude disfarçada de "humor".

— Onde eu errei, Rachel? Tenho minha vida e uma carreira e cuidei de meu casamento, ou pensei que estivesse cuidando. Não fez nenhuma diferença.

— Palhaçada! — Cuspo um pouco de vinho no meu colo no momento da revolta. — Você não fez nada de errado! Como você disse, não existe casamento perfeito, à prova de traição, e nada disso é sua culpa. Graeme precisa se responsabilizar totalmente.

— Hum. A outra pessoa não é um sintoma de algo errado, e não a causa?

— Isso não quer dizer que a causa seja você. Se Graeme queria mais atenção, ele deveria ter procurado.

— Concordo.

Bebemos. Sinto nossas diferenças de um modo muito intenso, como nunca antes. Pelo ponto de vista de Caroline, se você se esforça, o resultado deve ser melhor. Vejo o problema como algo intrínseco a Graeme. Quando ela se uniu a Graeme, não acho que pensou nele como um ser humano maravilhoso, mas, sim, no homem certo para ela. Quase como um sócio: ele havia feito o mesmo investimento; queria o mesmo retorno. Caroline não é mercenária. Simplesmente é prática. Ela não seria capaz de se apaixonar perdidamente por um poeta sem grana. Aliás, é constitucionalmente incapaz de se sentir perdida.

— Olhe para nós. Não era assim que as coisas tinham que ser, certo? Não era para estarmos todos resolvidos aos 30 anos? — Caroline pergunta.

Sorrio.

— Você, talvez. Acho que eu e a Mindy nunca tivemos esperança.

— Eu liguei o aspirador, sabe? Para que o vizinho não escutasse meus gritos com meu marido, por ele ter transado com uma gerente de marketing. Não queria ir para a próxima festa dos vizinhos sabendo do que eles andaram falando. Eu gritava: “Ela é uma puta e você não fica atrás!” para ele com o barulho do aspirador. Eu me senti tão velha!

— Você não é velha.

Caroline esfrega os olhos e alisa os cabelos.

— Quais eram seus planos para hoje? Espero não ter acabado com a sua noite.

— Eu estava bebendo com o Ben — respondo, pensando na realidade dessa afirmação.

— Ben? — Caroline fica mais séria. — Vocês dois?

— A Olívia preferiu ir ao cinema.

— Sobre o quê vocês conversaram? — Caroline se inclina para a frente, franzindo o cenho.

— Nada demais. Sobre trabalho. — Ela não reage. — Você sabe, o caso do Simon — explico.

— Exatamente o que alertei você para não fazer.

— Caro, ele é meu amigo.

— Até ele e Olívia começarem a brigar, ele lançar um olhar engraçado e distante e você se sentir um pouco sozinha...

— Ele nunca fez isso! Juro! Não vai acontecer nada, e eu mal o vejo. Hoje foi uma situação totalmente rara.

— Posso lhe dar um conselho? Entendo que receber meus conselhos sobre relacionamento neste momento é a maior das ironias.

Eu concordo, sabendo que não vai ser nada do que quero ouvir.

Caroline se inclina e despeja mais vinho em sua taça.

— Faça as pazes com o Rhys. Você se impôs na questão do casamento, que provavelmente precisava acontecer. Não o jogue fora. Vocês dois combinam.

Balanço a cabeça, negando.

— Sei por que está dizendo isso, mas, obrigada, eu não estava feliz.

— Você estava infeliz ou entediada, ou até irritada com ele? Isso acontece em todos os relacionamentos, sério.

O que Caroline provavelmente pensa, mas não quer dizer é: vai ser com o Rhys ou com mais ninguém.

— Não é isso. É o modo com que afetamos um o outro. Eu o podo, e ele me decepciona. Não acho que se trata de hábitos ruins. É como na química, quando unimos duas substâncias e sempre alcançamos a mesma reação. Assim.

— E você não se importou com isso por 13 anos?

— Não é que eu não tenha me importado... Eu levei. Evitei perguntar a mim mesma se era o bastante, e então o casamento me impediu de fazer a pergunta.

— A mentira do "felizes para sempre" exige coisas demais — Caroline diz, olhando para o nada. — Você nunca será feliz para sempre com ninguém. Apenas se escolhe a pessoa com quem mais vale perseverar, é isso. Quero dizer: "Partir juntos em direção ao pôr do sol", onde tudo é tomado por uma lente rosada. Eu sou a única a perceber o problema, ou seja, que nunca se alcança um pôr do sol? Que nunca é *onde você está*?

— Posso dizer sim?

Caroline sorri.

— Se um dia eu tiver uma filha, na minha casa não entrarão contos de fadas, pode apostar.

— Mas não espero ser feliz para sempre. Só mais feliz.

— Ora, tudo se resume ao que chamamos de felicidade. Acho que somos a geração que passou muito tempo pensando no que não temos e não no que temos.

Percebo que não é o momento de discutir com a Caroline. Ela me olha.

— Eu sentia inveja de você na faculdade, Rach. E ainda sinto, de alguns modos.

A revelação quase me faz cuspir a bebida.

— De mim? Por quê?

— Você é divertida. Os homens a consideram divertida. Eu não sou. Não posso fazer nada; é assim que sou. É por isso que você acabou divertindo o Ben em um canto de sua festa enquanto eu conversava com a esposa dele sobre impostos. Em parte, acho que era isso o que o Graeme queria. Não sexo. Uma risada.

— Você é divertida — minha voz fica embargada —, muito, muito divertida. Não agora, porque está bem chata. Mas normalmente.

— Obrigada — ela diz enquanto damos risada. E então: — Você pode pensar no que eu disse sobre o Rhys?

Concordo.

— Acho que as coisas não são tão simples por dentro quanto parecem por fora.

— Eu sei. Mas o Rhys a ama. Ama de verdade, e quer um futuro com você. Sei que ele a considera a pessoa certa e faria qualquer coisa por você. Pelo que sei, isso não acontece com muita frequência.

Acontece uma vez na vida, no máximo, eu sei. Já tive a minha parte. É a minha vez de pegar a garrafa.

☞ 59

Rhys foi à casa de meus pais, sem avisar, três semanas depois de eu ter voltado. Eu ainda estava desviando de caixas cheias de pôsteres enrolados, arquivos, panelas e tigelas, cuidando da leve depressão pela tristeza decorrente do fim de um período e do começo do resto da minha vida.

Meu pai abriu a porta, e a voz deles chegaram ao andar de cima, e Rhys falou mais do que o normal a respeito das excentricidades da reforma do banheiro do andar de baixo. Ele sempre fazia um esforço tardio.

— Oi — Rhys disse, quando finalmente apareceu no caos entre minhas caixas. — Como você está?

— Estou bem, obrigada — respondi. Fiquei surpresa e feliz ao vê-lo. Pensei que tivéssemos deixado as coisas claras — não certinhas, apenas claras — na noite do baile.

Eu havia me sentado com ele, ao lado da pista de dança iluminada pelas luzes, e expliquei que, apesar de ter gostado muito que ele tivesse aparecido no baile, aquilo não mudava nada. Não falei que havia me apaixonado por alguém e transado com ele, porque imaginei que seria uma grande crueldade. Sem falar da pressa. Ele aceitou minhas palavras, mas disse que bebera no caminho para o baile, queria mais uma bebida e perguntou se, caso passasse dos limites, poderia dormir no chão do meu quarto. Eu tive a sensação de que precisava encontrar Ben, mas ignorei minha vontade de sair correndo para fazer as coisas de modo adequado. Haveria um amanhã. E concordei.

— Como você está? — perguntei, enquanto Rhys olhava para mim.

— Bem.

— Quer uma xícara de chá quando eu terminar esta estante? — Eu estava organizando meus livros. — Se quiser, minha mãe deve estar preparando chá.

Rhys entrou e fechou a porta.

— Eu andei pensando em algumas das coisas que você me disse, como o fato de eu não valorizá-la. Acho que tenho sido assim mesmo. — Eu assenti, sem saber como responder. — Quais são seus planos agora? — Rhys perguntou, procurando uma caixa cheia que lhe desse firmeza para se apoiar.

— Vou cursar jornalismo e, então, voltar para Manchester. Conseguir um emprego em algum jornal ali.

— É mesmo?

— Parece que alguns de meus amigos ficarão por lá.

— Se você quiser me dar uma segunda chance, posso ir com você.

— O quê? Mas e a banda?

Rhys remexeu os pés.

— O Ed está dizendo que vai se mudar para Londres. Mesmo que não se mude, eu reafirmo a proposta. E posso voltar para os ensaios.

— Faria isso por mim? Eu nem sabia que você gostava de Manchester.

— Ah, tenho me acostumado com a ideia. O que você acha? Começar do zero. Parceiros iguais. Podemos só dividir o apartamento se você não quiser voltar. E posso preparar meu macarrão de vez em quando, se você for boazinha. — Rhys sorriu.

Certamente ele era atraente, com os cabelos despenteados e a jaqueta jeans preta e uma disposição renovada em me agradar. Ele representava um belo troféu de minha fase adulta, entre os restos de minha adolescência, como colchas com estampa de flores e cama de quatro colunas.

Pensei na proposta. Pensei também em outra pessoa que, como eu havia descoberto um dia antes, tinha deixado o país sem se despedir. A noite anterior ao baile de formatura ganhou uma aura de sonho, como se não tivesse acontecido de fato. Talvez Ben estivesse correto: um momento de loucura, como os políticos enfrentam, com muita emoção e muitas esperanças, mas não a vida real. Talvez ele tivesse percebido que estar apaixonado por mim se justificasse apenas por medo da mudança, e se agarrara à primeira coisa familiar para se firmar. *Agarrara*, literalmente.

E não era Ben que estava ali, oferecendo-se para moldar sua vida de acordo com a minha. Ele seguia seu rumo do outro lado do mundo, definitivamente sem mim. Eu precisava enfrentar a realidade. Independentemente do que existisse e do que tivesse sido dito, a verdade era que ele havia partido para sempre.

Minha mãe gritou, do andar de baixo, que a chaleira estava no fogo, com o objetivo de desencorajar qualquer atividade inadequada. Seria difícil ficar em casa; eu precisava encontrar um lugar para mim e, quando isso acontecesse, eu me sentiria solitária.

Havia um caminho fácil à minha frente, e uma alternativa muito mais difícil. Ignorei a intuição que me dizia qual era o certo. E disse sim.

60

Rhys combina me encontrar no Ruby Lounge, o estabelecimento no Northern Quarter onde sua banda tocará no show de meio de semana. Podemos beber alguma coisa, ele diz, enquanto ele estiver esperando o resto do grupo chegar para a passagem de som. Pode parecer que ele está me deixando em segundo plano, mas compreendo o que pensa. Nós dois queremos nos encontrar quando o desfecho não for uma última bebida, o que seria arriscado: poderíamos terminar bem ou brigando.

Rhys está esperando por mim do lado de fora, com a cabeça jogada para trás, uma perna dobrada e um pé apoiado na parede. Por um momento, eu não o reconheço por causa do cabelo castanho que tomou o lugar dos fios tingidos. Só vi essa cor nas fotos de infância, e ele a odeia porque nascem algumas mechinhas ruivas no meio. Quando começamos a namorar, demorei um mês para descobrir que Rhys tingia os cabelos. ("Não existem astros bacanas do rock com cabelo ruivo", ele costumava dizer quando eu o incentivava a deixar os fios voltarem à cor normal. "Mick Hucknall, do Simply Red?", eu perguntei. "Eu disse do *rock* e *bacana*", ele respondeu.)

O Ruby Lounge é um porão de teto baixo e piso de madeira que fica lindo quando a luz violeta se acende à noite, o som começa a tocar e os sentidos são alterados pelo álcool. É um local bem estranho e comum durante o dia, como ver uma dançarina toda produzida à noite no salão de beleza durante o dia. Sobre o palco, a bateria toma um belo espaço, além das guitarras e do microfone do vocalista.

Imagino ficar ali para vê-los tocar. Ver Rhys de cabeça baixa e faixa de guitarra atravessada no peito faria com que eu voltasse à adolescência, quando o observava no meio da multidão, toda orgulhosa, quase em adoração. Talvez nosso relacionamento tenha começado a dar errado quando ele me proibiu de ir às apresentações.

— Bebida? — Rhys diz, indo para atrás do bar. — Sente-se onde quiser.

— Uma Coca-Cola, obrigada — respondo quando ele pega dois copos e enche ambos com o sifão da máquina de refrigerante.

Tiro a bolsa do ombro, encontro uma mesa e sinto-me envolvida em uma certa formalidade, mesmo com alguém tão familiar. Rhys pega um banquinho e se senta. Percebo que ele deixou a barba por fazer e emagreceu um pouco. Está bonito. Muito bonito. Não fico feliz ao perceber que, apesar de estar feliz por ele lidar bem com a situação, sinto uma pontada no ego. Uma coisa é dizer a alguém que ele está melhor sem você; outra é ter de encarar a prova.

— Você está ótimo — digo.

— Nah — ele resmunga, tenso.

— Seu cabelo é bem legal assim.

— É — ele concorda. — Não posso mais fingir que a água oxigenada é sua, certo?

Tal observação me faz pensar em quem pode estar olhando dentro do armário dele. E apenas repito:

— Eu gostei.

Rhys começa a falar sobre preços de imóveis, e nós dois nos confortamos falando sobre coisas tediosas. Mas continuo com a sensação de que estamos aqui para ele poder dizer algo que ainda não conseguiu.

— O que estava acontecendo aquele dia em que telefonei? — ele pergunta.

— Ah... — Não quero me lembrar. — Eu me sinto assistindo o piloto de um programa chamado *Todo mundo odeia a Rachel*, esperando que não vire seriado. Você não adquiriu os poderes de uma divindade onipotente desde que terminamos, não é?

— Se isso tivesse acontecido, os Blades teriam vencido a Copa das Confederações e aquelas duas lésbicas bonitas da nossa rua estariam me chamando para comer *fondue* com elas.

Dou risada.

— Poderia acontecer.

— Que nada. A casa delas está vazia.

Nós dois rimos. Nas ruínas de nosso relacionamento, consigo ver as coisas de que gostávamos um no outro, a base sobre a qual construímos nossa estrutura. Faz tanto tempo que nem sequer entrou para a história, mas, sim, para a arqueologia.

Rhys olha de canto de olho, leva as mãos aos cotovelos ao encostá-los na mesa. E deixa de ser simpático.

— Tenho pensado em nós dois e quero esclarecer uma coisa — ele diz.

— É?

— Quando as coisas deram errado entre a gente... Não estou falando sobre o casamento, apesar de não achar que o estresse do planejamento ajudou. — Ele faz cara de "ainda não terminei de falar" quando abro a boca para responder. — Foi antes disso. *Bem* antes disso. Mais ou menos logo que você terminou a faculdade. E comigo também. — Fico tensa, tentando imaginar onde acabará a conversa. Também resisto à vontade de dizer que ele está admitindo que as coisas não estavam certas, o que é uma baita mudança em sua atitude. — Eu acho que sei o motivo — ele continua.

Procuro não parecer apreensiva.

— Eu não sei se você sabia ou não, mas... saí com outra pessoa por um tempo.

Nossa. Bem na lata.

— *O quê?! Quem?*

— A Mary, do The Ship.

— A menina punk e grande que sempre paquerava todo mundo? A garçonete?

— Ela era voluptuosa.

Ignoro a piadinha descabida.

— Quando?

— Nos últimos meses antes de você voltar da faculdade. E um pouco depois. Já tinha terminado totalmente quando nos mudamos para Manchester.

— Por quê? — Melhor eu já fazer todas as perguntas: Quem? Quando? Onde? Por quê? Que porra é essa?

— Ela dava em cima de mim. E eu achava que nós íamos nos acertar depois que você se formasse. Eu não encontrava você com frequência e acho que pensei que aquela seria a minha última chance de aproveitar. É feio, mas é a verdade.

Deixei a informação ser absorvida.

— Você gostou dela?

Rhys ri.

— *Não*. E estou falando sério. De jeito nenhum.

— Você chegou a pensar em me trocar por ela?

— Nunca.

— Por quê?

— Não foi nada. Nós dois tínhamos um futuro. Ou pelo menos sempre pensei.

— Por isso você não gostava quando eu ia aos shows? Eu estragava seus esquemas com as meninas?

— Não, você me desanimava mesmo. Um dos motivos pelos quais nunca contei sobre Marie é por saber que você começaria a desconfiar de tudo. Não possuo motivos para mentir, certo? E nada mais tenho a dizer.

E ali eu estava, pensando, de modo bem arrogante, que entendia as coisas mais do que a Caroline.

— Por que está me contando essa história?

— Estava na hora, só isso. Pensei que você deveria saber. Me desculpe por não ter contado antes, mas você sabe...

— Não, não sei. Nós terminamos, e você acha que agora está na hora de jogar tudo em cima de mim?

— Pensei que você pudesse ficar brava e me deixar.

— Ah, Jesus. Bom, se tudo isso tem a ver com você e com o efeito que teria sobre você, ótimo, pode jogar na cara.

Já chega de educação. Sinto vontade de atirar uma cadeira nele. Rhys parece contente, como se quisesse uma prova de que me importo. Fico ainda mais irritada.

Repasso a história na minha mente.

— Você ia encontrá-la na noite de meu baile de formatura? Não era um show, certo?

Rhys se retrai.

— Não me lembro.

— Lembra, sim.

— Certo, talvez. — Ele toma um gole de Coca-Cola. — Foi feio. Mas mudei de ideia no fim.

— Desculpe, mas acha que devo me sentir agradecida por você ter voltado para mim?

— Eu não deixei você!

— Não mesmo, é por isso que se chama traição, Rhys. Você ficava falando que eu precisava voltar para casa e, o tempo todo, estava com ela do lado? É tão... baixo. E ridículo...

Ele percorre com a mão os cabelos e assente, olhando dentro do copo. Avalio meus sentimentos. Chateada. Muito chateada. Mas não sei definir o quanto dessa chateação se deve à infidelidade de Rhys e o quanto se deve ao fato de essa revelação deixar claro o tamanho do erro que cometi naquela noite.

— Todos os seus amigos sabiam? David... e o Ed?

— Alguns deles faziam ideia, sim.

— Eles deviam rir de mim. Até mais do que o normal.

— Não! Eles diziam que eu era um idiota. Eu meio que achava que você podia conhecer alguém na faculdade. Estava provando algo a mim mesmo, porque ela estava ali, e eu podia.

— Provando algo para se por acaso, no futuro, eu fizesse alguma coisa contra o seu ego?

— Sim, isso. Você tem mais jeito com as palavras do que eu.

— E o que devo fazer com essa informação além de querer arrancar seus cabelos ruivos?

— Quis dizer a verdade. Colocar tudo em pratos limpos. Pensei que você tivesse descoberto ou que alguém tivesse dito alguma coisa — Rhys continua. — Houve aquela coisa na sua festa. Depois da faculdade, você ficou diferente. Mais distante. Querendo ditar as regras. E acho que tudo mudou entre a gente dali em diante. Nunca mais foi a mesma coisa.

— Não?

— Não. Você quis se mudar de volta para Manchester. Sair de perto do pessoal de Sheffield.

— Você acha que sou tão besta que nunca diria nada se suspeitasse?

— Não sei o que você pensa a metade do tempo, Rachel. — "Vamos contratar um DJ para o casamento. Não, na verdade, vamos terminar" é um bom exemplo.

— Eu não sabia — digo. Pensando bem, minha única pista seria o fato de Marie demorar para me servir no bar, mas isso acontecia também com outros clientes.

— Eu não contei para não machucar você, Rach, sinceramente. Nem sequer sabia se você ficaria magoada, depois de todo esse tempo e com tudo o que aconteceu. Quero ser totalmente honesto e dizer que fui um lixo. Cartas na mesa. Eu sei que você acha que não consigo me expor, e por isso estou dizendo, totalmente, que poderia ter feito melhor. E você foi superior a mim.

Agora, luto com minha consciência. O Rhys me traiu, mas eu não sou muito melhor do que ele, como gostaria de poder dizer. É pior ou melhor o fato de ele não ter tido sentimentos pela outra pessoa? Uma coisa é certa: não preciso esconder mais nada.

— Eu dormi com o Ben no fim da faculdade — digo de modo direto.

Embaixo do cavanhaque, Rhys muda de cor.

— Ben?

— Do meu curso. Você sabe quem é. Nós o encontramos esses dias.

— O quê? Aquele cara no centro?

— Sim.

— Quando?

— Quando terminamos. Uma noite antes do baile de formatura.

Percebo que Rhys está fazendo cálculos e chega à conclusão de que não pode virar a mesa e me chamar de sem-vergonha.

— *Ben* — ele diz, como se testasse o nome, como se não fosse verdade. — Que duas-caras desavergonhado.

Ele brinca com o porta-copo quadrado, batendo suas laterais sobre a mesa.

— Uma vez? — Balanço a cabeça para confirmar. — Não combina com você.

— É. — Sinto desconforto diante do olhar de incredulidade de Rhys. — Não sei o que me deu.

— Você quer que eu desenhe? — Eu me retraio. Ele continua: — Não pode ter sido nada importante se voltou comigo. Você fez isso para provar alguma coisa?

— Não exatamente.

— Por quê, então? Eu a conheço. Não é do tipo uma noite e nada mais.

— Uma transa só é pior do que várias transas por meses?

— Eu fiz porque foi fácil. Você deveria ter um motivo.

— Eu gostava dele.

— Por isso terminou comigo? Da primeira vez? — Nego com a cabeça. Ele tenta rir, mas não consegue muito bem. — É mesmo? Que coincidência. Tchau, Rhys. Oi, Ben. Tchau, roupas.

— Não.

— E eu aqui pensando que nossos problemas surgiram porque a traí. Mas *você* me traiu.

— Eu não traí. Nós tínhamos terminado.

— Ah, por favor. Não estou, nem por um segundo, dizendo que foi certo, mas temos mais de 30 anos, então, vamos agir como adultos, entendeu? O fato de você ter dormido com alguém horas depois de terminarmos não é um desastre total. Você provavelmente já planejava enquanto estava comigo. — Ele tem uma certa razão. E então pergunta, franzindo a testa: — Você voltou a ter contato com ele?

Quando decidi contar a verdade, não planejei os passos seguintes.

— Mais ou menos. Nós nos encontramos por acaso, só isso.

— Você não está saindo com ele de novo?

— Não. Ele é casado. — Pausa. — Mas, mesmo assim, você está tentando se enfiar na cueca Dior dele, não?

Eu me retraio de vergonha.

— Claro que não. Pensei que você não se lembrasse do Ben.

— A informação de que ele dormiu com a minha namorada meio que trouxe umas lembranças à tona. Sulista imbecil. — Percebo que ele não usa o "ex" antes de "namorada". — Certo — ele continua, controlando-se. — Beleza. Não estou nem aí para vocês dois, e não a chamei aqui para isso.

— Por que me chamou?

— Para pedir pela última vez: vamos deixar os problemas de lado e ficar juntos. Eu não sei como funciona a cabine de um DJ.

E, se eu tivesse parado para pensar, teria percebido o que Rhys queria. Ele não sugeriria uma ocasião como esta para que nós dois nos sentíssemos melhor. Não porque é mau, mas porque não é afeito a bons gestos. Rhys é bem o que demonstra. Menos quando some e uma mulher de cabelo loiro-farmácia, meia arrastão e sandália o conquista. Eu quero voltar? Tenho de fazer essa pergunta de novo.

— Eu amo você — Rhys acrescenta com evidente esforço, já que não é o tipo de sujeito que se declara.

Penso no que Caroline disse sobre eu ter decidido sobre a separação por me sentir entediada. A dor que sinto é parecida com a de um soco.

Penso em como me senti perdida naquele encontro com Simon. Na situação difícil de Caroline. Ivor e Mindy andando com pessoas a quem não respeitam. Talvez o que Rhys e eu compartilhávamos seja o máximo que a maioria das pessoas consegue. *Nem todos têm sorte suficiente para encontrar uma alma gêmea*, como Ben disse. Trocamos de lugar.

— Eu também amo você — retruco, e amo mesmo. Sempre vou amar. Se não amasse, abandoná-lo teria sido muito mais fácil. Vivemos alguns momentos ruins, mas ele é constante. Confiável. Conforme Caroline disse, ele me quer, e isso não vai mudar.

Rhys assente.

— Vamos sair em férias. Aceito até ir a uma praia e encher a bunda de areia, se você quiser. Então, voltaremos a falar sobre o casamento. Talvez devêssemos fazer algo menos sofisticado. Sempre achei que nossa festa seria grande demais.

— Você voltaria a pensar no casamento?

— Sim, claro. Por que não?

— Isso é mais do que posso prometer por enquanto.

Ele sopra entre os dentes, como uma bexiga furada.

— Ou entra ou sai. Decida-se.

Penso em Rhys sentado em uma caixa há uma década, fazendo uma oferta que eu não achava ter motivos para recusar. Estou prestes a cometer o mesmo erro de novo, pelos mesmos motivos covardes. Percebo que não importa o fato de eu ainda gostar de Rhys, ou de não haver ninguém em vista, ou mesmo o que Caroline acha. Isso não é um valor a ser somado ou uma opção menos pior. Rhys merece coisa melhor. Eu mereço coisa melhor.

Decido falar:

— Rhys, nós não vamos voltar.

— Você disse que me ama.

— E amo. Não muda o fato de termos mudado. Você sabe disso. Não conversávamos como hoje há anos. Pode ser que as coisas funcionem por um tempo, mas, mais cedo ou mais tarde, tudo voltará a ser igual. Nós nos amamos, mas não despertamos o melhor um no outro.

— Você vai jogar tudo fora, 13 anos de vida em comum, pelo quê? Que desperdício.

— Só porque não nos casamos ou não ficamos juntos para sempre não quer dizer que foi um desperdício.

— É exatamente o que é, Rachel. Esforço desperdiçado, tempo perdido. Esse Ben, você o amava? — Hesito. — Entendi. Pelo menos, isso explica por que ele fez cara de culpado quando me viu.

Rhys olha para a mesa, e as rugas leves entre seus olhos se intensificam quando ele franze a testa. Fico tentando imaginar como será a esposa dele, se ele vai ter filho ou filha e como será quando for idoso. Tanta coisa da qual abrir mão. Ninguém acha que estou agindo certo. Sinto uma forte solidão, como uma nave intergaláctica girando no espaço, sem contato com a Nave Mãe, e observo as reservas de oxigênio acabarem.

— Não estou entendendo — Rhys comenta, mas, para minha surpresa, não está nervoso. — Não entendo. Não entendo o que mudou.

— Eu mudei, e não sei o motivo. Sinto muito.

Mais silêncio.

Rhys se recosta na cadeira, pega uma aliança de noivado de dentro do bolso da calça jeans e a coloca em cima da mesa.

— Ah, não. Não posso.

— Guarde-a. Não tenho o que fazer com ela.

Em seguida estende o braço sobre a mesa e beija meu rosto.

— Boa sorte, Rachel.

— Obrigada — agradeço, mas as palavras ficam presas em minha garganta muito apertada.

Rhys percebe que vou chorar e fica de pé, deixando claro que a conversa terminou. Ele caminha até o palco enquanto eu me recomponho e caminho em direção à saída. Quando me viro, ele está mexendo no suporte do microfone, ajustando a altura e murmurando diante do microfone:

— Um, dois, um, dois.

Abro a porta.

A voz de Rhys ressoa amplificada:

— *Venda a aliança e pode ser que consiga pagar mais um meses do aluguel da casa chique.*

☞ 61

Eu havia me esquecido do casamento de minha amiga de infância, Samantha, e continuaria esquecendo por mais tempo, já que o convite foi enviado para a casa de meus pais. Minha mãe, obviamente, relutou muito em me lembrar.

Quando ela entra em contato para marcar um almoço no sábado, eu encaro a minha falta de preparo, literal e psicologicamente, para participar do dia especial de outra pessoa. Vou ter de passar 12 horas lembrando que meu dia especial não vai acontecer, ao lado dos meus pais, que estarão pensando a mesma coisa. Parece bem cruel.

— Você tem visto o Rhys? — minha mãe pergunta, olhando-me pelo espelho retrovisor enquanto passa mais uma camada de rímel. Estamos percorrendo estradas pontuadas por cercas vivas.

— Sim. Nós nos encontramos para tomar uma bebida uma noite dessas — respondo. Talvez pareça que estou com a voz embargada de emoção, mas na verdade meu peito está comprimido por um vestido azul-escuro estilo anos 1940, com um bolero para combinar, que Mindy me forçou a comprar. ("Você está solteira nesse casamento, e as regras mudaram: você precisa levá-lo e ele *vai ser levado*.") O corpete, neste momento, impede a circulação do sangue em minhas pernas, com a única vantagem que eu não sinto mais os saltos.

Uma pausa enquanto minha mãe escolhe as palavras, deixando de lado aquelas inflamadas que talvez deem início a uma discussão. Mas não tanto quanto eu gostaria.

— Como ele está?

— Está bem. Estava bem bonito. Ia fazer uma apresentação.

— Provavelmente está tentando parecer bem.

Eu me controlo e não digo nada além de:

— Pai, pode aumentar o volume? Acho que um dos meus casos no tribunal pode estar sendo transmitido.

— Na rádio Capital?

— Tente a Five Line, então!

O casamento de Sam e Tom ocorrerá em uma igrejinha em Cheshire, perto de onde eles moram com muito luxo, e a festa será sob uma tenda armada no campo ao lado. Parece bastante ambicioso realizar um casamento *quase ao ar livre* em qualquer momento do ano na Grã-Bretanha, mas, ainda assim, eles tiveram sorte com o clima do começo de verão: agradável e fresco. Fico contente de ver que difere bastante do que seria meu casamento na cidade, aquele que nunca vai acontecer.

Quando estacionamos, descubro que sair do banco de trás de um Toyota Yaris com o vestido que uso representa um desafio digno de um programa cômico.

— Trinta e um anos de idade — meu pai diz, balançando a cabeça, enquanto eu tento sair como um besouro virado de barriga para cima, mexendo as pernas como se estivesse em uma bicicleta invisível. Ele estende a mão na minha direção e me puxa. Trocamos um sorriso. De repente, sem esperar, eu me sinto bem melhor. Minha mãe ainda se sente indignada, mas meu pai já está superando, e, um dia, talvez ela também supere. Vai saber? Pode ser que eu encontre alguém de quem eles gostem, talvez me case. Admito que parece pouco provável.

Sigo pelo caminho de pedras do pátio da igreja, apoiada em meu pai para me equilibrar.

A igreja é muito bonita, os tijolos aparentes marrons e um pináculo de ardósia, e os porteiros atléticos do lado de fora, unidos em solidariedade por terem de vestir ternos completos com cartolas, gravatas cinza e calças listradas.

— Minha nossa, minha nossa — meu pai murmura. — O que é isso?

— Eles estão lindos — minha mãe diz.

— Parecem um bando de idiotas.

Minha mãe começa a exclamar, animada, quando vê pessoas que conhece aproximando-se delas. Eu me mantenho afastada, mas perto o bastante para ouvir meu nome de vez em quando, seguido de explicações de que "não, não serei a próxima".

— Isso vai parar de acontecer em algum momento, não é, pai? — pergunto.

— Sim, claro. — Pausa. — Você vai acabar virando uma solteirona convicta, do mesmo jeito que seu primo Alan é um "solteirão convicto".

— Fiquem de pé, por favor, para receber a noiva.

Respiro profundamente e ignoro o burburinho dos pensamentos pesarosos de meus pais atrás de mim. Sinto uma pontada de perda e desejo, e, quando vejo Samantha passar com um vestido de renda Chantilly, sei que, se fosse comigo, eu estaria, no mínimo, fingindo um pouco. Não muito.

Enquanto estou pensando nos hinos, avalio também que talvez me encaminhe a uma situação na qual posso precisar Falar com Alguém. Um homem bem bonito a algumas fileiras de onde estou olha para o lado, e começo a olhar para o rosto dele e a imaginar: *Ben*? Ai, minha nossa, mulher. Você está delirando na festa de casamento.

Nós nos sentamos para que os votos sejam trocados. Em meio a olhares, a penteados espalhafatosos e a um monte de enfeites de cores claras, eu observo o homem bonito mais um pouco, pensando: Certo, sou uma monomaníaca infeliz, mas ainda assim ele lembra um pouco o Ben, de costas. Principalmente porque o sósia de Ben está acompanhado de uma mulher loira com um penteado igualzinho ao da Olívia.

Espere. Meu Deus, minha vida *é* uma comédia de humor negro... É o *Simon*? Desta vez, não me engano ao ver o perfil romano e o ar de idiota. É tão surreal que eu meio que espero que o vigário arranque a batina e revele uma tanguinha de lantejoulas, antes de eu acordar na cama da Rupa, com o alarme tocando.

Fico mexendo na ordem de serviço que estou segurando e tento entender como é possível uma coisa dessas. Enquanto o padrinho de óculos e bem articulado lê a passagem da Bíblia sobre o amor e o não egoísmo, desesperadamente vasculho meus arquivos mentais atrás de pistas. Samantha não é advogada... Talvez eles conheçam o Tom? Não, não pode ser; eles estão sentados do lado da noiva dentro da igreja, assim como nós. Os porteiros estão trabalhando como se estivessem em uma campanha militar, sem dúvida, para retomar alguma dignidade masculina.

Observamos o novo casal atravessar o corredor, e eu me viro quase 180 graus na esperança de não fazer contato visual com ninguém do grupo. Os bancos a nossa frente se esvaziam, e finjo procurar algo perdido nas profundezas de minha bolsinha quando eles passam. Um murmurinho de vozes curiosas indica que fui localizada.

Depois de sairmos, meus pais partem para os cumprimentos e eu fico tentando imaginar qual é a melhor maneira de me portar de modo a parecer uma pessoa confiante vivendo uma vida boa do jeito que quero.

Hum... Que se dane. Observo rapidamente. Seria muito feio ir embora antes da festa? Posso dizer que fui invadida pela tristeza. Posso tirar meus sapatos e sair correndo pela propriedade, tentando parar um táxi. Só que, ao pensar na reação de meus pais, mudo de ideia.

Com um tapinha no meu ombro, Ben, sorrindo, mas meio tenso, aparece na minha frente. Ele está vestindo um terno azul-escuro, camisa branca e gravata preta. Parece modelo da capa da *Vanity Fair*.

— Passo 10 anos sem vê-la e de repente você começa a aparecer em todos os lugares?

— Ai, minha nossa. — Dou risada, fingindo surpresa pela segunda vez na memória recente. — O que diabos você...?

— Você conhece a Sam? Ou o Tom?

— Samantha. Éramos vizinhas na infância. E você?

— A Liv estudou na Exeter com ela.

— Eu não sabia que a Samantha tinha cursado direito.

— Só no primeiro ano. Trocou por matemática ou alguma outra coisa. — Ele faz uma pausa. — Simon também estudou lá. Ele está aqui.

— Que ótimo! — exclamo, com sarcasmo suficiente para que ele me lance um sorriso compreensivo.

Um grupo de convidados está caminhando em direção à tenda armada, e suspeito de que Ben será *persona non grata* se esperar por mim.

— Parece que estamos todos indo para a próxima etapa? Vejo você lá.

— Com certeza — concordo, desejando que o oposto fosse verdade.

Quando ele se afasta, eu me controlo e consigo não ceder à vontade de me ajoelhar e dizer: *Obrigada, Deus, obrigada tão malditamente!* Como se não bastasse eu ter de participar deste casamento, ainda tenho de encarar o Ben, a Esposa do Ben e o Inimigo Jurado?

— Ai, agora chega — minha mãe sussurra, quando ela e meu pai se aproximam, ele com aquela cara de *ih, fui derrotado*.

— O que foi?

— Bárbara está usando o mesmo arranjo que comprei para ir a seu casamento. E, pela prepotência dela, só pode ser da Debenhams.

O comentário de minha mãe momentaneamente deixa clara a dificuldade deste dia para todos nós.

— Quer saber? Quem se importa com isso? — digo, entrelaçando o braço ao de minha mãe. — Vamos procurar a bebida.

62

A tenda da festa é enorme, tomando quase todo o campo. Na lona branca há painéis transparentes com formato de janelas abobadadas, talvez na esperança de que, se você olhar para cima, acabe pensando que está vendo uma mansão em Long Island, de Gatsby, e não uma tenda.

Entramos no interlúdio que costuma ser feito enquanto o casal feliz tira mil fotos e respeitamos a etiqueta que dita que não devemos subir ao topo sem eles. Vejo Bárbara quase desmaiando quando um convidado mexe em uma porta, o que nos faz permanecer na grama com o champanhe. Um estudante de medicina me disse, certa vez, que o champanhe amolece as pessoas devido à velocidade de absorção do intestino grosso. Mas não está funcionando comigo: quero tomá-lo na veia, para que se misture ao vermelho do meu sangue e o deixe laranja, como o tom do Tabasco. Começam a aparecer cigarros de todos os lados assim que as pessoas do campo percebem que estão ao ar livre e podem fazer o que quiserem.

Começam a passar bandejas de canapés, servidos por estudantes com expressão constrangida vestindo aventais pretos e carregando os aperitivos de folha de alface com patê... e também blinis com ovas de camarão.

— O que são os pequenos que parecem trocinhos?

Meu pai sempre adota uma postura sem noção em eventos formais.

— São damascos recheados com queijo stilton, senhor.

— E pensar que no meu casamento teve ouriço de abacaxi com cheddar! — meu pai diz à garçonete de 17 anos, que fica corada, como se o comentário fosse um eufemismo.

Quando ela se afasta, meus pais cochicham sobre não conseguirem se sentar. Eu, ao contrário, preciso do tipo de apoio não para minhas costas, mas de meus amigos. Eles intuitivamente sabem como formar um grupo de Serviço Secreto, na presença de ameaças.

Ben, Simon e Olívia se reúnem com um grupo todo pomposo, do tipo "Puxa! Como nos demos bem na vida, galera!", um anel social de Saturno consideravelmente mais próximo do planeta da noiva e do noivo. Olívia está usando o que um homem chamaria de "vestido verde" e Mindy identificaria como um tubinho liso de cetim bem cortado cor de licor francês Chartreuse, que certamente é da loja Flannels, e, apesar de mostrar um pouco de carne demais, é totalmente impossível de ser usado se você não tiver o corpo esguio de Olívia. Fileiras de arame dourado com madrepérolas se moldam à cabeça dela, em uma tiara bastante moderna e despojada.

Aceno. Ben ergue a mão em resposta e Olívia meneia a cabeça em um gesto de "*Ah, é você*", com um movimento breve dos lábios que pode ser considerado um sorriso, se você se esforçar bastante, em seguida voltando a conversar com Simon. Ele, por sua vez, está todo estufado e lança um olhar de "*Foda-se você; esquecerão você*" na minha direção. Vejo Ben ver que eu vejo Simon me ver. Lanço a ele um daqueles sorrisos do tipo "Puxa, né? O que eu posso fazer?", e ele retribui como se pedisse desculpas.

Eu tiro meu bolero sob o sol, e minha mãe se sobressalta.

— Quando as roupas de casamento se tornaram tão ousadas?

— Não dá para ver nada — comento, apreensiva.

— Ah, mas você entendeu. Você está usando um sutiã sem alças ou um tipo de corset? — Minha mãe me perturba do jeito que as mães acham que podem perturbar.

— Mãe!

Meu pai, de repente, começa a se interessar demais pelas vacas de um pasto ao lado.

Como se isso não fosse ruim o bastante, para meu horror, vejo Ben aproximando-se. Ele já está perto o bastante para eu alertar minha mãe sem que ele ouça, então sussurro: *Mãããeee, paaara*, e tento me livrar do olhar dela sem chamar mais atenção. Quando Ben nos alcança, minha mãe está tentando ajeitar o vestido em meus seios.

Nossos olhares se encontram, e, por um terrível momento de telepatia perfeita, tento dizer a Ben: *Você já viu meus seios*. Em um ato de compreensão que eu gostaria que fosse por qualquer outro motivo, Ben responde sem qualquer esforço: *Sim, já vi*. Nós nos olhamos como um casal adolescente flagrado dentro do carro em um momento compartilhado de viagem pelo túnel do tempo.

— Mãe, pai, hum... — gaguejo, virando-me de costas para o Ben em um esforço vão de romper aquele elo psíquico. — Este é o Ben, ele... — *já tocou, segurou e apertou meus seios*... — é casado com a Olívia, que estudou na Exeter com a Sam. Os dois cursaram Direito... — *e mordeu meus mamilos*... — Bom, a Sam estudou no primeiro ano. Eu conheço o Ben também porque ele estudou... — ... *meus seios e disse que eram bonitos*... — ... comigo na Manchester. — *Ai, meu Deus, eu disse cara e peitos, por que não estudei na Norkfield para não ter esse problema?* — Ele cursou Inglês comigo.

E em cima de mim. E dentro de mim. Foi incrível.

Faço uma pausa e espero ter falado as coisas socialmente aceitáveis e pensado as coisas febrilmente lembradas, e não o contrário. O fato de meu pai não estar sofrendo um infarto fulminante sugere que consegui.

Ben se recupera admiravelmente para um "prazer em conhecê-los" e aperta a mão de meu pai e depois a de minha mãe, e dá um beijinho em meu rosto que a deixa animada.

— Que lindo casamento, não é? Eles tiveram sorte com o clima. O champanhe está gelado, então o beba enquanto dá tempo.

O velho Ben. O Ben que pulou as mesas e começou a ajudar no dia em que o conheci. Pela quantidade de orgulho e a quantia que os pais da noiva investiram na festa de hoje, duvido que o Laurent Perrier esteja acabando. Ele está inventando uma desculpa para nos afastarmos.

— Podemos trazer um pouco, não? — ele me diz. — Quer me ajudar, Rachel?

— É muita gentileza — minha mãe retruca, e torço com todas as minhas forças para que depois não venha o papo de "*por que você não vê se ele tem um amigo para lhe apresentar?*".

Sigo Ben pelo gramado. Ele se vira para falar olhando para trás, cheio de segredos.

— Quero prometer a você que o Simon não vai incomodá-la — ele diz quando nos aproximamos de uma bandeja. — Estabelecemos uma trégua. Se ele perturbar, avise-me, tudo bem?

Sinto meu coração derretendo, e o álcool aquece minhas entranhas.

— Acho que você é a pessoa mais legal que já conheci.

— Sério? — Ben pergunta, sorrindo e erguendo duas taças. — Meu Deus. Acho que você passa muito tempo em meio a assassinos e estupradores.

63

As mesas receberam nomes de pontos turísticos de Nova York, que foi onde Tom pediu Samantha em casamento. A mesa principal é a Grand Central, seguida da Empire State, Queens e Rockefeller. Percebo que Ben, Olívia e Simon estão na Chrysler. Brilhante, esguia e glamourosa. *Uma coisa.* Com um toque de piada, meu grupo está na Staten Island.

— A nossa mesa é menos chique — digo, mostrando a placa a Albrikt, de Estocolmo, que trabalha com o Tom e fala pouco inglês.

Ele faz um meneio de cabeça educado e diz: "Verdade". É o que ele disse em resposta aos meus três últimos comentários.

À minha esquerda, está uma prima sorumbática chamada Ellen, cheia de alergias, a quem passo a pensar como Arllegenia. Ela faz uma cara feia aos pães, como se eles fossem granadas emitindo gás de trigo mortal, e reclama de tudo até eu decidir que praticar o sueco que aprendi com os chefs dos *Muppets* é melhor.

Depois dos discursos, e durante a dança, dirijo-me à mesa Central Park para conversar com meus pais ("Porque estamos todos pastando" — meu pai), e fico ali enquanto a mesa é esvaziada para a mesa de sobremesa. Fico sozinha com as toalhas brancas com manchas rosas pós-prandial, baldes de gelo cheios de água e os guardanapos amassados. Estou acomodada a uma distância considerável da pista de dança, portanto ninguém imaginará que permaneço à espera de que alguém me tire para dançar, ainda que perto o bastante para não parecer grosseira. Concentro-me em meu telefone e penso: *O celular é um presente de Deus para qualquer solteiro deslocado*. Uma mensagem de texto de Mindy chega:

Caroline está aqui me fazendo ver filmes de merda com Kevin Spacy [sic]. Não é dos bons nos quais ele é dodo [sic] mas uma xatice [sic] com barcos. Como está o casamento? Todo mundo amou seu vestido?

Quando estou enviando a resposta (*"Nem todo mundo... adivinha só..."*), Ben me interrompe, com as duas mãos nas costas de uma cadeira. A gravata foi afrouxada, ele tirou o blazer.

— Você me concede essa dança?

— Ah, não.

— Ah, levante-se. Não vou receber um não de alguém que está sentada aí enviando mensagem de texto como uma adolescente emburrada.

Eu me irrito.

— Desculpe se não estou sendo sociável o bastante para você. Isso não quer dizer que preciso de sua piedade.

Ben enruga a testa, melindrado. Tarde demais; percebo que ele não estava rindo de mim e nem sequer imagina como me sinto mal.

— O que é isso? Por que eu sentiria pena? — Não há como responder sem fazer mais papel de tola. — Vamos — ele insiste.

Eu sorrio, tímida; ele sorri abertamente quando me levanto. O cantor de mais de 40 anos na banda do casamento parece um Robert Palmer com cabelos grisalhos. Ele toca com confiança todas as músicas dos Beatles, enquanto feixes de luz roxa, verde e azul reluzem no piso da pista de dança, sobre nossas cabeças. Não; Rhys não teria aceitado todo esse brilho.

— Temos que dançar? — pergunto, gesticulando para a pista cheia de casais dançando, todos com a mão na cintura, mão na mão ou mão sobre o ombro. Está tocando *Something*.

— Ou dançamos ou abrimos uma roda no meio e dizemos que você quer dançar break; a escolha é sua. Você será RUn DMC, e eu, Jason Nevins.

— Não é uma atitude que sua esposa obrigou você a tomar, por contrato?

— Simon está com ela. — Ben rola os olhos e faz um meneio de cabeça em direção aos dois, que estão do outro lado da pista.

— Espere; minhas mãos estão suadas — digo, secando as mãos no vestido, quando Ben estende a mão para segurar a minha.

— O anjo do norte.

Na verdade, estou apenas enrolando para relaxar diante da proximidade física iminente. Na pista, coloco a mão direita no ombro esquerdo de Ben e seguro a mão direita dele, que coloca a outra mão levemente em minhas costas. Deixo o resto de meu corpo longe do dele com o controle muscular de uma bailarina.

— Por que você estava meio revoltada? — Ben pergunta diretamente em meu ouvido.

À meia-luz, podemos conversar sem que ninguém saiba que estamos conversando, como espiões dialogando atrás de folhas de jornais em bancos do parque.

— Hoje não é um dia fácil para mim. Para os meus pais, haveria uma comemoração dupla, porque seria um pouco antes de meu casamento.

— Ah, entendo. Me desculpe. Pensei que você estivesse preocupada com o Simon.

— Não está ajudando, mas o problema não é ele.

Damos alguns giros até Ben dizer:

— Quando você fica triste, eu fico triste, e, quando eu me deixo afetar por algo, vejo que oficialmente começou a ter importância. A menina que conheci na faculdade ria o tempo todo.

— Porque ela tinha de 10 a 13 anos a menos.

— Ah, não comece com esse papo de idade. Quando você não está enviando mensagem de texto, continua sendo a alegria dos lugares, como sempre foi. — Murmuro um agradecimento. — Sinto muito por estar suando também — ele acrescenta, soltando por pouco tempo a minha mão para puxar a frente de sua camisa úmida e provocantemente semitransparente de cima do peito.

É bem difícil de aguentar, mas não como ele pensa. É um ataque aos sentidos o cheiro não desagradável de homem, o contato e o sussurro no ouvido, além da gentileza, gratidão e o uso da palavra *lover* no palco. Como preciso esquecer tudo isso e como Ben foi franco, decido relaxar também.

— Ei. Perdão pelo lance dos seios. Mais cedo.

— Ah, sim. Você não tem culpa se eles chamam a atenção. Não tem como deixá-los em casa.

Dou risada.

Ben se afasta, de modo que consigo ver sua expressão neutra.

— Estou falando de seus pais.

— Claro.

Dou mais risada. E então, como estou meio "altinha" e carente, digo:

— Nós, garotas *normais*, precisamos chamar a atenção de algum modo.

Mais uma vez, Ben se afasta, agora para ver minha expressão e conferir se realmente estou repetindo o que ele disse. Olho para baixo.

Ele ajeita a mão na minha, dobrando os dedos ao segurar com mais firmeza.

— Você sabe o que quer dizer "normal"?

— Não.

— Significa uma fuga total para não dar detalhes a respeito de uma mulher atraente quando é a sua esposa que está perguntando.

— Ah. — Sorrio e mordisco o lábio.

— Só para você saber.

— É bom saber.

A música termina. O cantor avisa:

— Muito obrigado, pessoal; agora outra que vocês devem conhecer: *Total Eclipse of the Heart*.

— Ai, eu amo *Total Eclipse of the Heart* — Ben diz, e percebo que ele está tremendo quando recostamos um no outro, rindo. Do outro lado da pista, Olívia e Simon estão conversando, sérios. Como não achar essa música engraçada? — Sabe, nunca vamos ganhar esta competição de dança com minha esposa e Simon se não nos esforçarmos — Ben continua, segurando a minha mão e apontando para a esquerda, para indicar uma mudança de passo no refrão "*Turn around...*".

Eu viro para a esquerda, depois para a direita, e então a música ganha ritmo, Ben me afasta um pouco e me puxa de novo.

— Quase perdi o vestido — digo assustada, e começamos a dançar como no ritmo de uma valsa, um movimento mais parecido com um abraço, porque precisei passar o braço ao redor do corpo dele para me equilibrar.

— Assim, com certeza venceríamos — Ben diz, meio sussurrando.

Olho-o surpresa, e ele me lança um sorriso culpado, mas levemente lascivo. Apesar de irritada, fico corada. Repouso a cabeça no ombro dele para que não precisemos nos encarar. É demais. Tenho de cortar o clima, do mesmo modo que fiz enquanto alimentávamos os patos. Em poucos minutos, ele vai voltar para a esposa, e eu voltarei para a minha cadeira na Central Park, e só me resta a aceitação do fato. *Não posso ficar tão perto de você pensando que talvez seja a única vez.*

Olho para Simon e Olívia, e ele está olhando diretamente para nós, sobre os ombros bronzeados dela. O olhar revela maldade e satisfação totalmente desconcertantes.

Ben é fisgado por uma madrinha moderna, com um vestido de pontas irregulares, semelhante a uma flor. Digo que vou ao banheiro e atravesso o gramado escuro na direção dos toaletes. A parte exposta de meu corpo se arrepia por causa do frio, meus ouvidos zunem por causa da música e meus saltos afundam na lama. O banheiro é bastante moderno, com prateleiras altas, música ambiente e flores do casamento entre as pias. Quando desço a pequena escada, vejo Olívia lá embaixo, braços cruzados, a tiara transformando-a em uma miniatura da Estátua da Liberdade.

— Oi! — digo. — Não se preocupe; ainda tem papel higiênico.

— Posso falar com você? — Olívia pergunta, o que soa meio redundante, já que é bem o que estamos fazendo.

— Claro — respondo, e me aproximo dela, sentindo um leve receio.

— Você dormiu com o meu marido?

— *Como é*? — Eu me sinto tonta e enjoada como se tivesse dado 10 piruetas na pista depois de virar uma garrafa de Laurent Perrier.

— Na faculdade. Você dormiu com o Ben?

— Nós éramos amigos.

— Certo. O Ben me disse que vocês dormiram juntos. Ele está mentindo?

Ai, meu Deus, ai, meu Deus. Por que ele a deixou tão irada e permitiu que viesse atrás de mim? Por que eles teriam esse tipo de conversa na pista de dança de um casamento? Minha mente acelera. A expressão do Simon... Ele sabia que ela tinha ciência do que havia acontecido? Por que Ben parecia tão tranquilo? Por que não me avisou?

— Está me dizendo que meu marido está mentindo? — Olívia repete. — De qualquer modo, alguma coisa está acontecendo, não é? Por que ele mentiria?

— Não! Ben não está mentindo. Foi só uma vez, e não representou nada.

Um silêncio mortal. O murmurinho de vozes e a música na tenda parecem muito, muito distantes. Em algum lugar da escuridão, como se fosse combinado, uma coruja pia.

— Se não foi nada, gostaria de saber por que esconderam isso de mim. — Olívia parece ameaçadora como um caco de vidro.

— Ben provavelmente não quis chateá-la com algo tão trivial, de tanto tempo atrás.

Os olhos de Olívia brilham como os de uma bruxa da Disney fazendo um feitiço do mal.

— Trivial? Você acha que é trivial?

Balanço a cabeça.

— Não, não para você, claro que não.

— Ou está dizendo que não foi bom?

— O quê?

— Foi *bom*?

Posso não ser uma advogada, mas sou uma jornalista e sei que se trata de uma tentativa de extrair uma frase que, fora de contexto, parecerá totalmente diferente.

— Foi... eu... — A ideia de anúncio da Mindy volta à minha mente, o que não ajuda muito. *Ótimo ambiente, serviço cuidadoso, cinco estrelas, voltaremos!* — Estávamos bêbados; não me lembro de muita coisa.

— Não quero que você se aproxime de mim nem de meu marido nem de minha casa de novo. Entendeu?

— Sim.

Uma pausa durante a qual espero poder fugir, voltar para cima, pegar minhas coisas e correr.

— O Simon me disse que eu não devo confiar em você. E contou que você passou o encontro todo com ele falando sobre o Ben.

Sinto minha primeira onda de raiva. *Aquele idiota.* Danem-se você e o porco com quem conversou.

— Simon está mentindo — afirmo.

— Que engraçado. Ele disse que você é a mentirosa.

— Bom, isso é mentira. — A conversa está perdendo o sentido. — Simon também acha que eu saí com ele para investigar uma história sobre a qual eu não sabia nada na época.

— Você vai criticar meu amigo?

— Não sei como posso me defender diante das mentiras que ele está inventando.

Estou suada, as mãos cerradas em punhos, as unhas afundadas nas palmas. Meu vestido também me irrita, e meus pés doem. De repente, eu me sinto muito sóbria, bem pé no chão, como se já fosse bem mais de meia-noite na história da Cinderela. Sei que Olívia já tem sua opinião formada a meu respeito. Mas talvez deva tentar uma última vez.

— Sinto muito se você não sabia disso. Eu não sabia se o Ben havia contado. E também não achei que era da minha conta perguntar. Mas, quanto ao Simon, ele já me disse que sou um monte de merda por causa da história da Shale. O que quer que ele lhe tenha dito, é apenas para aumentar a raiva que você sente de mim. Ele ficou me perguntando sobre o Ben no nosso encontro.

— Pois saiba de uma coisa, Rachel. Simon disse que você não estava sendo honesta acerca de sua amizade com Ben. Ele disse que eu deveria chamá-la sozinha e dizer que meu marido havia contado sobre o encontro de vocês. Resultado instantâneo. *Ops*. Então, fique aí e continue me dizendo que ele não sabe o que está falando.

Não se preocupe, Simon, você vai virar sócio. Seu imbecil.

— Se você vai acreditar no Simon e não em mim, não tenho mais o que dizer. Não está acontecendo nada de errado.

— Até parece. Que surpresa ver você com o Ben na pista de dança assim que comecei a dançar com o Simon.

— Ele me chamou.

— Ah, claro, ele está *atrás de você*.

— Não foi isso o que...

— Sabe o que mais o Simon contou? Disse que você é o tipo de mulher que começa a ir atrás dos maridos de outras mulheres quando percebe que ninguém quer se casar com você. Destruidora de lares.

A maldade das palavras me sufoca. Destruidora de lares. Quando me atiraram na pilha das mulheres rejeitadas, eles se esqueceram da parte na qual decido não me casar.

— Certo. Que cara bacana Simon é para dizer tudo isso. Estou colocando um ponto-final nessa história agora. Vou colocar minha papelada em dia e me matar, porque ele está coberto de razão ao dizer essas coisas.

— Ah, sim, você é *tão* engraçada, não? — Olívia diz, cuspindo perdigotos que me deixam enjoada. — E também é bem fraquinha; não chega aos pés de meu marido nem de Simon. — Quando me viro para me afastar, Olívia acrescenta, cheia de amargura: — Não sei o que o Ben viu em você.

Eu paro, penso e me viro:

— ... Ele mesmo?

Eu me preparo para o ataque de Olívia, uma rasteira ou coisa assim.

Neste momento, uma senhora traumatizada de meia-idade aparece na porta do banheiro, uma visão em lilás enviada do céu para trazer paz.

— Que sabonete líquido maravilhoso o do banheiro!

64

Não tenho que bater à porta de Mindy em Whalley Range, porque ela escutou o motor do táxi e já está esperando, de braços cruzados, como se eu tivesse ultrapassado o horário de permanecer fora de casa. Ela também está bem alerta porque lhe enviei uma mensagem de texto dizendo que me dirigia à casa dela e que em hipótese nenhuma ela deveria dormir, por mais sono que sentisse. Quando me aproximo, vejo Caroline logo atrás de Mindy, ambas com a testa franzida, preocupadas.

— O que foi? — Mindy pergunta.

Elas dão um passo para trás quando entro na cozinha e jogo a bolsa sobre a mesa da cozinha de Mindy. Devo estar bem estranha: cabelos desgrenhados, maquiagem borrada, dificuldade para respirar.

— Olívia me enganou para que eu admitisse que dormi com Ben na faculdade, ficou doida da vida e disse que não devo mais me aproximar deles.

Mindy e Caroline me olham estupefatas, como se eu tivesse aparecido de outro mundo falando um idioma alienígena, o que, nesta noite, pode ser que eu tenha feito.

— Espere, espere — Mindy levanta a mão. — Você *dormiu* com ele?

— Uma vez. Logo antes de deixarmos a faculdade. Vocês se lembram de que Rhys e eu terminamos perto da formatura?

— Sua danada! Por que nunca contou pra gente? Quando? Onde?

— Mindy! — Caroline exclama. — O que importa o lugar?

— Só estou tentando entender os fatos!

— No nosso apartamento. Você e a Caro tinham ido para casa uma noite antes do baile de formatura. Naquele dia.

— Por que nunca contou? — Caroline repete a pergunta de Mindy, com uma entonação diferente.

Eu me sento em uma cadeira, fazendo uma careta por sentir o corpo todo dolorido dentro do vestido.

— Foi totalmente inesperado. Eu me apaixonei por ele, fiz besteira e meio que deixei ele pensando que não estava a fim, e acabou antes de começar. Rhys apareceu no baile, Ben foi embora e nunca mais me atendeu, foi viajar, e pronto. Nunca suportei falar sobre isso. Era como se, fingindo que não tinha acontecido, não doesse tanto.

— Ai, Deus — Mindy diz, baixinho.

— E o que aconteceu com a Olívia? — Caroline pergunta. Ela parece séria ou alerta. É muito o que ela previu. Conto sobre as objeções específicas feitas por Olívia, e as mais gerais de Simon.

— Que idiota! — Mindy grita. — Quem é ele para dizer isso? E que cadela! — Caroline continua em silêncio. Eu levo as mãos à cabeça. — Vamos, venha para o sofá — Mindy diz e me guia. — Essas cadeiras não servem para sentar. Eu as comprei apenas porque ficam lindas com a mesa.

Quando me aconchego em um assento mais macio, sinto que estou sendo observada.

— Foi uma noite? O Ben também gostou? — Mindy pergunta.

— Na época, ele disse que me amava. Ben estava de viagem marcada, eu faria meu curso de pós-graduação. Foi um péssimo momento. — Caroline continua calada. — Você nem precisa dizer, mas estava certa — eu lhe digo. — Eu não deveria ter retomado a amizade com Ben.

— Não entendo o que você fez de errado. Você tem que pedir desculpa por algo que aconteceu anos antes de ele conhecer a esposa? —

Mindy pergunta. Mordo o lábio. — Será que entendi? Você está tentando seduzir o Ben? — Mindy pergunta.

— Não, mas...

— Então não culpo nenhum de vocês por não ter feito nada. Se vocês tivessem namorado antes e mantido segredo agora, tudo bem, seria uma decepção. Qualquer coisa menos do que isso é proteger os sentimentos de uma pessoa. Ninguém passa uma lista completa de quem pegou ou não. Ficamos na base do "Eu não pergunto, você não me conta".

Eu dou risada, apesar da situação.

— Como os gays no serviço militar?

— Pois é!

Olho para Caroline. Olho também para Mindy. Digo? Quase não consigo admitir para mim mesma. Sim. Vou ter de dizer:

— É má ideia eu ser amiga dele porque... — Dois pares de olhos arregalados, esperando. — ...Vê-lo de novo me fez perceber uma verdade ridícula. Ainda estou apaixonada por Ben.

Caroline e Mindy se entreolham e então me olham de novo.

— É mesmo? — Mindy pergunta.

— É idiota e trágico, eu sei — digo.

— É malucamente romântico.

— Ele está casado, Mindy — Caroline afirma, com seriedade.

— Sim, ele está casado, então não passa de algo triste e errado — digo, terrivelmente consciente de que Caroline deve ter a impressão de que estão lhe pedindo que simpatize com o tipo de mulher que saiu com Graeme. — Eu fiquei ali, sendo ofendida pela Olívia, pensando que merecia aquilo.

— Você não merece! — Mindy diz, mas olha para Caroline com incerteza.

Pausa.

— Olha — Caroline se dirige a nós duas —, vocês foram ótimas quando o Graeme se comportou feito um idiota, mas fico com a impressão de que esperam que eu seja durona ou talvez queiram me tratar com luvas de pelica, e eu sou a mesma pessoa. Minha opinião continua sendo minha opinião e, Rachel, sim, eu lhe disse que precisava tomar cuidado com o que poderia haver entre você e o Ben antes disso, e antes de eu me tornar uma mulher rejeitada. Mas, quanto ao que aconteceu esta noite, acho que o problema com a Olívia é culpa do Ben.

Mesmo aliviada por ser desculpada, sinto necessidade de proteger Ben.

— Olívia merecia saber a história toda, e ele tinha o dever de lhe contar, não você.

— Sim. Afinal, o que você deveria dizer? — Mindy pergunta. — "Oi, prazer em conhecê-la. A propósito, já peguei seu marido"?

— E você rompeu seu noivado há pouco tempo. Claro que se sente vulnerável, e ele é o cara casado. Ben deveria ter agido de outra maneira para as coisas não chegarem aonde chegaram — Caroline conclui.

Uma longa pausa. Em meio à confusão mental, eu me sinto melhor por ter desabafado com elas.

— Ela vai me matar se eu fizer mais perguntas? — Mindy aponta para Caroline.

— Ah, faço o que quiser, Mindy — Caroline diz, sacundindo os ombros, mas percebo que ela está se divertindo. Afinal, pediu e recebeu o que queria.

— Uma noite, 10 anos depois, você ainda o ama. Deve ter sido *uma noite e tanto*, né?

— Hum... Sim.

— Ele foi incrível? Um garanhão de luxo?

— Entendi o que quis dizer, Mind. Sim, foi.

Mindy encolhe as pernas no sofá, tentando fingir que não está se divertindo. Ela adora um drama, principalmente se envolver um cara sedutor.

— Quando as coisas mudaram? Quando você estava na faculdade com o Rhys, seus sentimentos por Ben mudaram em que momento?

— Não sei muito bem. Aconteceu aos poucos, e, quando percebi, foi meio assustador. Ignorei, e então... POF!... ele vem e diz que me ama... E, ao ouvi-lo se declarar, eu me dei conta de que também o amava. Antes disso eu achava que ele vivia tão longe do meu alcance que nem sequer ousei pensar, muito menos dizer.

— Mas, se ele fugiu, talvez estivesse confuso? — Caroline pergunta, e sei que ela não está sendo má, apenas tentando diminuir meu arrependimento.

— Não sei bem. Ele tocou no assunto quando saímos para beber, certa noite. Ficou claro que Ben pensou não só que eu voltaria com o Rhys no baile, mas também que eu não tinha os mesmos sentimentos por ele.

— O que você disse? — Mindy pergunta.

— Eu tive que ser meio evasiva. Não podia dizer simplesmente que foi tudo um erro enorme, porque senti a falta dele a cada momento.

— Você não sabe se foi um erro — Caroline diz. — Talvez você e o Ben tivessem terminado em três meses depois de uma grande discussão.

— Talvez.

— Certo. Vou preparar xícaras de chá com uísque — Mindy diz.

Caroline e eu permanecemos em silêncio por um tempo, escutando os barulhos de Mindy movimentando-se na cozinha.

— Você não vai dizer que me avisou? — pergunto a Caroline. — Mereço isso e um pouco mais.

— Você não disse o mesmo para mim a respeito do Graeme.

— Você não tinha culpa nenhuma!

— Você e o Graeme nunca foram muito próximos, e sei que não vai muito com a cara dele... — Eu abro a boca para protestar, mas Caroline balança a cabeça diante de minha tentativa de ser educada — ... mas você nunca disse nada contra ele e também não o arruinou por conta da última... *transgressão*, nem me criticou por tê-lo aceitado de volta, e agradeço por isso. Nenhuma de nós é perfeita. Eu a avisei sobre Ben.

Pensei que você ia acabar machucando outras pessoas sem querer. Não me dei conta de que, acima de tudo, você estava se machucando.

— Eu sabia que não tinha jeito, Caro, mas queria muito vê-lo de novo — comento, com tristeza.

— Eu sei, eu sei. Fui eu que abri a boca e contei que o havia visto na biblioteca — Caroline diz, inclinando-se para a frente e dando-me um tapinha no ombro. — Ele não é um assunto encerrado. Talvez tenha mexido com você o fato de ele ter reaparecido, mas não esteja tão certa de que é amor.

A velha Caro de sempre. Ela precisa "ver para crer".

Mindy volta com xícaras de chá. Caroline cheira o dela e enruga o nariz.

— Caramba, o que é isto, tão forte?

— Meu pai me deu um uísque no Natal. Estava esperando uma chance de usá-lo.

— Você jogou uísque dentro do chá? Cometeu um ato terrorista.

— Beberico o meu. Quente, doce, forte... ideal para um choque. Sou capaz de correr uma maratona agora. — Tente se lembrar de uma coisa — Caroline continua, voltando ao assunto. — Um relacionamento com Ben envolveria novos problemas. Além disso, a vida com ele que você sente ter perdido só é perfeita porque é um sonho.

Mindy repousa a mão em meu braço, consoladora.

— E veja as coisas desta maneira: o que você e o Ben compartilharam foi perfeito como em um filme. Vocês não precisam estragá-lo. E também não precisam se esquecer aos poucos, porque não envelhecerão juntos até a morte.

Afasto a franja da frente dos olhos.

— O problema é que, depois de todos esses anos, não consigo pensar em ninguém que eu mais gostaria de ver envelhecer e morrer do que o Ben.

☞ 65

Pelo menos a máxima sobre pessoas que trabalham em jornais — "pouca paciência, pouca memória" — tem um pouco de verdade: ninguém se esqueceu totalmente do que aconteceu com Natalie, mas, a cada dia, noto que, apesar de a notícia ainda não ser velha, está envelhecendo. Vou sobreviver.

O nome de Zoe aparece com frequência no *Mail*. Parece que "Os sete hábitos de pessoas muito eficientes" está sendo um belo trabalho. Tenho certeza de que ela ganhará uma coluna exclusiva antes dos 30 anos. E a usará para massacrar políticos ruins e celebridades hipócritas por mentirem para as pessoas, com em uma daquelas fotos em que ela pareça estar olhando com raiva para alguém que jogou lixo em seu jardim.

Por falar em lixo e atos questionáveis, Gretton começou a levar um café lixo para mim na sala de imprensa, todas as manhãs. É gentileza dele e, ainda assim, eu me sinto levemente desconfortável. Será que estou decaindo tanto a ponto de Gretton se apiedar de mim?

— Sua situação está mais apertada do que tudo! — ele costuma me receber assim.

Gretton também começou a me dar dicas para matérias, com resultados bem horrorosos.

— A história da conduta indecente exposta na sala quatro ser piada. Uma mendiga tem mostrado os peitos às pessoas — ele diz, neste dia. — O policial disse que parecia uma aberração.

— Sabe, Pete, acho que vou deixar você investir seu enorme talento nessa história.

Preciso voltar ao apartamento no horário certo porque Caroline e eu planejamos uma coisa e todos precisam estar presentes. Chego em casa às seis. Caroline chega às seis e quinze, e Mindy chega às seis e quarenta e cinco, para podermos passar a noite vendo um DVD. Às sete, a campainha toca de novo.

— Boa noite! — Ivor diz ao entrar. — Você comprou mesmo um Xbox? — E então: — *O quê*? — ao ver Mindy.

— O que ele está fazendo aqui? — ela pergunta, levantando-se.

Eu me coloco entre a porta e Ivor, levando-o mais para dentro da sala.

— Certo. Recentemente, eu fiz a maior besteira da minha vida, e Caroline, mesmo sem ter culpa, está passando por uma fase difícil — explico. — Precisamos que vocês dois retomem a amizade e restaurem a harmonia. E isso nunca vai acontecer se não conversarem. Então, conversem. Falem o que quiser, mas precisam começar a falar.

— Vou embora. O que acham disso? — Ivor diz, virando-se.

— E, se ele não fosse embora, eu iria — Mindy diz com as mãos na cintura.

— Ah, pelo amor de Deus, vocês dois — Caroline fala.

— Não tenho nada a dizer a ele.

— Eu também não tenho para dizer a ela. Posso ir agora? — Ivor pergunta.

— Como é? Vocês vão jogar fora anos de amizade porque tiveram uma briguinha por causa da Katya? — digo, olhando para um e depois para o outro. — Ela vale a pena?

— Pergunte ao Ivor se ela vale a pena — Mindy responde. — Quatrocentos e vinte libras por mês? Com TV a cabo e *fuck-fuck* incluídos?

— Viu? — Ivor diz. — Não tem jeito.

— Parem com isso! — de repente exclamo, meio histérica. — Sei que vocês pensam que podem dizer o que quiserem, mas não estão sendo sinceros. Ivor pode morrer atropelado por um ônibus ao voltar para casa. Nunca se sabe quando vai ser a última chance. Conversem!

— Ela praticamente me chamou de estuprador! — Ivor grita. — É legal que vocês queiram ajudar, mas, a menos que ela faça uma boa retratação, não vai rolar.

— Retratação? Vá esperando — Mindy diz.

— Certo, certo — Caroline se levanta, abaixando a blusa sobre a barriga. — Já chega! Mindy, sente-se. — Ela apoia a mão no ombro de Mindy e a empurra, e então aponta um dedo para Ivor e para uma poltrona. — Ivor, sente-se ali. *Agora.*

Ivor faz bico, ainda vestindo o casaco.

Ela se posiciona entre os dois, de pé. Caroline irritada dá um pouco de medo. Eu passo por eles, como se fosse uma segurança.

— Mindy — Caroline começa —, o Ivor não deu a Katya nenhuma concessão no aluguel em troca de favores sexuais. Você sabe disso. Pare com essa história. Simplesmente aconteceu, e ele tem o direito de dormir com quem quiser. Afinal, é adulto e solteiro. Se resolvêssemos criticar as escolhas de cada um aqui, a coisa seria feia. — Caroline desvia o olhar. — Ivor, você sempre critica a Mindy por causa dos namorados que escolhe. Você jamais gosta deles. Talvez, da próxima vez em que vir Jake, possa consertar isso.

— Jake e eu não estamos mais saindo — Mindy diz.

— O próximo, então — Caroline afirma.

— Não sou uma porta giratória! — Mindy retruca, e Ivor parece mais alegre.

— Sinto muito — digo a Mindy. — Pelo Jake, não pela porta.

— Certo. Com Jake ou sem Jake, ainda que Mindy tenha se alterado uma vez, ela passou por anos de provocação — Caroline diz.

— Acho que alguns deslizes não me classificam como estuprador, certo?

— Acho que vocês dois precisam se desculpar um para o outro. E podem fazê-lo ao mesmo tempo, se ninguém quiser começar. Vou contar até três.

— Não é assim — Ivor diz a Caroline. — E se não concordarmos com sua sugestão?

— Não vou mudar a minha opinião por causa de algo que você o force a dizer — Mindy contesta. — Não faz sentido.

— Pelo menos vocês concordam em alguma coisa! — digo com otimismo. Olho desesperada para Caroline.

— Certo, vocês me forçam a fazer isto. Vou quebrar o vidro e pegar o martelo — Caroline diz, sentando-se e cruzando as pernas. Mindy e eu nos entreolhamos, confusas. — Tenho uma teoria, se alguém quiser ouvir: Ivor está apaixonado pela Mindy há anos, mas não faz nada a respeito devido ao fato de ela insistir em só pensar em caras com determinada aparência. Por isso seus namoros são tão absurdos.

Olho para Ivor, que está com cara de quem chegou no último minuto do embarque internacional e constatou que esqueceu o passaporte em casa.

— E acho que a Mindy está começando a perceber que seus sentimentos são parecidos. E por isso ela detesta tanto o que Ivor fez com a Katya. — Caroline se vira para Mindy. — Você não está desaprovando. Está com ciúmes.

— O *quê*? — Mindy pergunta, pálida como nunca vi alguém moreno ficar. — Não estou!

— O que digo faz sentido, não é? Se pensarmos bem, chegaremos à conclusão de que é verdade. — Caroline observa a sala, e olha para os três rostos boquiabertos. — Vocês estão bravos porque são loucos um pelo outro. Não é, Rachel?

— Hum. Não sei. Está convencida?

— Vocês são um bando de... — Ivor fica de pé, olhos arregalados, gritando algumas palavras. — Vocês que se danem! As três!

E sai pela porta.

— Isso não foi um não — Caroline diz, olhando para Mindy, que se vira para ela.

— Que MERDA foi essa?!

— Se nenhum de vocês vai admitir, pensei em lhes dar uma mãozinha. Ninguém aqui é criança.

— Você está totalmente maluca.

— Estou?

— Sim! — Mindy grita, pegando o casaco.

— Você nunca pensou no Ivor dessa maneira?

— Não!

— E não acha que ele gosta de você?

— Não!

— Ah.

— Parabéns por piorar uma situação que já estava ruim. Quando você acha que ele aceitará ficar de frente para mim de novo?

— Não vá — digo, sem forças, quando Mindy bate a porta. Mas escuto seus passos nos degraus.. — Foi bom, eu acho — continuo, sentando-me ao lado de Caroline, que está assustada, no sofá. — Tem certeza sobre o que disse?

Caroline morde o lábio.

— Tinha. Talvez esteja errada. Passei do limite, não?

— Se não é verdade, vai ser muito embaraçoso resolver toda essa confusão.

— E se for verdade, vai ser pior ainda? — Caroline pergunta.

— Ah, não, mas existe uma terceira opção diabólica. E se for verdade com um deles, mas não com o outro? E aí? — Caroline leva uma mão à boca. Resmungo, afundo a cabeça no sofá e bato as mãos nas almofadas com ritmo. Então digo: — Vou atrás da Mindy. Foi minha culpa; eu tive essa ideia.

— Eu deixaria Mindy se acalmar, se fosse você, mas se acha que vai ajudar...

Desço os degraus correndo e vou para a rua. Graças ao fato de Mindy adorar cores vivas, eu a vejo com facilidade, uma roupa cor de berinjela contra os tijolos à vista a alguns metros. Ela está parada e receio que esteja chorando. *Droga*. Devo-lhe desculpas.

Quando avanço, fico surpresa ao ver que Ivor está ao lado dela. Isso é bom, certo? A menos que estejam se atacando, embora algo na postura deles me indique que não é o caso... Mais parece que eles estão apenas conversando, sem brigas. Eu os observo por um tempo, sem conseguir escutar a conversa. Mindy abraça Ivor para fazer as pazes, e eu quase grito de alegria.

Eles não se separam.

Fico olhando e olhando, totalmente sem acreditar, até perceber que estou assumindo papel de *voyeur* e posso estragar tudo se for vista. Volto correndo para o apartamento e dou um encontrão com Caroline, que está vestindo o casaco.

— Aonde você está indo? — pergunto, sem fôlego.

— Você está certa; é melhor pedir desculpas para eles. Minha atitude foi desnecessariamente sádica. Direi que estou desequilibrada e contarei sobre Graeme, e eles vão se sentir mal e conseguirão me perdoar.

— Muito bem — digo, divertindo-me. — Se conseguir separar os dois lá fora, pode dizer que errou.

— Eles estão *brigando*? — Caroline pergunta, estressada.

☞ 66

Pensei que seria típico de Ben não se despedir pela segunda vez, mas também sabia que agora não dependia dele. Até que recebi uma ligação durante o trabalho em uma sexta-feira. É dia de pagamento para boa parte da cidade, e o sol está brilhando. Às cinco e meia, as calçadas dos bares estarão lotadas.

— Queria encontrá-la para conversarmos um pouco — Ben diz, meio sem jeito. — Não quero tomar tempo demais de sua noite de sexta. Encontre-me nos degraus da prefeitura depois do trabalho, tudo bem?

Entendi, território neutro: nada que pudesse parecer um encontro. Quando chego, vejo que há uma feira popular na Albert Square e um monte de toldos amarelos e brancos listrados, mesas com queijos, salsichões e bacias de madeira repletas de alho e cebolas. E também um carrinho de sorvete bem oportunista andando entre as pessoas.

Ben está esperando, com uma das mãos dentro do bolso, a outra segurando uma maleta. Veste um terno escuro e sapatos de cor marrom, a expressão apreensiva e, infelizmente para mim, que nunca mais o verei, lindo. Como ele consegue ficar cada vez *mais* bonito com o passar do tempo? Dá vontade de roubar o sorvete de uma criança e passá-lo nos pulsos para esfriar meu sangue.

— Oi! — cumprimento. — *Sacre bleu!*

— Olá. *Merde.* Grande planejamento de minha parte.

Ficamos de pé, olhando um para o outro de um jeito simpático, mas inútil. Precisamos de assunto.

— Belos sapatos — elogio, apontando-os. — *Escorregadia como azeite, Rachel.* — Meu pai diz que só malucos usam sapatos dessa cor.

— *Ótima recuperação.*

Por sorte, o Ben ri.

— Engraçado você dizer isso. Mantenha a mente aberta: você já ouviu o termo "esquema Ponzi"? — Ele finge mexer nos fechos de sua maleta. Nós rimos. Silêncio de novo. — Hum. Obviamente, você sabe sobre o que quero falar — Ben diz.

Balanço a cabeça assentindo, nervosa.

— De modo geral, sim.

Do outro lado da praça, uma sanfona começa a tocar, acompanhada por uma cantoria rouca de uma sósia da Edith Piaf. *Non, je ne regrette rien...* Je regrette mais do que a carga, na verdade.

— Você conhece os Jardins de St. John? Parte dois dos Parques e Recreação do tour do Ben.

— Acho que sim... Me guie.

Quando descemos Deansgate, Ben aprende mais do que desejaria a respeito das sutilezas do "desejo de compra", e eu pego umas opiniões sobre o "jeitinho" de driblar a lei.

— Que lindo — digo quando chegamos aos jardins, um oásis verdejante atrás do Castlefield Museum.

— Não é? Acho que no passado existia uma igreja aqui.

Penso que Ben deve ter caminhado por aqui na hora do almoço porque tem muito o que pensar. Os jardins de St. John estão quase desertos, por ser a *happy hour*. Nós nos sentamos em um banco circular. Ben coloca a maleta do chão.

— Não a vi indo embora do casamento...

— Não, eu... pensei que seria melhor ir embora depressa.

— Sinto muito. Quero pedir desculpas, por nós dois. A Liv não tinha o direito de encurralar você daquele jeito, e cabia a mim ter contado primeiro. Você acabou no meio de uma confusão que não tem nada que ver com você, e não é justo, ainda que a Liv não consiga ter essa clareza no momento.

— Sinto muito por ter entregado você quando ela perguntou. Olívia disse que você havia contado.

Ben parece triste.

— Ela nunca me perguntou diretamente, então eu nunca contei nada. Só isso. Se eu tivesse pensado, por um momento que fosse, que ela lhe perguntaria, teria contado e evitado esse constrangimento.

— Eu entendo por que você não lhe contou sobre a época da faculdade. Nós não namoramos.

Ben se retrai um pouco mais.

— Foi o que eu disse a mim mesmo, mas menti por omissão. Se a Liv tivesse convidando um velho amigo para jantar, eu não gostaria que ela deixasse de me contar o detalhe sobre um envolvimento físico. Não gostaria que ela bancasse a advogada com um "você não fez as perguntas certas", pois sou o marido dela.

Não sei como responder sem parecer que estou desprezando Olívia.

— Foi o Simon que disse que ela deveria me perguntar — decido dizer.

— Sim, tivemos outra situação há algum tempo. Ah — ele passa a mão no rosto, cansado —, eu não ia entrar em detalhes, mas que se dane. No passado, quando Liv e eu ficamos noivos, o Simon declarou seu amor eterno. Por ela, claro.

Essa notícia entra na categoria surpresa, mas não choque. Com todo o esforço que Simon fez para descobrir de quem eu gostava, no fundo, no fundo, percebi os sintomas. Todos os sinais apontavam para Olívia.

— É mesmo?

— Ela me contou no ato. Tudo foi resolvido e continuamos amigos.

— Então ele se referia a ela quando disse que gostava de uma mulher casada que voltou com o marido?

— Eles não se envolveram. O que Simon disse a você me deixa preocupado a respeito do que está rolando na cabeça dele. Acho que ele mudou uns detalhes para você não perceber, mas mesmo assim... Quando me contou que ele comentou a história no encontro, eu deveria ter percebido que ele causaria problemas. Ingenuamente, pensei que Simon estivesse apenas expondo seu passado para deixar tudo claro.

— Pois é.

— Depois disso, a Liv e eu concordamos que a melhor política entre nós seria a da honestidade total. Mas não cumpri o que prometi quando você apareceu. Não que eu esteja sugerindo que a situação é parecida — ele acrescenta, depressa. — Acontece que o Simon decidiu insinuar que havia parado de sair com você porque acreditava existir algo entre nós dois. Ele a culpou pela matéria e acho que me culpou por tê-los apresentado, e então por ter ficado do seu lado. Envolver a Liv mexeu com ele de todas as formas.

— Isso é tão...

— Eu sei — Ben diz. — Não quero perturbá-la se disser que tenho minhas dúvidas sobre o encontro entre vocês. Estou certo de que ele se sentiu atraído por você.

Levanto uma mão.

— Por favor, não se preocupe. Sinceramente, não me importo com o fato de Simon não se interessar por minha brilhante personalidade. Só estranhei por que ele falou tanto de você.

— Sim. Acho que ele estava testando para saber se você podia estar envolvida em algo mais.

— E ele me acusou de ter segundas intenções!

— Sim. Idiota. Eu sei que ele não teria alcançado tanto sucesso se eu não fosse tão preguiçoso. Quanto a Liv, posso dizer que ele não tem chance enquanto eu estiver perto ou longe. — Ben aparenta não ter tido a intenção de dizer "longe" e continua: — Já contei a Liv tudo sobre nós dois, então...

— Pensei que eu tivesse contado.

— Não, tudo — Ben diz com a voz baixa e firme, virando-se para me olhar com mais intensidade. — O meu lado. Eu sei que não era recíproco com você, e deixei a verdade bem clara para a Liv. Não acho que tenha sido fácil para ela ouvir.

Não era recíproco com você. Pronto. O erro que nunca poderei corrigir; as palavras que não posso eliminar. Ou as palavras que não posso acrescentar.

Reúno toda minha dignidade, o que demora cinco ou seis segundos.

— Espero que vocês dois estejam bem. Você não precisa dizer o que quer, eu sei que devo se afastar totalmente e entendo.

— Agradeço-lhe por isso, mas... — Ben faz uma pausa. — A Liv foi embora.

— O *quê?* Quando?

O que realmente quero perguntar é: Ela deixou você?

— Há alguns dias. Nós estávamos discutindo sobre algumas coisas e ela vinha ameaçando voltar para Londres. — Eu me esforço para entender. *Olívia foi embora. Isso muda tudo?* — A Liv não se acostumou com Manchester, disse que não quer ter filhos aqui. Já lhe contei a nossa discussão sobre a casa. Ela pediu transferência no trabalho, e só me disse que seria definitivo quando fez as malas.

— Sinto muito. — Não sinto. Estou em queda livre, tentando perceber onde vou aterrissar.

— Não sei quanto tempo vai demorar para eu encontrar algo aqui. Não posso me mudar, simplesmente. Não tenho um cargo tão importante quanto o dela.

Ela não deixou Ben? Só deixou o Norte.

— Você também vai?

— Sim.

— E quer ir? Vocês conversaram sobre isso?

Ben esboça um sorriso.

— Às vezes é preciso deixar o certo de lado e fazer apenas o necessário. Ela não voltará, independentemente do que eu diga, e isso quer dizer que não posso ficar.

Percebo que ele não fala nada sobre a casa em Didsbury. Acho que, em um mundo cheio de dinheiro, vender uma casa não é pré-requisito para comprar outra.

— Bom — digo, com um peso na garganta. — Manchester vai sentir sua falta.

Ben suspira.

— Vou sentir falta de Manchester. Foi ótimo voltar.

Eu hesito.

— Você vai aceitar a casa dos pais dela?

Ele abaixa a cabeça.

— Não sei. Não é o preço que quero pagar para manter meu relacionamento, mas parece que é o preço, quer eu goste ou não. Por favor, não me faça mais perguntas. Eu me sinto triste com as respostas.

— Claro — concordo. — Me desculpe.

Ele levanta a cabeça de novo.

— Me diga uma coisa, Rachel: você pensou que seria tão difícil virar adulta?

— Acho que pensei, quando a faculdade terminou, que tudo daria certo, que eu partiria para a constituição de minha família. Tudo muito simples.

— Isso — Ben ri. — Sempre pensamos que tudo é muito simples. Se eu soubesse o que me aguardava, não teria reclamado tanto das aulas de inglês arcaico. — Sorrimos. Sinto uma pontada na costela. — Foi incrível encontrar você de novo — ele acrescenta. — Pena não ser recíproco. Primeiro, o Simon atacou você. Depois, a Liv. Aposto que gostaria de nunca ter começado a aprender italiano para jamais ter pisado naquela biblioteca.

A mentira que deu início a tudo. É a minha vez de falar, de insistir que não, foi maravilhoso encontrá-lo também e deixá-lo partir como se fosse fácil. Mas Olívia se foi. Pode ser que eles não continuem juntos, mesmo que Ben se mude para lá. Ele até pode decidir não se mudar, se toda a verdade lhe for contada. Pode ser isso. Uma segunda chance que desaparecerá para sempre se eu não agarrá-la e mostrar que errei da primeira vez. *Deixe o certo de lado e faça apenas o necessário*. Não foi o que o Ben disse?

— Preciso lhe contar uma coisa.

Espero um sinal de ansiedade nos olhos dele que deixe tudo mais fácil. Ele se mantém, entretanto, impassível.

— Tudo bem.

— Não o encontrei por acaso naquela noite na biblioteca. Caroline me disse que o havia encontrado ali e eu estava a sua espera, torcendo para vê-lo. — Ben franze a testa. — Pensei muito em você nos últimos 10 anos. Nunca vivi com mais ninguém o que nós dois compartilhamos. Mas, sei lá por quê, não consegui mostrar como me sentia no passado. Se você vai embora agora e não tem certeza de que quer ir, é bom que saiba que eu ainda amo você. Amo você, Ben.

Minhas palavras ficam paradas no espaço entre nós dois, e não acredito que consegui dizê-las.

Ben estreita os olhos.

— É uma piada, certo? Você está de brincadeira? Porque realmente é de mau gosto.

— Sinto cada palavra que disse. Com certeza você sabe que eu não brincaria com isso.

Ele me olha. Antes de falar, respira profundamente, como se estivesse prestes a levantar um peso.

— A Liv disse que era isso o que você estava fazendo. Minha esposa disse que eu deixei alguém entrar na nossa vida, alguém que estava tentando nos separar. Eu a chamei de paranoica e ridícula. Defendi você e suas boas intenções até o fim, e estou aqui, pedindo desculpas e criticando o comportamento dela. Você está me dizendo que ela tinha razão desde o começo?

— Eu não estava tentando separar vocês...

— Então, por que me diz que está apaixonada por mim? O que devo fazer? — Ben pergunta. — Por que me procurou?

— Eu... não consegui me controlar.

Ele faz uma pausa, uma longa pausa, como se tivesse tanta coisa para jogar em cima de mim que precisa parar para colocá-las em ordem de prioridade.

— Não consigo acreditar. Não é à toa que minha esposa me deixou. Você realmente acha que sou o tipo de homem que abandona o casamento por um tempo? Acha que eu pensaria: "Bom, ela está lá, eu aqui, vou aproveitar essa oportunidade e traí-la"?

— Não! Eu não estava falando sobre ter um caso.

— Então o que é? — Ben me olha. — Sou casado. E pretendo continuar assim.

Eu recebo essa resposta como um soco no estômago.

— Certo.

— Sinto muito a respeito de você e de Rhys. Você não está normal. Entendo. Mas, se eu tivesse imaginado que você pensou que isto poderia ser algo... — ele procura uma palavra — *romântico*, eu teria fugido. Meu Deus, que tipo de impressão eu lhe passei?

Eu poderia muito bem me inclinar para a frente e esfregar a cara no chão de humilhação.

— Não é sua culpa. É só que... você disse que a Liv tinha ido embora...

Entendo, tão claro como o dia, o que Ben está pensando ao ver sua expressão assombrada. *O que faz você pensar que eu estaria interessado se não fosse casado*?

Eu deveria ter sabido. A recordação se tornou tão querida que eu não admiti a possibilidade de que o interesse de Ben em mim fosse apenas devido à lembrança, uma anomalia, uma ocorrência maluca, como olhar fotos antigas com roupas da época. Eu me permiti fantasiar que ele não estava comigo porque se casara com Olívia. Mas essa fantasia já não existe mais.

Ben pigarreia.

— E você não me quer. Está triste porque terminou com o Rhys. Na verdade, acho que já passamos por um momento assim, não? *Déjà vu* do inferno.

— Não! — grito. — Ele chegou ao baile e você desapareceu.

— Não quis criar uma ceninha ali, com ele. Imaginei que você faria sua escolha. Não seria um duelo.

Sinto dificuldade para respirar agora e conseguir dizer o que quero.

— Não tive a chance de escolher você. Você se foi. Eu não podia deixar o Rhys ali. Ele merecia um pouco de consideração.

— Até mesmo passar a noite?

— O quê?

— No dia seguinte, ainda cedo, fui até a sua casa. O carro dele estava do lado de fora.

— Sim, ele dormiu lá, no chão. Não podia jogá-lo na rua. Conversamos, ele dormiu, foi embora, e eu fui a seu encontro logo cedo, Ben, e descobri que tinha voltado para Londres. Não atendeu a meus telefonemas, não respondeu a minha carta. E foi isso. Fim. — Ben permanece em silêncio. — Então, um dia, eu liguei e a Abi atendeu.

Ele se retrai.

— Ela nada faria de propósito.

— Ela não foi malcriada. Na verdade, foi bem gentil. Ela me disse que você havia adiantado a data de sua viagem e que ela não conseguia entender por que eu continuava ligando se estava claro que você não queria falar comigo. O que eu deveria fazer? Ir até sua casa e acampar na porta? Eu até me sentia bem desesperada para fazer isso, mas, na época, tinha certeza de que *você* tivera segundas intenções...

Ben balança a cabeça. Ele não quer pensar nisso, eu sei. Não lhe dei muitas opções. Ele mexe na alça da maleta, como se quisesse ter a certeza de que poderia desaparecer depressa.

— Eu não sabia o que você estava pensando. Durante o tempo todo na faculdade, Rhys a dominou, e você deixou. Às vezes, eu achava que o que sentia podia ser recíproco, mas outras vezes... e eu sabia que você não planejou que terminássemos na cama. Eu não sabia o que estava se passando em sua cabeça, apesar de você ter dito coisas legais. Precisava lhe dar espaço para você tomar suas decisões. E você as tomou.

— Não tomei. — Balanço a cabeça, negando. — Não como você pensa.

— Espere. Você ficou com Rhys o tempo todo. Estavam noivos. E agora me diz que não escolheu toda essa situação?

— Não me orgulho em dizer isto, mas voltei a me acostumar a ficar com o Rhys. Eu achava que era uma boa pessoa por não ter contado o que havia acontecido na noite da festa. Por fim, foi muito pior. Para todos.

Ben me olha. Abre a boca e volta a fechá-la. E, então, diz:

— Bom, mesmo assim, durante três anos, eu lhe dei todos os sinais, só faltou agarrá-la. Você acha que não teve sorte, mas, quando eu estava disponível, você não se decidiu. A gente sempre se interessa pelo que não está a nosso alcance.

— Nunca decidi que não queria você. Nunca decidiria isso.

— Foi uma decisão indireta. É assim que você toma suas decisões. Não as toma. Elas acontecem. — As palavras me tocam fundo. Quero responder, com todo o meu ser, mas, às vezes, não sobram forças. — Sinto muito por ter ido embora — Ben diz. — Foi feio. Inferno. Talvez eu tenha mais do meu pai dentro de mim do que imagino.

Permanecemos em silêncio de novo. Quando a verdade toda é exposta, acabamos sentindo certa completude... *uma conclusão*, como dizem por aí. Eu me sinto mais perdida do que nunca. E de que adianta discutir para saber quem errou? Estamos onde estamos. Não vamos chegar a uma conclusão diferente a respeito do passado e, de repente, o presente será alterado.

— Como foi o encontro com Simon? — Ben pergunta, por fim.

— Ele estava interessado; eu me senti lisonjeada. Você tinha dito que eu era normal. — Talvez eu esteja sendo sincera demais a respeito do que estou pensando. — Por cerca de cinco minutos, pensei que pudesse acontecer. Acho que foi um modo de ficar perto de você.

— Você o usou?

— Não intencionalmente.

— Isso vai para a sua lápide. Aqui jaz Rachel Woodford. Não intencionalmente. — Ele sorri. — Se quer saber, estava na hora de Simon acertar uma.

Sua voz está mais firme, mas ele continua me olhando, como se eu fosse uma peça linda de museu: um corpo mumificado com pele de papel queimado e órbitas parecidas com dois buracos preenchidos por caroços de pêssego.

— Se você não tivesse me contado que a Olívia foi embora, eu não teria falado nada disso. Eu teria deixado você partir.

Ele mexe nos cabelos, cansado.

— Sim, eu sei. Não é uma boa ideia ser amigo de alguém com quem você quer algo mais. E eu tenho experiência para dizer isso.

Permanecemos em silêncio.

— Queria ter uma máquina do tempo — digo, em um tom de voz que deveria ser firme, mas sai mole.

— Eu também — Ben confirma, e então espera para acrescentar: — Eu escolheria a universidade Leeds. — Não consigo rir. Além disso, é verdade.
— Melhor eu ir — ele diz e se levanta. Concordo com tristeza, e também me levanto, controlando a vontade de agarrá-lo pela camisa e implorar.

— Adeus — tento parecer corajosa, mas não consigo.

— Mais ânimo. — Ben se vira e acrescenta: — Você ficará bem.

— Vou sentir sua falta. — Percebo que minha voz começa a ficar embargada pelo desespero, *por que você não se importa como eu me importo*; apesar de ele já me dizer que não quer, não consigo aceitar.

— Ah, Baixinha... — Ben, finalmente, parece triste.

A citação inesperada de meu apelido provoca lágrimas pelo meu rosto. Tudo vai acabar em lágrimas, Caroline disse, ou, se não usou essas palavras, foi o que quis dizer.

— O que você ia me dizer? — Seco o rosto com a palma da mão. — No baile de formatura, na pista?

— Não me lembro.

— Ah. — Engulo em seco.

— Eu me lembro, sim. Mas não importa.

— Importa para mim. Por favor, Ben.

Ele parece desconfiado, e com motivos, já que estou prestes a ruir. Olha ao redor para ter certeza de que estamos sozinhos, à exceção do cara descalço com a gravata ao redor da cabeça, praticando *tai chi* embaixo de uma estátua.

— Eu ia lhe contar — ele diz, baixinho — que havia trocado minha passagem para que pudéssemos remarcar tudo quando você pudesse ir também. Não mudei a data da partida. Comprei passagens novas e fui sozinho. — Olho-o com os olhos marejados. É insuportável. Ele parece triste e dá um passo à frente como se fosse tocar meu braço, mas não o faz. — Quero uma coisa em troca — Ben pede, ainda falando baixo.

— Sim. Qualquer coisa.

— Por favor, não me procure mais.

E, com alguns passos decididos, ele se vai. Aposto que teve de se controlar para não correr. Que belo final.

Caminho pelo parque, tentando retomar o controle antes de voltar a ser vista em público. Nada posso fazer em relação à dor no peito.

Testo minha visão lendo a inscrição na cruz que há ali. Naquele ambiente calmo, está escrito: "Aqui, repousam os restos mortais de mais de 22 mil pessoas".

Que apropriado. O jardim florido é, na verdade, um cemitério de terra bem fertilizada.

☞ 67

— Ele vai voltar para o Sul morar numa enorme jaula dourada comprada pelos sogros e será infeliz — digo, entrando no 48º minuto de debate inútil com Caroline. Ela já me ouviu até Tatton Park, sua recompensa por me trazer aqui.

Estou levando um cesto de piquenique; ela, um cobertor e uma bolsa cheia de garrafas. Foi aniversário de Caroline semana passada, e ela designou um concerto clássico e fogos de artifício para a comemoração, e tivemos de comprar ingressos há muito tempo. Isso confirma a grandiosidade da mente dela: o dia chegou, Mindy e Ivor desapareceram, status desconhecido, e Rachel, status: um lixo. Dívidas no cartão de crédito e um senso de obrigação estão nos unindo.

É claro que ela e Mindy já souberam da história. Telefonei para as duas individualmente. Tive de admitir que não houve grande mudança. As duas escutaram com uma forte apreensão, como aquela que acontece nos filmes de horror, quando os adolescentes anunciam: "Não é nada; é só superstição", e vão até a casa abandonada segurando tochas.

— Humm — Caroline diz, abrindo o cobertor, checando o chão para ver se não há pedras nele. — Você não sabe se ele vai ser infeliz.

Eu coloco o cesto no chão, empilhando as coisas no cobertor.

— Não — respondo. — Não. Mas uma casa... Ninguém deveria forçar o cônjuge a agir de modo que ele se sinta comprometido, não?

— Rachel, não importa se ela está fazendo besteira. Ele disse que a ama e que não ama você. Esqueça essa história. Estou dizendo isso como alguém que a ama de verdade.

Caroline pega uma garrafa de Prosecco da bolsa e me entrega duas taças de plástico, daquelas com base de encaixar. Gostaria que o álcool ajudasse. Tem gosto de parafina e desce pela minha garganta como se cauterizasse uma ferida aberta. De modo geral, sinto minha essência passar por um picador de papel.

— Isso não poderia acabar bem — Caroline diz, delicadamente, abrindo a garrafa e enchendo uma das taças. Você precisa começar uma nova história. Aceite a ajuda de Mindy com o lance do namoro on-line.

— Por falar nisso, você acha que eles vêm?

Concordamos que precisávamos de um pouco de distância e respeito a Mindy e Ivor. Não lhes contamos o que eu havia visto nem perguntamos mais nada. Caroline enviou uma mensagem de texto aos dois para saber se viriam ao piquenique, e ambos confirmaram. Um sinal de que coisas boas podem ter acontecido, mas é difícil ter certeza.

Neste momento, Mindy, vestindo uma calça com estampa floral e sandálias de verão, aparece. Caroline acena com a mão livre. Quando ela se aproxima, dizemos oi, mas Mindy está muito inexpressiva, o que irrita, já que ela é sempre a mulher mais expansiva do mundo.

— Devo pedir desculpas quando o Ivor chegar? — Caroline pergunta assim que entrego uma taça a Mindy.

— Acho que sim — ela responde de modo casual, bebendo o champanhe antes que derrame. — Ele disse que viria?

— Sim — Caroline confirma, um pouco incomodada.

Ela e eu nos entreolhamos. Quem sabe o que vi fora do apartamento? Conversamos, por cinco minutos, a respeito da última proposta de trabalho de Mindy quando Ivor aparece entre as pessoas, identificável pela blusa modelo esportivo com listras cor de laranja.

— E aí? — pergunto, protegendo os olhos inchados do sol.

— Boa tarde.

Servimos uma bebida a ele.

— Vamos acabar com isso — Caroline diz, assim que Ivor se senta com sua bebida. — Estou total, completa, irremediavelmente arrependida do que disse. Eu estava errada e foi errado. Por favor, por favor, aceitem meu pedido de desculpas. — Caroline olha de Mindy para Ivor. — E não que eu queira fazer chantagem, mas é a semana do meu aniversário, e amanhã começo as sessões na terapia com meu marido traidor, então, sabem, podem me dar um desconto?

Ivor está inexpressivo. Mindy pega pedacinhos de grama e faz montinhos com eles, olhando em direção ao palco.

— Nós conversamos e achamos que o que você fez foi bem feio, mas também achamos que você deveria estar envergonhada, não nós — Ivor explica. — O que vocês duas não sabiam e Mindy e eu sabíamos é que... Estou lutando contra isso há algum tempo, mas chegou a hora de eu dizer: sou gay.

— Sério? — pergunto. — Você é gay?

— Sim. Por isso a Mindy ficou brava comigo por causa da Katya. Ela disse que está na hora de eu assumir quem sou. Caroline me acusou de gostar de outra mulher... não ajudou muito no lance de *sair do armário*.

— Ah, Santo Deus, Ivor, sinto muito. Não por você ser gay. Sinto pelo que fiz. Desde quando você sabe? — Caroline pergunta com uma mão no peito.

Ivor balança a cabeça.

— Há tempo suficiente para eu perceber que estava na hora de parar de me esconder.

— E sinto muito também; foi minha ideia unir você dois — digo. — Ivor, só queria que você tivesse nos contado antes. Não faz nenhuma diferença. — Ele assente. — Você... tem um namorado? — Pareço uma senhora de 60 anos do Instituto Feminino tentando entender essa nova ideia de exibicionismo que não envolve cachorrinhos, ou o fato de GLBT não ser um partido político. O anúncio da homossexualidade é tão inesperado que não consigo coordenador sentidos e boca.

— Não... Não faz muito tempo que me aceitei. Sabe, só estou de olho em alguns poucos lotes de paus. — Realmente, sem reação, eu me viro para Mindy e reitero minhas desculpas. Ela está bebendo o Prosecco, e então seca a boca e assente, concordando. — Bom, eu digo pau, pau *e* bunda, e ainda não decidi de que lado prefiro estar — Ivor continua.

Caroline e eu assentimos e bebemos mais para não ficar sem ação. Existe certo desajuste entre o ambiente agradável que nos cerca e a natureza franca de nossa conversa. Você não deveria estar pensando se seu amigo prefere em cima ou embaixo enquanto vê três gerações de uma família compartilhando chá Earl Grey de dentro de uma garrafa térmica.

— Sinto muito — Ivor diz. — Tenho frequentado um grupo de apoio e, assim que vencer a barreira da comunicação, tudo melhora.

— Você não quis nos contar antes? — Caroline pergunta. — Não que eu esteja reclamando. Mas acho que a gente poderia ter ajudado.

— Certa vez quase contei para vocês duas. Estávamos assistindo a um filme com o Matt Damon e ele escalava um prédio e...

— *A identidade Bourne* — Mindy diz.

— Obrigada, Mindy, sim, *A identidade Bourne*, e eu quase disse *que bela BUNDA! Eu pegaria esse cara*! Quase saiu. Então, eu me lembrei da minha situação.

— E o filme fala sobre alguém que esquece quem é — Mindy diz.

— Eu nunca pensei nessa ironia — Ivor retruca. — Talvez tenha sido uma influência subconsciente. O que tem dentro do cesto de piquenique? — Caroline parece gostar da mudança de assunto, começa a procurar dentro do cesto e tira um Tupperware. — Ah, um monte de saladas. Não são tão gay assim — Ivor diz.

Mindy aperta o braço dele.

Algo me perturba e, com o aperto no braço, identifico o que é.

— Espere — digo. — *Espere*. A Mindy sabia. *Mindy*? Como diabos você conseguiu guardar segredo?

Mais uma pausa. Ivor fica paralisado prestes a comer um pedaço de pão.

— Arrá! Surpresa! Peguei vocês! Estamos namorando! — Mindy grita.

Caroline e eu nos entreolhamos e, então, olhamos para Ivor, que abre um sorrisão.

— Ivor! — grito. — Uma mentira atrás da outra? Que sem graça!

Ivor tomba para trás de tanto dar risada.

— A cara de vocês... uhu! — ele tosse. — Que bela bunda. Hahaha!

Caroline leva os dedos às têmporas.

— Ivor, você *não* é gay? E você e Mindy *estão* namorando?

— Não, não sou... E sim, estamos — Ivor responde, olhando para Mindy.

Nós a olhamos também. Ela está sorrindo, tímida, e nunca fica tímida. Que coisa incrível.

— Eu sabia que estava certa! — Caroline grita.

— E a vingança por ter nos humilhado durou quanto? Quatro minutos? — Ivor pergunta. — Você merecia isso.

Caroline me entrega a taça, e então se inclina para a frente e beija o rosto dele, e também o de Mindy. — Estou tão, tão feliz por vocês dois.

— Não acredito que você vai voltar para o armário — digo a Ivor.

— Não tem armário, Woodford, OK? Sou 100 por cento a fim de mulher. Tenho diploma de hétero da Peterborough Academy e tudo.

— Mas ainda não concluímos esse curso — Mindy diz. — Vai ser esquisito.

Ivor bate a mão na testa.

— Mindy! Estávamos vencendo esse concurso de vergonha até você dizer isso!

— Desculpe. Mas é o que eu estaria pensando se fosse elas.

Eles riem, cúmplices. Parecem diferentes.

— Que notícia fantástica, além do fato de que vocês não podem dizer que não querem olhar para a cara um do outro se terminarem. Tudo bem? — pergunto.

— Já conversamos sobre isso. Pode ser um dos motivos pelos quais demoramos tanto para namorar — Mindy explica, com um olhar tímido. Percebo que ela está passando pela experiência nova de sair com alguém a quem ela de fato ama. Exatamente o que estava faltando.

— Nós teríamos que fazer um planejamento de horários — Caroline diz. — Mas pode ser que nunca aconteça. Eu e a Rach podemos acabar sendo tias de coisinhas morenas bem bonitinhas. — Ela mostra a língua.

— Posso lhe servir uma boa xícara que cale essa matraca? — Ivor pergunta.

Eu proponho um brinde.

— A Ivor e Mindy. Com nomes e gosto por roupas como os que vocês têm, estavam predestinados a se tornar um casal.

Brindamos com as taças de plástico.

— E aos 53 anos de Caroline — Ivor diz, olhando ao redor para todos os idosos de cabelos brancos que nos cercam.

☞ 68

Eu guardo meu livro e me despeço de mais colegas de classe antes de sair no tempo feio. Comecei um curso de italiano à noite, na faculdade. Há cerca de meia dúzia de alunos estrangeiros e eu, tentando falar nosso italiano meio cifrado com uma professora muito animada, bacana e totalmente inglesa, bem diferente da professora estranha da minha imaginação.

As nuvens branquinhas à tarde se transformaram em chuva forte. Apesar da garoa persistente e de meu próximo compromisso exigir que eu não esteja toda desgrenhada, decido caminhar. Passo pela Biblioteca Central, com o domo iluminado como no filme *Contatos Imediatos*, como se fosse começar a tremer, emitir um som e subir para o céu da noite girando. Eu o olho por alguns momentos, tremendo, segurando a gola de meu casaco. Desço as ruas correndo quando a chuva intensifica, molhando meu rosto e me fazendo piscar. No santuário iluminado do café-bar, encontro uma mesa no canto, perto da janela e embaixo do pôster de *O Mágico de Oz*.

— Temos vinho quente hoje, você quer? — diz a garçonete, tirando o lápis do cabelo preso em um rabo de cavalo para anotar meu pedido. — Está tão frio lá fora que achamos que seria uma boa ideia.

— Ah, pode ser — digo, como se fosse contabando, como a impertinente vovozinha que estou destinada a me tornar.

A bebida chega em uma taça sobre um pires, onde há um guardanapo dobrado para pegar as gotas. Cheguei aqui na hora certa; a chuva está mais intensa por causa do vento e cai em ondas, como se estivéssemos dentro de um lava-rápido.

Essas últimas semanas foram bem ruins. Hoje, não me sinto tão mal. Ainda vazia, mas cheia de energia. O tipo de zonzeira que imagino que as pessoas sintam em um ashram, quando dizem que o corpo está expelindo as toxinas.

Volto ao modo recomeço. Tudo novo de novo, como diz o poeta.

Rhys me ligou ontem à noite para me contar que conheceu alguém, Claire, e ela começou a trabalhar na empresa dele. Talvez logo morem juntos, e pouco me importa por ser tão cedo. E me surpreendi não apenas dizendo que não me importava, mas sobretudo sendo sincera com essa afirmação. Ele parecia querer se gabar, e não é coisa que o Rhys que eu conheço faria — ela já está tendo um efeito que não tive. Rhys explicou que não precisa de minha bênção nem permissão, mas eu ainda tenho uma chave e algumas coisas lá dentro. Eu sabia que era mais do que isso. Ele estava animado e queria compartilhar comigo. E, apesar de ele ter dito que jogamos 13 anos no lixo, a realidade indica que não foi bem assim.

Caroline passou a trabalhar quatro dias por semana, enquanto no quinto atua como voluntária em projetos na cidade. Ela está *adorando*. Nossos encontros foram transferidos para os sábados. Afinal, a noite de sexta é dela e do Graeme, pois a terapeuta diz que eles precisam "reservar tempo para valorizar o elo entre eles e assim voltarem a se conectar". Mindy e eu concordamos que precisamos redobrar nossos esforços com Graeme pelo bem de nossa amiga. Ajuda o fato de ele estar mais na dele e não rir da nossa cara tanto quanto antes.

Enquanto isso, Katya está na Colômbia, Ivor não passa mais os fins de semana jogando videogame e Mindy não se ocupa mais conhecendo rapazes da cidade. Eles não revelaram exatamente o que aconteceu no dia em que Caroline jogou aquela bomba sobre eles. Mas consegui que Mindy me contasse que correu atrás dele, os dois se olharam e: "Nós sabíamos. Sabíamos que era verdade sem que nenhuma palavra precisasse ser dita". Aqueles dois, sem precisar dizer nenhuma palavra. Incrível.

Mindy ainda se recusa a rever sua teoria da atração. Alterou as condições: agora, ela se baseia em ver alguém *só de calça*, dizendo que, se soubesse que Ivor tinha músculos tão bem definidos antes, com certeza atacaria mais cedo. Ninguém acredita nela. Eles estão ridícula e nauseantemente felizes, apesar de terem a consideração de não demonstrarem, pelo menos quando conseguem se conter. Eu sentiria falta das briguinhas deles se elas deixassem de existir.

Permito a Mindy que me cadastre no My Single Friend. Ela insistiu, e eu aceitei. ("Você revisou para ver se está tudo certo?", Ivor me perguntou. "Em um dos perfis da Mindy, estava escrito que ela tinha *alergia* em vez de *alegria*. Olha a mancada.")

— Rachel?

Um homem alto de cabelos pretos e muita água no rosto está na minha frente.

— Sim! Oi. Gregor?

Ele se senta e coloca de lado um jornal amassado que, muito provavelmente, estava segurando acima da cabeça no lugar de um guarda-chuva.

— O que você quer beber? — pergunto.

— Eles têm um cardápio?

Ele pega uma folha de cima da mesa e começa a observá-la. Eu tento, com muito esforço, não reparar em seus cabelos, mas não consigo. O que. É. Esse. Topete? É alto, preto, armado. Mas perturba mais não ser, aparentemente, feito de cabelos. Parece... aplique. Parece que foi *colado*.

Enquanto nos cumprimentamos e Gregor pede uma cerveja, sinto a irritação aumentar, e depois vem a culpa por me enervar se, por acaso, os cabelos dele caíram devido a um trauma, ou se ele fez um tratamento capilar que não deu certo e sua esposa o abandonou por esse motivo. Mas, falando sério: por que não usar um penteado normal? Todas as fotos dele eram posicionadas de modo a esconder o topo da cabeça. Certamente seria melhor ter mostrado e, assim, atraído apenas as interessadas, evitando decepções? Sei lá. No meu perfil, havia algo que a Mindy escreveu sobre beleza não ser fundamental, mas minhas fotos verdadeiras e claras estavam ali para evitar confusão.

Pare de ser tão superficial, digo a mim mesma, o importante é a personalidade. Você está aqui para conhecer a personalidade.

— A que show você vai? — pergunto.

— Michael Ball. Uma coleção de músicas mais conhecidas. *Aspects of love*, e por aí vai. Você vai bastante a West End?

— Hum. Não. Eu sempre...

— Ah, pois deveria, deveria mesmo. É lindo à noite, sabe? Muita diversão.

A garçonete traz a cerveja de Gregor e percebo que ele não lhe agradece, nem mesmo a olha. Está muito cedo para dizer que *isto nunca vai dar certo*?

— Por que uma moça bacana como você está solteira?

— As moças bacanas não podem ser solteiras?

— Foi um elogio, não precisa ficar brava...

— Hum, certo, obrigada. Boa pergunta...

Os olhos dele descem para meus peitos enquanto falo e de repente me sinto com 16 anos, saindo com um garoto que pensa poder olhar os peitos da garota sem ser notado. Talvez seja um tique nervoso, e ele não esteja fazendo olhando. Só estou usando um vestido preto fechado que, afinal, não revela nada.

— ... Por que você está solteiro? — pergunto.

Gregor bufa.

— Trabalhando muito. Viajando para fora.

— Certo. Para o futuro.

— Consigo tirar 20, 30 mil extras em um bom ano. Eles querem me comer vivo, haha!

Quando diz "comer", ele desce os olhos de novo. Inacreditável.

Meia hora depois, estou agradecendo aos céus porque o show a que ele vai começa cedo.

— Foi bacana. Fique à vontade para me ligar — ele diz, empurrando a cadeira contra a mesa. — Se eu estiver voando, vai para a caixa postal, mas eu ligo depois.

— Hum, hmmm — murmuro, sorrindo de lábios fechados com um movimento de cabeça que quer dizer *só se eu estiver no inferno*.

Posso admitir a derrota e ir para casa. Mas talvez isso pareça que concordo não ser legal ficar sozinha fora de casa, e mesmo que estar sozinho não é bom. Peço mais uma bebida e penso que devo levar um livro da próxima vez.

Decido uma coisa. Sempre sentirei saudade de Ben. Sempre me perguntarei o que poderia ter acontecido se eu dissesse: "Obrigada por ter vindo, Rhys, boa tentativa, bom uso do gel, mas, por favor, me dê licença, porque vou correr atrás do cara por quem estou apaixonada". Mas, apesar de aquele dia em St. John ter sido péssimo, não me arrependo do que disse a Ben. Pelo menos eu tentei. A máxima de Rachel: fracasse de novo, mas de outro jeito.

Algumas pessoas conhecem suas almas gêmeas, como Mindy e Ivor. Algumas terminam com quem talvez conseguissem ser felizes, como Caroline e Graeme. Algumas conseguem acertar na segunda vez, como Rhys e Claire. Algumas conseguem quem elas merecem, como Lucy e Matt. Algumas sempre serão um mistério, como Lucas e Natalie. Ele saiu da prisão, eles voltaram, nada mais será dito. Outras pessoas, grupo em que estou classificada, acabam sozinhas. E tudo bem. Vou ficar bem.

Tomo uma decisão: marcarei uma viagem para Roma no dia do meu casamento que não aconteceu. E falarei italiano. Um pouco.

☞ 69

Estou mexendo com a colher na fatia de laranja e no pedaço de canela que estão flutuando na superfície de meu vinho quando a cadeira à minha frente é puxada para trás.

— Este assento está vago? — Olho. A colher bate no pires. — O clima lá fora está parecendo o fim do mundo em *Blade Runner*, não é? Eu tinha me esquecido de como o nordeste é esquisito.

Continuo olhando Ben sem entender quando ele joga o casaco nas costas da cadeira. Não está molhado. Apenas normal, como se tivesse salvado o mundo antes de ir ao alfaiate.

— Vi você na frente da biblioteca e a segui — ele diz. — Você escolheu o caminho mais comprido até aqui, sabia? Depois, eu me sentei num canto e a observei meio estranha. — Ben espia dentro do copo. — Tem bebida nisto?

— Sim.

— Muito bom.

— Você está aqui para me entregar uma papelada de advogado a fim de que eu abra mão das minhas fantasias?

— Não, vou pegar outra bebida. Ah, ótimo... O mesmo que o dela? Sim, obrigado. — Ele confirma o pedido com a garçonete. — Então, quem era aquele com você?

Como não estou entendendo nada, responderei às perguntas conforme elas vierem.

— Gregor.

— Namorado novo?

— Hum, não. Ele gosta de musicais e olhava para os meus seios a cada 12 minutos.

Ben enruga o nariz.

— Amador. Todo mundo sabe que é preciso captar o que der com a visão periférica e, usando a imaginação, montar a imagem 3D. — Balanço a cabeça com imensa vontade de rir. — Mas você está procurando de novo?

— Sem sucesso, mas sim.

— Fico feliz em saber.

Ben agradece o vinho, pega a taça e toma um gole. Nesse momento vejo o pequeno, porém revelador detalhe na mão esquerda dele. Ben percebe que notei. E pousa a xícara.

— Liv e eu vamos nos divorciar. Fui até Londres e nós conversamos por muito tempo a respeito do que fizemos de errado e decidimos que não daria para consertar. Devo esclarecer que não teve nada a ver com o que aconteceu no casamento. Foi meio o sopro final. A situação já estava ruim desde antes de Manchester. Apenas tentávamos ganhar tempo com a mudança para o Norte, na verdade.

— Sinto muito, Ben.

Percebo que sinto muito mesmo. E fico triste por ele. Gostaria de poder dizer isso antes de todo o interesse próprio desaparecer, e não sei se é verdade. Mas sei, confirmado com as últimas notícias de Rhys, que, quando amamos alguém, queremos a felicidade dessa pessoa mesmo ainda que a situação não nos envolva. Mesmo quando *depende* de seu afastamento.

— Eu também.

— Você deve estar arrasado.

— De certo modo, foi pior quando eu soube que podia acontecer ou que deveria acontecer, e ainda não tínhamos dito. Estou muito triste, mas conformado. É melhor do que nos machucarmos mutuamente até não sobrar mais nada. Entende?

Penso em Rhys.

— Entendo.

— Vinho quente — Ben toma mais um gole. — Muito bom, ainda que totalmente fora de época.

— Você vai ficar em Manchester?

— Vou, sim.

— Ben — digo com cuidado. — Se você está aqui para dizer que podemos ser amigos porque agora se separou... Não tenho certeza se vai dar. Já tentamos duas vezes, e nenhuma delas terminou bem. Sei lá, amigos podem fazer coisas como inscrever o perfil um do outro no My Single Friend, como a Mindy fez para mim. Se eu tivesse que escrever o seu, diria que você é o homem mais sexista que conheço. E que fede. E que usa meias para transar.

Ben finge cheirar as axilas e diz:

— É mesmo?

— Você entende o que estou dizendo. Não posso ser sua amiga nem conhecer suas namoradas. Não vai dar certo.

— Hmmm. — Ben tira o pedaço de canela de sua bebida entre o polegar e o indicador e o coloca na beira do pires. — Isso só fica bom em *pot pourri*.

Não sei como minhas palavras são compreendidas. É difícil dizer uma coisa que demorei a elaborar.

— A respeito de sermos amigos, não daria mesmo certo. Fiquei bravo quando a vi pela última vez. Mas, pensando bem, bravo comigo. Você deve saber que eu fui embora naquela noite do baile porque tinha certeza, e sentia muito medo, de que você escolheria o Rhys e não a mim, e nem sequer fiquei para ver se estava certo. Evitei seus telefonemas pelo mesmo motivo. Pensei que apenas confirmaria a má notícia. Eu disse a mim que, se fosse eu, você teria corrido atrás de mim no Palace. Mas você havia me dito como se sentia, e eu não tinha direito de fazer joguinhos, ou levá-la a provar. Nunca vi as coisas de seu ponto de vista. Você não estava indecisa; eu me sentia inseguro. E então, depois, quando eu soube que você tinha voltado com o Rhys, disse a mim mesmo: Pronto, eu estava certa por ter duvidado de você. Até a nossa conversa naquele parque, eu nunca havia encarado o fato de que eu poderia ter causado a situação. Percebi como fui idiota. — Ele toma um gole da bebida. Não sei se vou conseguir passar por tudo isso de novo. É como voltar a fita de um acidente. Em seguida, Ben continua: — E então, quando fui honesto comigo mesmo a respeito do passado, pude ser honesto também a respeito do presente. Comecei com as intenções erradas, querendo lhe provar as coisas com meu orgulho idiota ferido.

— O que você precisava provar para mim?

— Que eu não me importava com o que tinha acontecido. Que eu nunca pensava em você ou não queria que as coisas tivessem sido diferentes. Em pouco tempo, o plano começou a dar errado, e ficamos ali, e tentei não choramingar *Você sabia que arrasou meu coração, sua louca?* — Ben sorri para deixar claro que está sendo irônico com o "louca". — E queria salvá-la das garras oleosas do Simon... Queria muito. A verdade é que ver você de novo se baseou em um erro. Eu tinha certeza de que seria seguro retomarmos nossa amizade. Pensei que não poderia me apaixonar por você de novo, e estava certo.

Ele respira fundo.

— Por favor — interrompo desesperadamente. — Se quer me dizer que percebeu que gosta de mim como uma segunda irmã, legal, mas não pretendo ouvir. Escreva isso em um cartão com algumas flores e poste: Com meus mais profundos sentimentos por você não ser nem um pouco atraente.

— Eu estava certo quando pensei que não poderia me apaixonar por você de novo. Porque nunca deixei de amá-la.

— *O quê?*

— É verdade — Ben diz, alegre. — Parece que uma vez foi o bastante para me infectar. Desde então, você está em pausa, como um vírus que não mostrou as caras. Ou uma doença crônica incurável que causa surtos de vez em quando.

Uma pausa longa, durante a qual a vida, antes em preto e branco, se torna colorida.

— Sou um eczema?

Ben sorri.

— Eczema do coração. É isso. Psoríase da alma.

O mundo todo se resume a uma mesa ao lado da janela de um café-bar em Manchester e à pessoa sentada a minha frente. Se a alegria pudesse ser vista pelo Hubble, os cientistas desta noite registrariam um objeto peculiar e brilhante em uma ilha ao norte do Equador.

— Diante disso, queria propor um encontro. Está livre hoje à noite?

— Uh... — Minha mente está tão carregada que só consigo emitir sons simples. — Sim.

— Ótimo! Caramba, você está no segundo homem da noite, e eu ando totalmente sem prática. Tenho que fingir que amo gatos, filmes velhos e chuva? Espere, não. Rachel não gosta quando dizemos "filmes velhos". Há filmes bons e filmes ruins. Se alguém dissesse gostar de "filmes novos", você consideraria a pessoa uma idiota.

— Eu disse isso?

— No primeiro ano da faculdade.

— Não acredito que você se lembra disso.

— Quando o assunto é você, eu me lembro de tudo. Então, não preciso disto. — Ben finge coçar o pescoço e olha sorrateiramente para meus peitos. Eu começo a rir. Ele dá um tapinha na cabeça. — Está tudo aqui. Não se preocupe.

Ele cobre minha mão com a sua. É de verdade.

— Eu deveria ter tanta coisa para dizer, mas não consigo pensar em nada — digo.

Vejo a garçonete com a caneta nos cabelos lançando a nós aquele sorriso de *casal bacana* de novo. *Se você soubesse.*

— Você pode responder à pergunta silenciosa sobre o que faremos a seguir? — Ben diz.

— Essa pergunta existe?

— Sim. Quer jantar?

☜ .. ☞

Quando saímos do café, pergunto:

— Tudo bem andarmos juntos?

— Como assim? Você tem algum tipo de aparelho que dê choque?

— Como... — Quero dizer casal, mas então penso que soa meio presunçoso depois de 175 ml de bebida alcoólica. — Tipo... nós dois.

Ele para.

— Como casal? Esperamos um tempão pelo primeiro encontro. Não acho que qualquer coisa que fizermos possa ser considerada apressada. Espero, pela nossa conversa, que você seja... minha namorada. Não é?

— Sim! — *Namorada. Namorado. Um casal!* — Se você de fato quer uma mulher que atualmente é descrita num site de namoro como "uma risada adequada".

— É ridículo, eu soube desde o primeiro momento em que nos conhecemos. Não foi... amor à primeira vista, exatamente, mas... familiaridade. Do tipo: oi, é você. Vai ser você. Pronto.

Parece que vou explodir.

— Não acredito que finalmente estou com você.

Ele se inclina para a frente e me beija, uma mão na minha nuca, os dedos nos meus cabelos, nossos lábios quentes com gosto de vinho e o ar muito frio ao nosso redor. Como no passado, nosso encontro tem um efeito completo em mim, mas agora não parece uma lembrança recuperada. Parece novo em folha. Eu o abraço, enfio as mãos por baixo do casaco desabotoado, e o seguro firme, para ter a certeza de que ele existe.

Continuamos caminhando de mãos dadas. As pessoas que passam por nós não sabem que estamos vivendo um milagre. Sinto vontade de pará-las e contar.

— Se alguém perguntar como acabamos juntos, vai ser a história mais difícil de se contar — digo. — A maioria das pessoas pode dizer: "Nós nos conhecemos na festa de Natal do escritório. Nós dois gostávamos de funk e hip-hop. Temos dois filhos".

— Bem, diga que nos conhecemos na faculdade.

— Não faz jus. É preciso contar tudo. Posso escrever nossa história em um diário, para o caso de um dia termos netos.

— A história começaria no dia das boas-vindas na faculdade e terminaria esta noite?

— Claro — concordo. — Mas, na verdade, esta foi a noite mais importante de todas.

— Qual seria a frase final?

— Ai, não sei. Alguma coisa bem sentimental sobre como a espera valeu a pena e "Aí, fomos comer comida japonesa e, ainda por cima, ele é bem competente com os pauzinhos".

— Não, isso vai soar como um anticlímax. Somos formados em Inglês, pelo amor de Deus, podemos fazer algo melhor. Pense no legado, no peso da história. Tem que inspirar. O que acha de: "E, então, ele fez com ela e ela amou?".

Olho de canto de olho para ver a expressão dele. Continuo séria.

— É... pode ser...

Agradecimentos

Agradeço a minha brilhante agente, Ali Gunn, e ao adorável Doug Kean, por terem feito um trabalho adequado. Agradecimentos também a Jo Rees, cuja crítica excelente, de certa forma, produziu resultados incríveis sem destruir minha autoestima, e por isso sempre lhe serei grata.

Obrigada a minha maravilhosa editora, Helen Bolton, que provou seu amor ao livro cuidando dele com muito zelo, e a toda a equipe Avon, na HarperCollins, por ser tão profissional e agradável. E muito crédito também à talentosa designer Emma Rogers, que criou uma capa incrível. Foi amor à... não, não farei isso. Mas *obrigada*.

Enorme gratidão a minha linda família, por todo o apoio e incentivo. Não teria conseguido sem vocês, como sabem, certamente.

Menção especial a Clive Norman, Chrissy Schwartz e Tom Welch, pela generosa ajuda, e a meu amigo Sean Hewitt e ao meu irmão Ewan, por me motivarem quando enfrentei um dos meus momentos "Não consigo". As frases "O que acontece depois? Mande mais texto" provavelmente representam o feedback mais útil que se pode receber.

Agradecimentos a todos os grandes amigos/leitores interessados/ conselheiros do livro: as lindas irmãs de Cozar, Tara e Katie, Helster, Tim Lee, Sally, Kristy, conselheira de Manchester, Julia Pride, o inspirador trio Tree Com, Natalie, Paula, Serry (obrigada pelo nome, Nat!) e minha irmã Laura.

E muitas pessoas interessantes que conheço — principalmente Jeremy Lewis, Rob Hyde, David Wood, Stephanie Hale — se envolveram sem pudor: muito obrigada! Espero que não role nada daquela "ação jurídica". Mas, cuidado, porque, se acontecer, vou negar este parágrafo.

Acima de tudo, obrigada, querido Alex: assim como o Bon Jovi, você manteve a fé.

E obrigada a você que comprou este livro. Espero que ria pelo menos uma vez, e em alguma parte escrita para ser engraçada.